HAAR STILLE WENS

Thea Zoeteman-Meulstee

Haar stille wens

Citerreeks

ISBN 978 90 5977 737 8
e-ISBN 978 90 5977 738 5
NUR 344

© 2012 Citerreeks, Utrecht
www.citerreeks.nl
Omslagillustratie en -ontwerp: Bas Mazur

1

Glimlachend strijkt Judith met haar hand over de roomwitte trouwjurk. Nog twee dagen, dan is het zover. Met verlangen kijkt ze uit naar de grote dag waar ze samen met Leon al maanden naar heeft toegeleefd. De voorbereidingen hebben veel tijd in beslag genomen: de fotograaf, het gemeentehuis, de kerk, de zaal, de kaarten, het vervoer, er kwam heel wat bij kijken. Nu is het aftellen voor de grote dag.

Judith kijkt naar de jurk die aan de zijkant van de kast hangt. Een smal kanten lijfje, een wijde rok, pofmouwtjes en een sluier. Zal ze hem aantrekken? Nee, toch maar niet. Over twee dagen...

Ze kijkt haar kamer rond. Voor een groot deel is deze al leeg. Het meeste uit de kasten is al verhuisd naar hun flat in de Rozenstraat. Toch vreemd om nooit meer in deze kamer te slapen. De laatste vier jaar is het haar eigen domein geworden, het vertrouwde plekje waar ze heerlijk kon dromen.

Judith zucht. Het is een beetje dubbel. Ze verlangt naar het leven samen met Leon in hun flat, maar het afscheid van haar kamer geeft haar een weemoedig gevoel.

Voor Leons moeder zal het extra moeilijk zijn. Zij is al enkele jaren alleen nadat haar man is overleden aan een hartstilstand. Gelukkig woont Leons zus nog thuis. Helemaal alleen blijft zijn moeder dus niet achter.

Judith gaat voor het raam staan. Het is stralend weer, en dat hebben ze voor de komende dagen ook afgegeven. Een zonnige trouwdag. Wat kan ze zich nog meer wensen?

Ze glimlacht. De toekomst ligt open voor haar en Leon.

Wat zal het haar brengen?

Als ze die avond op tijd naar bed gaat, valt ze van alle vermoeienissen snel in slaap. Na een poosje schrikt ze opeens ergens van wakker. Ze schiet overeind. Wat was dat? Het leek wel het geklepper van de brievenbus. Ze spitst haar oren. Een insluiper misschien? Haar hart bonst.

Nee, het blijft stil. Ze zal het zich vast verbeeld hebben.

Haar wekker wijst twaalf uur aan. Een vreemde tijd om nog iets door de brievenbus te gooien. Het zal wel een ander geluid zijn geweest waar ze van wakker geschrokken is.

Judith draait zich om en valt opnieuw in slaap.

'Judith.'

Judith knippert met haar ogen. Ze kijkt op haar wekker. Halfacht. Hoe krijgt haar zusje het verzonnen om haar nu al wakker te maken? Ze hoeft er nu nog niet uit. Ze heeft immers vrij vandaag.

'Laat me nog even liggen,' bromt ze slaperig.

'Maar ik heb een brief voor jou.' Anke, Judiths twaalfjarige zusje, zwaait met een envelop. 'Hij lag op de mat. En jouw naam staat erop.'

Meteen herinnert Judith zich het vreemde geluid van vannacht weer. Haar slaap is gelijk verdwenen. Ze heeft het dus toch goed gehoord. Het was het geklepper van de brievenbus waar ze van wakker is geworden.

Ze neemt de envelop aan. Daar staat inderdaad haar naam. In blokletters.

Anke blijft afwachtend staan.

'Ga nu maar,' wuift Judith.

'Dus ik mag niet weten van wie die brief is?'

'Natuurlijk niet, nieuwsgierig aagje. Het is toch mijn post?'

Anke kijkt beledigd. 'Ik zal je nog eens post op bed brengen.'

Judith wuift met de brief. 'Ik ben je zeer dankbaar. En wil je de deur achter je dichtdoen?'

Anke gaat. Beledigd. Maar daar kan Judith niet over inzitten. Dat is vanmiddag wel weer over. Anke blijft nooit lang mokken.

Ze bekijkt haar naam op de envelop. De letters zijn groot en uit elkaar geschreven. Op die manier schrijft Leon altijd. Maar nooit in blokletters. Dus hij moet van iemand anders zijn. Bovendien, waarom zou Leon haar een brief schrijven? Ze zullen elkaar vandaag nog zien.

De envelop zit zorgvuldig dichtgeplakt en Judith moet er moeite voor doen om deze voorzichtig te openen zonder de inhoud van de envelop te beschadigen.

Ze haalt er een A4'tje uit dat aan één kant beschreven is.

Onderaan leest ze de naam van Leon. Dus toch. Haar hart bonst. Wat heeft deze brief nu toch te betekenen?

Haar ogen glijden haastig over de zinnen.

Lieve Judith,

Ik weet niet goed hoe ik deze brief moet beginnen, want ik zal je wereld doen instorten.

Onze bruiloft kan namelijk niet doorgaan. De reden hiervan kan ik je niet vertellen.

Het zal je ongetwijfeld veel pijn doen, maar ik kan niet anders.
Geloof me, ik heb heel veel van je gehouden en dat doe ik nog. Daarom doet
het mij ook ongelooflijk veel pijn. Weet dat ik me net zo ellendig voel als jij.
Ik hoop dat je mij vergeven wilt?

Leon

Judith leest en herleest deze brief. De woorden willen niet tot haar doordringen. Dit moet een misselijke grap zijn van iemand die er genoegen in schept om haar op stang te jagen. Want zoiets lafs zou Leon nooit doen.

Maar dat handschrift dan? Het is duidelijk dat van Leon.

Langzaam begint het verschrikkelijke tot haar door te dringen. Wanhoop en radeloosheid kruipen in haar omhoog.

Dit kan niet waar zijn. Dit mág niet waar zijn. Ze moet Leon onmiddellijk bellen. Dit is een vreselijke vergissing. Hij weet niet wat hij doet.

Ze belt hem op zijn mobiel, maar hij neemt niet op. Dan belt ze naar zijn moeder.

'Is Leon er?' valt Judith meteen met de deur in huis, als mevrouw Slagman opneemt.

'Nee. Hij komt vanavond pas thuis,' krijgt ze ten antwoord.

'Waar is hij dan?'

'Hij vertelde me dat hij nog dringend iets te doen had voor zijn werk.'

'Hij zou vrij nemen vandaag.'

'Dat dacht ik ook, Judith. Eerlijk gezegd begrijp ik er ook niet veel van. Heeft hij jou niets gezegd over dringende zaken?'

'Nee,' bekent ze eerlijk. Ze kan er moeilijk om liegen.

Het blijft even stil aan de andere kant. Dan zegt Leons moeder aarzelend: 'Wat vreemd.'

'Wat voor dringends was het dan?' vraagt Judith.

'Dat weet ik niet, hij wilde niets vertellen.'

'Hoe laat is hij thuis vanavond?'

'Rond een uur of vijf. Hij zou thuis komen eten en de rest van de avond hier doorbrengen.'

Dat was ook de afspraak, ze zouden allebei de laatste avond voor hun trouwdag thuis doorbrengen.

Judith moet de grootste moeite doen om zich goed te houden. Ze wil nog niets tegen Leons moeder zeggen over die brief. Eerst moet ze

Leon zelf spreken.

'Dan bel ik naar zijn werk,' zegt ze zo beheerst mogelijk.

Met een korte groet breekt ze het gesprek af. Haar handen trillen en haar ademhaling gaat snel. Ze moet handelen. Hoeveel energie het haar ook kosten zal.

Ze krijgt al snel verbinding met een collega van Leon. Op haar vraag of Leon aanwezig is, blijft het even ongewoon stil.

'Nee,' komt het dan aarzelend. 'Hij is hier niet. Hij zou vrij zijn vandaag.'

Judith begrijpt dat het op zijn minst eigenaardig overkomt dat ze een dag voor hun bruiloft niet eens weet waar Leon op dit moment verblijft. Iedereen wist dat hij een vrije dag had vandaag. Maar volgens zijn moeder moest hij voor dringende zaken naar het kantoor. Als accountant op een groot belastingkantoor heeft Leon een verantwoordelijke baan.

Judith begrijpt er niets meer van. Ze loopt overal vast. Hij neemt zijn mobiel niet op. Zijn moeder weet niet beter dan dat hij toch onverwachts naar zijn werk is en bij navraag blijkt hij daar niet eens aangekomen te zijn.

En dan die afschuwelijke brief…

Nog eens gaan haar ogen over de zinnen die haar als vuistslagen midden in haar gezicht treffen. Vervolgens glijden haar ogen naar de prachtige trouwjurk die daar aan de zijkant van haar kast hangt.

De jurk waarin ze morgen zou stralen.

'Néé,' fluistert ze hees. 'Néé, het is niet waar.'

Het is alsof de vreselijke waarheid nu pas goed tot haar doordringt. Het gefluister gaat over in een aandoenlijk gejammer: 'Néé, néé, néé!'

Het blijkt tot beneden door te dringen, want al snel klinken er haastige voetstappen op de trap. Marita, Judiths moeder, staat met grote schrikogen in de deuropening. Daarachter komt het bange gezichtje van Anke, die door haar moeder haastig wordt teruggeduwd.

'Kind… wat is er?'

'Het is over… voorbij…' Haast doorschijnend bleek en met trillende handen geeft Judith de brief aan Marita. Zonder aarzelen leest deze de inhoud. Judith ziet haar moeders ogen steeds groter worden.

'Dit is niet waar…' verzucht ze ten slotte hoofdschuddend. 'Dit kan niet!'

'Nee,' snikt Judith, de wanhoop nabij. 'Dat dacht ik ook. Maar het staat er echt. Wat moet ik nu toch? Ik wil hem niet kwijt. En onze trouwdag morgen…'

Judith weet zich geen raad en Marita moet haar uiterste best doen om haar hoofd erbij te houden. Ze geeft gehoor aan haar eerste impuls om haar radeloze dochter in haar armen te sluiten.

Het is lang geleden dat Judith haar verdriet zo openlijk bij haar moeder heeft uitgeschreeuwd. Maar nu doet ze het letterlijk en Marita's moederhart wordt verscheurd. Ze kan dit alles nog niet bevatten.

'Ik ga pa bellen,' zegt ze ten slotte. 'Ik vraag wel of hij naar huis komt. Er moet in de eerste plaats gehandeld worden.'

'Hoe?' vraagt Judith hees.

Een machteloze woede klinkt in Marita's stem door als ze zegt: 'Eerst zal Leon persoonlijk bij jou een verklaring af moeten leggen. En niet op zo'n laaghartige manier via een brief. Een dag voor jullie trouwdag nota bene. Hij...' Ze slikt de rest van haar woorden in. In haar verontwaardiging zou ze er veel meer over willen zeggen. Het heeft echter geen zin. Eerst moet er nu aangepakt worden.

'Ik heb van alles al geprobeerd, maar Leon lijkt van de aardbodem verdwenen te zijn,' zegt Judith. 'Ik krijg hem nergens te pakken.'

Ze vertelt wat ze zojuist heeft ondernomen en opnieuw luistert Marita met stijgende verbazing.

'Hij ontvlucht alles,' concludeert ze. 'Ook dat nog. En jij hebt zijn moeder niets over die brief verteld?'

Judith schudt haar hoofd. 'Nee. Ik kon het niet.'

'En vanavond met etenstijd zou hij dus thuis zijn?' begrijpt Marita. 'Het is de vraag of dat echt zo is. Het zou weleens een zoethoudertje geweest kunnen zijn, om zijn moeder om de tuin te leiden.'

Judith duikt in elkaar. 'Ik hoopte dat ik vanavond alsnog de gelegenheid zou krijgen om met hem te praten.'

Medelijdend kijkt Marita op haar dochter neer en ze schudt haar hoofd. Ondanks alles gelooft Judith nog steeds in hem...

'Ik ga pa bellen,' zegt ze nogmaals. 'Ik laat je even alleen, Judith.'

Judith knikt. Het liefst zou ze de hele dag alleen willen zijn. Niemand om haar heen. O, hoe moet dat nu?

Achter de deur staat Anke, die natuurlijk voor luistervink heeft gespeeld. Ze staat daar met tranen in haar ogen.

'Sta je hier nog?' Marita kijkt haar jongste dochter boos aan. 'Heb jij aan de deur staan luisteren?'

Anke buigt schuldbewust haar hoofd en Marita weet genoeg.

'Kom mee,' zegt ze.

Als een aal duikt Anke onder haar moeders arm door en ze rent de slaapkamer van Judith in. Ze klemt zich aan Judith vast.

'Juut, ik vind het zo vreselijk voor je. Ik heb alles gehoord. Het is zo geméén…' Met haar kleine vuist slaat ze verontwaardigd op de rand van het bed.

'Anke!' Marita's stem klinkt dringend.

'Ga maar met mama mee naar beneden,' zegt Judith zacht.

Anke, die anders helemaal niet zo aanhalig is, legt nog even snel haar wang tegen die van Judith. 'Als ik ervoor kan zorgen dat Leon terug-komt…'

'Anke! Voor de laatste keer…'

Anke springt op en rent de kamer weer uit. Judith is er opgelucht over. Ze houdt veel van haar jongere zusje en het doet haar goed dat het meisje met haar meeleeft, maar ze heeft nu genoeg aan zichzelf. Ze draait zich om, duwt haar gezicht in het kussen en smoort de nieuwe snikken die in haar opkomen.

Leon laat zich die dag niet zien, noch van zich horen. Ook zijn moeder en zus zijn verbijsterd als ze door Siem, de vader van Judith, op de hoogte worden gebracht. Hij stelt Leons moeder enkele vragen, maar de geschrokken vrouw kan hem ook niets wijzer maken, behalve dan dat Leon beloofd heeft om 's avonds thuis te komen eten.

Dat maakt het alles nog lastiger, want hoe moet het nu verder aan-gepakt worden? Morgen is de grote dag al.

Voor alle zekerheid gaat Siem nog in de flat kijken, maar daar is alles stil en gesloten.

Judith komt die dag niet meer naar beneden. Haar vaders voorstel om alles voor morgen af te blazen slaat ze in de wind.

'Er is iets aan de hand, pap,' zegt ze. 'Leon meent het niet. Op de een of andere manier beseft hij niet wat hij doet en wil hij dit eigenlijk ook niet. Hij heeft nu al spijt, dat voel ik.'

Siem kijkt naar zijn dochter. Intens medelijden heeft hij met haar. Natuurlijk wil ze de waarheid niet onder ogen zien. Ze neemt het zelfs nu nog op voor die schurk. Een ander woord heeft hij niet voor Leon, maar hij past er wel voor om het hardop te zeggen. Zijn dochter is zelfs in staat om zich hierdoor gekwetst te voelen.

'Judith, nu moet je me heel eerlijk antwoord geven op mijn vraag. Vertrouw je nog op Leon?'

Even blijf het stil en Siem kijkt Judith in gespannen afwachting aan.

'Ik houd van hem,' zegt ze dan. 'U denkt toch niet dat ik het zomaar opgeef?' Ze kijkt hem verontwaardigd aan.

Siem schudt zijn hoofd. 'Dat vraag ik niet, Judith. Je draait erom-heen. Je hoeft alleen maar ja of nee te zeggen. Vertrouw je Leon nog?'

Een poos blijft het stil.

'Het is een vergissing,' zegt ze.

Siem houdt aan. 'Ja of nee?'

Weer is het lang stil. Dan komt het er in een wanhopige schreeuw uit: 'Nee, ik vertrouw hem niet meer. Waarom maakt u het me zo verschrikkelijk moeilijk?'

'Ik vraag dit niet om je te plagen, Juutje,' zegt Siem zacht.

Juutje... het koosnaampje uit haar kindertijd. Juutje-parachuutje, was het altijd. Maar Judith kan bij deze herinnering geen glimlach opbrengen. De pijn zit zo diep.

'Ik wil je niet plagen,' herhaalt Siem. 'Maar ik wil dat je eerlijk bent tegen jezelf.'

'En dat doet juist zo'n pijn,' roept Judith gekweld uit. 'Want ik wil Leon niet kwijt. Hoe moet het nou verder?'

'Wat denk je zelf?'

'Wachten tot hij vanavond bij zijn moeder thuis komt eten.'

'Als we tot vanavond zes uur afwachten, wordt het te laat om alles af te bellen voor morgen. Leon wil niet meer. Dat heeft hij duidelijk in zijn brief laten weten.'

'Hij vergist zich.'

De telefoon doorbreekt de stilte die daarop volgt. Siem neemt op. Het is Leons moeder die met een hoge paniekerige stem vertelt dat ze zojuist Leon aan de telefoon heeft gehad. Siem heeft de tegenwoordigheid van geest om de luidspreker van de telefoon aan te zetten, zodat Judith ook alles horen kan.

'Leon heeft me net gebeld. Hij komt vanavond niet thuis eten.'

'Heb je hem meteen gevraagd...' begint Siem.

Mevrouw Slagman valt hem in de rede. 'Jawel. Ik heb hem verteld dat ik van die brief af wist. Hij was niet eens verbaasd. Hij vertelde me dat er een belangrijke reden was dat de trouwerij niet door kon gaan. Hij komt voorlopig niet naar huis en we mogen niet weten waar hij is. Ook wil hij niet dat we naar hem gaan zoeken.'

'Dat is fraai,' moppert Siem.

'Ik kan er ook niets aan doen,' zegt mevrouw Slagman aangeslagen.

'Dat begrijp ik,' sust Siem. 'De verantwoordelijkheid ligt bij je zoon, uiteraard niet bij jou. Heeft hij nog gezegd dat hij alle afspraken voor morgen zou afbellen?'

'Nee, niets. Ik kreeg de kans niet om door te vragen, want hij hing ineens op.'

Siem slikt een lelijk woord in.

'Dan zit er niets anders op dan dat wij dit varkentje wassen.'

Judith kijkt met grote ogen naar haar vader die met mevrouw Slagman de taken verdeelt. Haar laatste restje hoop is de bodem ingeslagen. Leon is verdwenen en wil niemand laten weten waar hij is. Waarom? Is zijn liefde voor haar ineens bekoeld? Is er een andere vrouw in het spel?

In haar gedachten gaat ze alle mogelijkheden langs waardoor hij tot dit bizarre besluit gekomen is. Maar ze komt er niet uit.

Het duurt lang voordat Siem klaar is met bellen. Daarna wendt hij zich opnieuw naar zijn dochter die zich niet langer laat troosten. Ze wil alleen zijn in haar verdriet.

Siem kijkt naar haar. Zijn hart doet pijn om zijn kind.

'Ik heb alles geregeld met Leons moeder,' zegt hij. 'Jij hoeft je wat dat betreft nergens druk over te maken. We hebben ieder onze lijst met adressen die we af zullen bellen.'

Hij legt zijn hand op haar haren.

'Ik wilde dat ik je kon helpen, Judith. Er is er Eén Die dat werkelijk kan. Wij zullen voor je bidden.'

Marita is naar boven gekomen. Judith kijkt naar haar ouders. Twee mensen die er voor haar zijn, maar die het verdriet binnen in haar niet weg kunnen nemen.

'Wilt u alstublieft die trouwjurk weghalen, mam,' zegt ze gekweld. 'Ik kan er niet langer naar kijken.'

Haar moeder doet het onmiddellijk.

Als Judith even later alleen is, wil ze graag het advies van haar vader opvolgen. Maar ze vindt geen woorden om te bidden. Ze heeft alleen maar tranen.

Gelukkig ziet God die ook.

2

De eerstvolgende dagen leeft Judith in een roes. De dag die haar trouw-dag zou zijn, is voor haar van uur tot uur een kwelling. Marita probeert haar dochter af te leiden, maar het is onbegonnen werk. Judith blijft op haar kamer en komt zelfs niet naar beneden om te eten. Haar ouders hebben samen met Leons moeder alles afgebeld. Dat moet een heel karwei geweest zijn. Judith is blij dat ze daar haar hoofd niet over hoeft te breken. Ze heeft genoeg te verwerken.

Lieke, haar vriendin, komt. Maar zelfs dat is Judith nog te veel. Ze wil Lieke niet teleurstellen, maar ze kan op dit moment niet anders.

Lieke drukt haar een boekje in de handen. *Als alles anders gaat*, heet het. Schor bedankt Judith haar daarvoor. Ze weet dat Lieke dit met zorg voor haar heeft uitgezocht.

'Ik hoop dat je hier troost uit mag putten, Juut,' zegt Lieke nog. 'En ik bid voor je.'

Het doet wat met Judith. Lieke is zo'n trouwe vriendin. Op Lieke kan ze aan. Altijd.

De daaropvolgende dagen blijft Judith zich van de rest van de fami-lie afzonderen. Ze heeft geen behoefte aan contact. Ze eet weinig, valt daardoor af en wordt een schim van zichzelf. Haar ouders maken zich grote zorgen.

Nog steeds hoopt Judith op een levensteken van Leon, en op een aannemelijke verklaring voor het afblazen van hun trouwdag. Ze neemt nog een keer contact op met Leons moeder. Mevrouw Slagman kan haar echter niet veel vertellen. Leon is nog steeds niet thuisgekomen en hij vermijdt alle contact.

Judith raakt er hoe langer hoe meer van overtuigd dat er met Leon iets aan de hand is. Iets ernstigs. Maar wat?

Marita geeft Judith het advies om weer aan de slag te gaan. Al enke-le jaren werkt Judith in de gezinsverzorging. In verband met haar trouwdag had ze een week vrij genomen, daarna heeft ze zich ziek gemeld. Ze voelde zich in deze omstandigheden niet in staat om te wer-ken, en zou het liefst in de veiligheid van haar kamer willen blijven zit-ten. Ze moet haar moeder echter gelijk geven. Op deze manier kan het ook niet door blijven gaan. Ze zal er op den duur aan onderdoor gaan. Door te gaan werken krijgt ze afleiding en vindt ze voldoening. Misschien is dat het beste medicijn voor haar neerslachtigheid.

Met tegenzin meldt ze zich die maandag daarop beter. Ze heeft totaal geen zin, maar ze moet. Ze ziet de opluchting op haar moeders gezicht. Even heeft ze een vervelend gevoel. Want ze weet dat haar zorgen ook de zorgen van haar moeder en vader zijn. Ze hebben genoeg om haar uitgestaan.

Ineens recht Judith haar rug. Ze moet haar best doen om de draad weer op te pakken. En ze moet Leon vergeten. Maar zal haar dat ooit lukken?

De eerste werkdagen vallen haar tegen. Ze kan niet goed opschieten en haar gedachten dwalen telkens af. De cliënten bij wie ze verwacht wordt, zijn inmiddels al op de hoogte gesteld van de situatie waarin Judith zich bevindt. Zodoende wordt haar uitleg bespaard. De mensen leven met haar mee en zijn hartelijk voor haar. Als het werk iets anders verloopt dan normaal, geeft dat gelukkig geen irritatie. Ze weten haar achtergrond. Het komt wel weer goed.

Judith is blij dat ze geen gezinnen krijgt met kinderen. Zeker weten dat de leidinggevende daar rekening mee gehouden heeft. Ze wordt nu steeds geplaatst bij echtparen en alleenstaande mensen, bij wie het meestal om huishoudelijk werk draait.

Al een paar keer heeft ze door de straat gefietst waar Leons moeder en zus wonen, maar alles is daar stil en het ziet er gesloten uit. Het liefst zou ze daar als vanouds binnen willen lopen. Toch kan ze dat niet meer. Het doet te veel pijn.

Enerzijds hoopt ze dat mevrouw Slagman haar belt zodra ze meer nieuws over Leon heeft. Anderzijds heeft ze geen zin om zich er verder in te verdiepen. Ze wordt er maar somber van. Want met Leon wordt het nooit meer wat, ook al zou hij opnieuw contact met haar opnemen. Ze is het vertrouwen in hem volkomen kwijt. Er is iets beschadigd bij haar vanbinnen. Door deze vreselijke ervaring vertrouwt ze geen enkele man meer. Dan maar ongetrouwd. Ze kan het zich tenminste niet voorstellen dat ze ooit weer van een andere man zou kunnen gaan houden.

Voorbij. Voor altijd voorbij…

Judith fietst naar haar volgende adres. Een alleenstaande oudere vrouw die niet zo gemakkelijk is, ze moppert en klaagt altijd. Toch probeert Judith begrip voor haar op te brengen. Al jaren leeft de vrouw met pijn, en medicijnen helpen niet. Daar wordt een mens niet vrolijk van. Daarom probeert Judith steeds weer opnieuw om zich zo positief mogelijk op te stellen.

Toch ziet ze er nu meer tegen op dan anders. Juist omdat ze zelf helemaal niet lekker in haar vel zit. Hoe zou ze zich ooit vrolijk voor kunnen doen?

Als ze halverwege de route is, ziet ze opeens tot haar verrassing Roelien haar tegemoetkomen op de fiets. Roelien is de jongere zus van Leon.

Judith remt onmiddellijk af en roept spontaan: 'Roelien! Wacht eens.'

Roelien kijkt op. Judith ziet hoe er ineens een geschrokken uitdrukking over haar gezicht glijdt als ze haar gewezen schoonzusje ontdekt. Ze geeft Judith een kort, stug knikje en weet niet hoe snel ze er vervolgens vandoor moet gaan.

Judith staat naast haar fiets en kijkt Roelien verbluft na. Waarom ontloopt Roelien haar? Waarom doet ze zo geschrokken en stug? Wat heeft zij Roelien misdaan?

Judith stapt weer op haar fiets en rijdt verder. Haar gedachten staan ondertussen niet stil en haar hart klopt onrustig. Ze zou bijna gaan denken dat zíj iets op haar geweten zou hebben. Maar ze zou niet weten wat zij verkeerd heeft gedaan. Het is Leon geweest die haar zomaar pardoes heeft laten vallen en zich vervolgens niet meer heeft laten zien.

Schaamt Roelien zich daar soms voor? Maar daar kan zíj toch niets aan doen?

Judith peinst en piekert. Ze komt er niet uit.

Als ze bij de woning van mevrouw Bootsma komt, is ze nog steeds diep in gedachten. Ze moet overschakelen. Vanavond als ze thuis is, kan ze er verder over denken.

Mevrouw Bootsma is dit keer nog moeilijker dan anders. Of ze de stemming van Judith aanvoelt? Overal heeft de oudere vrouw commentaar op. Als Judith de ramen zeemt, klaagt ze over strepen. Als Judith de kamer gestoft heeft, gaat ze met een witte doek alle plinten na. Als Judith terugkomt van het boodschappen doen, moppert ze dat het de verkeerde koekjes zijn en een verkeerd merk koffiemelk. Ze kijkt de bon na en ontdekt dat er vijf cent te kort is. Als ze het nog eens natelt klopt het opeens wel.

Judith kan er dit keer weinig geduld voor opbrengen en wordt er hondsmoe van. Ze is nog nooit zo blij geweest als vandaag dat het tijd is om naar huis te gaan.

Ze fietst meteen door naar het kantoor waarvandaan het werk in de gezinnen gepland en gecoördineerd wordt. Ze wordt er vriendelijk ontvangen, en doet meteen haar verhaal. Haar stem klinkt ongewoon hoog van de emoties. Ze kan niet veel meer aan.

Dorien, de leidinggevende, luistert geduldig en knikt als ze alles heeft aangehoord.

'Wij weten dat deze mevrouw niet gemakkelijk is,' zegt ze. 'En ik begrijp dat jij door alle omstandigheden ook tot het uiterste geprikkeld bent. Ik zal iemand anders vragen om in het vervolg naar mevrouw Bootsma te gaan. Voor jou zullen we een ander adres zoeken.'

Judith kijkt peinzend naar de sympathieke vrouw tegenover haar.

'Is het mogelijk dat ik weer in gezinnen met kinderen geplaatst word?' vraagt ze. 'Ik vind het heerlijk om met kinderen te werken.'

'Ik wil eens voor je kijken,' belooft Dorien. 'Maar omdat jij het door je privéomstandigheden moeilijk had, leek het mij het best om jou wat gemakkelijke adressen te geven.'

'Dat is mevrouw Bootsma totaal niet,' geeft Judith onmiddellijk terug.

Dorien glimlacht. 'Je hebt gelijk. Ik heb er niet goed bij nagedacht dat juist dit adres voor jou nu extra zwaar zou zijn. Maar ik ga voor je kijken, Judith. Naar deze mevrouw hoef je in ieder geval niet meer terug.'

Judith knikt opgelucht. Als ze buiten bij haar fiets staat, haalt ze diep adem. De zon schijnt en overal ziet ze bloeiende struiken, rozen, tulpen en hyacinten. Een prachtig jaargetijde is de lente.

Langzaam fietst ze naar huis. Ze moet bij zichzelf te rade gaan hoe het nu verder moet. De flat aan de Rozenstraat is kant-en-klaar ingericht. Ze zou er zo in kunnen trekken. Ze weet echter nog niet goed wat ze zal doen. Samen met Leon heeft ze de flat opgeknapt, de spullen uitgezocht en ingericht. Zou het haar niet te veel pijn doen om daar in haar eentje te gaan wonen? Haar ouders hebben haar aangeraden niet overhaast te beslissen. Wat hen betreft hoeft ze het huis niet uit.

Onbewust fietst Judith in de richting van de Rozenstraat. Als ze de straat in rijdt, geeft het haar toch nog een schokje. Ze heeft de sleutel van de flat bij zich. Zou ze…?

Aarzelend stapt ze van haar fiets. En dan ineens is haar besluit genomen. Ze gaat er kijken.

Haar vingers trillen als ze de benedendeur opent. Met één blik ziet ze dat de brievenbus uitpuilt. Natuurlijk, al het reclamemateriaal en alle post blijven gewoon komen. Ze haalt de brievenbus leeg en gaat met kloppend hart de twee trappen op.

Op de tweede verdieping staat ze voor de deur die haar zo vertrouwd geworden is, maar die er nu een tikkeltje vijandig uitziet. Het herinnert haar nog eens extra aan wat ze had kunnen hebben en wat haar op een wrede manier uit handen is geslagen.

Ze steekt de sleutel in het slot en duwt de deur open. Ze snuift de nieuwe luchtjes op die niet zomaar verdwenen zijn.

Het is haar vreemd te moede om hier haar eigen huis binnen te lopen. Ze gaat naar de woonkamer, de slaapkamer, de logeerkamer, de keuken. Zelfs de douche en het toilet krijgen een beurt.

Alles is haar zo vertrouwd. De warme kleuren die ze zelf uitgezocht hebben. De schilderijen en de klok, die ze als geschenk van haar schoonmoeder enkele dagen voor hun huwelijk kregen. Het is zo bitter.

Judith slikt iets weg. Ze gaat op de bank zitten met haar jas nog aan. Ze kijkt naar de kast, waar achter het glazen deurtje het glasservies haar tegen schittert.

En dan toch ineens komen er tranen. Ze zijn niet meer tegen te houden. Het lucht haar vreemd genoeg op. Toch goed dat ze naar haar flat is gegaan. Ze weet dat ze alle schepen achter zich moet verbranden. Ze gaat alleen verder. En haar besluit is ineens genomen: ze zal haar intrek nemen in deze flat.

Als ze thuiskomt, is ze erg stil. Ze vertelt niets over wat ze die dag heeft meegemaakt. Niets over de vluchtige ontmoeting met Roelien. Niets over de vervelende middag bij mevrouw Bootsma. Niets over het gesprek dat ze naderhand met Dorien heeft gehad. En over het bezoek aan de flat kan ze nog het minst van alles praten. Dat moet een plekje zien te krijgen.

Haar ouders en zusje zijn er intussen een beetje aan gewend dat ze sinds de breuk met Leon erg zwijgzaam en teruggetrokken is geworden. Judith vangt regelmatig de bezorgde blikken van haar ouders op, maar ze doet net of ze die niet ziet. Misschien is het juist goed als ze op zichzelf gaat wonen. Afstand nemen van alles.

Diezelfde week gaat ze naar Lieke. Deze woont bij haar ouders enkele straten verderop. Als vanouds loopt Judith achterom en komt de keuken binnen. Liekes moeder staat bij het aanrecht en is bezig groente schoon te maken. Verrast kijkt ze op.

'Judith. Wat fijn dat je komt,' zegt ze spontaan. 'Daar doe je goed aan, meid.'

Ze trekt een moment Judith naar zich toe. 'Ik ben zo blij dat je weer de draad hebt opgepakt en spontaan hierheen komt. Lieke zal het geweldig vinden.'

Judith knikt, ze voelt het meeleven van Liekes moeder.

'Lieke zit op haar kamer. Ga maar snel naar haar toe.'

Judith hangt haar jas op de kapstok en loopt de trap op. Ze glimlacht als ze muziek hoort uit Liekes kamer. Ze opent de deur en kijkt om het hoekje. Lieke zit onderuit in haar zitzak met een boek.

'Kijk kijk,' plaagt Judith. 'Of jij het er niet even lekker van neemt.'

Lieke kijkt geschrokken op. Dan meteen glijdt er een trek van verrassing over haar gezicht.

'Judith! Wat leuk dat je er weer bent. Hoe is het met je?'

Het boek vliegt door de kamer en Lieke springt overeind. Ze trekt enthousiast haar vriendin de kamer verder in. 'Dit had ik nog niet verwacht. Je moest eens weten hoe vaak ik mezelf tegen heb moeten houden om naar je toe te gaan. Maar je wens om alleen te zijn heb ik gerespecteerd.'

Judith ploft naast Lieke neer in de zitzak. Het gaat net.

'Daaraan kun je zien dat je een echte vriendin bent,' zegt Judith hartelijk. 'Ik heb me naderhand geschaamd, weet je dat? Jij wilde meeleven en ik stuurde jou min of meer weg.'

Lieke schudt haar hoofd. 'Houd op, zeg. Je had nogal niet wat te verwerken. Ik begreep het helemaal. Als ik op die manier aan de kant gezet werd zo pal voor mijn trouwdag... Ik weet niet wat ik zou doen. Maar het is iets om een flinke inzinking van te krijgen. Ga je nu ook weer aan het werk?'

'Ik ben al begonnen.'

Dan vertelt ze Lieke alles wat ze die week heeft beleefd bij mevrouw Bootsma, de vreemde ontmoeting met Roelien en het bezoek aan haar flat.

Lieke luistert geduldig en laat haar uitpraten.

'Ik heb dit nog tegen niemand verteld, Lieke,' zegt Judith. 'Jij bent de eerste die weet dat ik in mijn flat wil gaan wonen.'

'Kun je het aan?' Lieke kijkt haar opmerkzaam aan.

'Ik denk het wel. Ik wil ervoor gaan. Als ik eraan denk dat er iemand anders in de flat komt te wonen, krijg ik een vervelend gevoel in mijn maag. Ik ben er ondanks alles aan gehecht. Bovendien wil ik graag op mezelf. Niet dat ik het thuis slecht heb, integendeel. Maar ik voel dat de tijd rijp is dat ik alsnog het huis uit ga. Niet door te trouwen, maar nu op deze manier.'

Lieke knikt en kijkt nadenkend voor zich uit.

'Ik snap het. Soms denk ik er ook weleens over. Uiteindelijk hebben we de leeftijd. Maar een flatje kopen of huren vind ik maandelijks nog een grote uitgave. En zolang je het thuis nog best hebt...'

'Dat is het bij mij ook niet.'

'Nee, maar die flat heb je toch al. Je hoeft er niets meer voor te doen. Alleen maar te gaan wonen.'

'Kom bij mij wonen.' Judith flapt het er zonder nadenken uit en Lieke schokt op.

'Meen je dat nu werkelijk?'

'Het zal best gezellig zijn met zijn tweeën. Het is een driekamerflat, dus ruimte is er genoeg.'

Lieke kijkt peinzend voor zich uit. Het blijft een poos stil.

'Ik weet niet goed wat ik hierop moet zeggen. Het is geen grapje, hè?'

Lieke kijkt Judith vragend aan, die heftig haar hoofd schudt.

'Het is zomaar een voorstel. Denk er eerst eens over. Je hoeft niet in één keer ja of nee te zeggen.'

'Er komt wel een financieel plaatje voor mij bij,' zegt Lieke. 'Ik zei je zojuist al dat dát de reden is dat ik het voorlopig nog uitgesteld heb.'

'Ik begrijp het. Maar het scheelt wel of je in je eentje een flat koopt of huurt, óf dat je het bedrag samen kunt delen.'

'Dat moet toch ook nog geregeld worden met Leon?' vraagt Lieke zich hardop af. 'Jullie hebben samen een hypotheek genomen op die flat. Hoe gaat dat nu verder in zijn werk?'

'We lossen allebei af. Daarin is niets veranderd, want ik kan aan de bankafschriften zien dat Leon tot nog toe geen stappen hierin ondernomen heeft. Maar als ik in de flat trek, zal er toch het een en ander aangepast moeten worden. Leon heeft dan geen rechten meer.'

'Er komt nog heel wat bij kijken, hè?'

'Ja, heel veel. De financiële kant van het geheel zal grondig onder de loep genomen moeten worden. En of Leon het leuk vindt of niet, hij zal toch hierin mee moeten gaan. Hij kan zich niet blijven afzonderen op een plaats die niemand mag weten.'

'Dan zal een van jullie hem wel moeten bereiken.'

'Dat kan lastig worden,' geeft Judith toe. 'Hij neemt nog steeds zijn mobiel niet op. Ik heb het verschillende keren geprobeerd.'

'Misschien wel omdat hij ziet dat jij belt. Zal ik het eens proberen?'

Judith kijkt Lieke verbaasd aan. 'Meen je dat?'

'Natuurlijk. Geef mij het nummer maar. Als hij mijn nummer in de display ziet, herkent hij dat niet als het mijne. Misschien neemt hij dan op.'

Judith zucht. 'Ik hoop het maar. Er zal nog het een en ander afgerond moeten worden.'

'Heb jij nog veel contact met zijn moeder?'

Judith schudt haar hoofd. 'Op dit moment niet. Ze neemt de telefoon niet op en als ik door de straat rijd, is alles daar hermetisch gesloten. En toen ik van de week Roelien zag...'

Ze vertelt nog eens van de ontmoeting en Lieke schudt verbijsterd haar hoofd.

'Het is alsof ze iets te verbergen hebben. Dit klopt van geen kanten, Judith. Wil je een raad van me aannemen? Ga naar Leons moeder en bel daar aan. Als ze niet opendoet, loop je zoals je altijd gewend was, achterom. Ze moet toch te spreken zijn. Misschien kan zij je inmiddels veel meer vertellen.'

'Ik weet dat het laf klinkt, maar ik weet niet of ik het durf.'

Lieke knijpt haar vriendin in haar arm. 'Je hebt veel meer lef dan je zelf denkt. Maar ik weet wel wat erachter zit. Jij bent nog altijd bang dat je iets vreselijks te horen krijgt. En het liefst wil je je hoofd daarvoor als een struisvogel in het zand stoppen. Zou je het prettig vinden als ik meega?'

Judith kruipt uit de zitzak en doet een paar onrustige stappen naar het raam. Ze kijkt de straat in zonder werkelijk iets te zien.

'Dat kan ik van jou toch niet vragen. Bovendien zal ik zelf mijn zaken op moeten lossen.'

'Dat ben ik gedeeltelijk met je eens.' Lieke is ook opgestaan en komt naast Judith bij het raam staan. 'Jij hebt genoeg te verwerken gehad en daar zul je nog veel tijd voor nodig hebben. Je leven staat finaal op zijn kop. Dan is het geen schande om een beetje extra steun van een vriendin te krijgen. Het is nogal niet wat: naar je gewezen schoonmoeder gaan en dan de kans lopen dat je opnieuw een dreun krijgt. Figuurlijk dan.'

Judith huivert alsof ze het koud heeft. Lieke merkt het en schuift bemoedigend een arm door de hare.

'Ik wil er voor je zijn, Juut. En als je mijn hulp nodig hebt, schaam je dan niet. Een mens kan niet alles alleen dragen. Daar heb je vrienden voor.'

'Ik weet niet wat ik moet zeggen.'

'Zeg maar niets. Denk er eerst maar eens rustig over na, voordat je stappen gaat ondernemen. Maar ik vind dat jij recht hebt op een verklaring van Leon. En over die flat... daar zal ik eerst grondig over nadenken. Ik zal je eerlijk vertellen dat ik je voorstel erg aantrekkelijk vind.'

Een poosje kijken ze zwijgend voor zich uit. Dan trekt Lieke Judith zachtjes bij het raam vandaan.

'Ga je mee naar beneden? Ik heb zin in koffie. Of warme chocolademelk. Jij mag het zeggen.'

Judith volgt haar vriendin naar beneden, de trap af. Voor het eerst voelt ze een beetje tevredenheid en rust.

Een heel klein beetje.

Maar dat is het begin van geestelijk herstel.

3

Judith fietst naar het kantoor van de gezinsverzorging. Dorien heeft haar gevraagd om even langs te komen voor een kort gesprek. Judith is benieuwd. Ze heeft Dorien pas nog gesproken. Er zal toch niets loos zijn? Ze zou eigenlijk niet weten wat. Dan had ze tijdens dat laatste gesprek wel iets gehoord.

Ze schuift haar fiets in de daarvoor bestemde standaard en loopt naar binnen. Dorien zit aan de telefoon en gebaart haar te gaan zitten. Als het telefoongesprek afgerond is, kijkt ze naar Judith.

'Goedemorgen, Judith. Koffie?'

Dorien staat op en loopt naar het koffiezetapparaat. Judith knikt. Even later schuift Dorien een beker koffie binnen haar bereik. Zelf neemt ze thee.

'Ik heb je bewust even laten komen,' begint Dorien. 'Want ik wil graag iets met je overleggen. Het is namelijk zo…' Ze roert bedacht-zaam in haar thee en Judith wordt steeds nieuwsgieriger. 'Er is een echtpaar met een dochtertje van drie jaar. De moeder ligt al enkele weken in het ziekenhuis en het ziet er niet naar uit dat ze snel naar huis komt. Sterker nog: deze vrouw is ernstig ziek en er zijn grote zorgen dat ze niet meer beter zal worden. De artsen doen uiteraard alles wat ze kunnen en aan het eind van deze week weten ze definitief of er nog kan-sen zijn voor deze vrouw. Je begrijpt dat de man met de handen in het haar zit. Hij is heel veel in het ziekenhuis, maar hij heeft ook zijn doch-tertje. Dit kind wordt veel opgevangen door de oma en de buurvrouw. Maar meneer Ravestein wil vastigheid voor het meisje. Ze moet haar moeder missen, voelt duidelijk iets aan van de zorgen die er rond haar moeder zijn, zo klein als ze is. Meneer Ravestein heeft het heel moei-lijk en kan daardoor zijn dochtertje ook niet de goede aandacht geven die het kind juist nu zo hard nodig heeft. Kortom, hij weet niet hoe hij dit op moet lossen. Ten einde raad heeft hij de hulp van ons ingeroepen met de vraag of wij iemand hadden die het kind kan verzorgen, het de nodige aandacht kan geven en het huishouden op zich wil nemen. Ik moest direct aan jou denken, vanwege het gesprek dat we laatst samen hebben gehad.'

Judith denkt snel na. Ze begrijpt waarom Dorien aan haar heeft gedacht. Ze heeft immers zelf gevraagd of ze in gezinnen met kinderen geplaatst kon worden. Dit is echter wel heel heftig. Een man die diep in de zorgen zit. Een kind dat haar moeder al enkele weken moet missen en misschien wel voor altijd...

Wat een leed. Judith slikt iets weg. Zo zie je maar dat iedereen zijn portie te verwerken krijgt. Wat er tussen Leon en haar gebeurd is, is vreselijk. Dat wens je niemand toe. Maar zij is gelukkig nog gezond. Als God het geeft, heeft ze nog een toekomst voor zich. Dan deze vrouw... Misschien moet zij wel afscheid nemen van haar man en kind. Verschrikkelijk!

'Wat denk je, Judith?' Dorien kijkt haar vragend aan.

'Ik denk aan het leed dat die mensen is overkomen,' zegt Judith. 'Wat vreselijk. Het betekent natuurlijk dat ik er iedere dag heen moet. Die man kan geen dag zonder hulp.'

'Nee, dat heb je goed begrepen. Je zult er voor honderd procent voor die mensen moeten zijn. En het is niet gemakkelijk. Dat zeg ik je eerlijk. Je moet de moeder vervangen. Die man zal met zijn zorgen en verdriet waarschijnlijk bij jou komen. Tenslotte heeft hij thuis een uitlaatklep nodig. Mijn vraag is nu: kun je dit aan? Je bent misschien zelf nog veel te labiel na wat jij hebt meegemaakt.'

Judith voelt Doriens vragende ogen op zich gericht. Ze schuift wat rechter op, haar hartslag is heel rustig. Ze voelt zich ook zo. Want ze weet het: dit wordt niet zomaar op haar weg gelegd.

'Ik denk dat het voor beide kanten goed is,' zegt ze bedachtzaam. 'Zowel voor het gezin als voor mij. Voor mij is het een therapie. Misschien ga ik hierdoor inzien dat er nog veel ergere dingen zijn dan wat ik heb meegemaakt.'

Dorien schudt haar hoofd. 'Dat betekent niet dat jij je eigen verdriet moet bagatelliseren, Judith. Iedereen krijgt op zijn tijd een portie verdriet te verwerken. De een misschien heftiger dan de ander, maar ieder voelt zijn eigen pakje het zwaarst wegen omdat die dat zelf torsen moet.'

'Ik denk dat ik het doe, Dorien. Het is de uitdaging waard. Het lijkt me heerlijk om voor zo'n jong meisje te zorgen en haar de aandacht en liefde te geven die ze zo hard nodig heeft. En als ik iets kan betekenen voor dat echtpaar, dan geeft me dat voldoening. Ik denk dat het goed is dat je dit adres voor mij hebt gehouden.'

'Je weet het heel zeker?'

'Heel zeker.'

'Het kan tegenvallen, Judith. Het kind kan lastig zijn. Zeker in de situatie waarin het zich bevindt. Je zult de buien en nukken van die man moeten verdragen. Want die zullen er zeker zijn door de zware zorgen die hij dragen moet. En dan die vrouw... Ook al ligt ze in het ziekenhuis, je kunt met haar te maken krijgen. Een vrouw die misschien niet lang meer te leven heeft en dat zelf ook moet verwerken. Misschien is ze opstandig, heel emotioneel of moeilijk. Ik zeg je dit niet om je te ontmoedigen, maar om je erop voor te bereiden dat het weleens moeilijk voor je kan worden.'

'Als het me niet lukt, dan zeg ik het je eerlijk,' belooft Judith. 'Je hebt al zo je best gedaan om mij gemakkelijke adressen te geven. Het kan niet altijd zo blijven. Bovendien durf ik de uitdaging aan. Als het niet zo was, zou ik het je eerlijk zeggen.'

Dorien knikt. 'Ik vertrouw je. Nu ik zeker weet dat jij het doen wilt, wil ik het volgende aan je vragen. Voordat je daar werkelijk aan de slag gaat, stelt meneer Ravestein het op prijs als jij eerst kennis met hem en zijn dochter komt maken. Als hij het niet had voorgesteld, dan had ik het gedaan. Het meisje moet jou eerst een beetje leren kennen voordat ze aan je zorgen wordt toevertrouwd. Dat geldt ook voor de vader, want hij wil graag weten in wiens handen hij zijn dochter geeft.'

Judith knikt begrijpend. Het is geen kleinigheid voor meneer Ravestein om alles aan een vreemde over te laten. En een eigen kind is een kostbaar bezit.

'Vindt hij het fijn als ik bij hem thuis kom of heeft hij iets anders in gedachten?'

'Het liefst bij hem thuis,' vertelt Dorien. 'Annemieke is dan in haar eigen omgeving en daar kan ze het meest zichzelf zijn. Hier heb ik het adres en het telefoonnummer.'

Judith neemt het papiertje aan en bestudeert het adres. Niet ver bij haar vandaan, dat valt ook weer mee. Ze kent de mensen niet, de achternaam komt haar niet bekend voor.

Dorien heeft nog het een en ander aan informatie opgeschreven.

'Ik ben benieuwd hoe het verder zal gaan in dat gezin, Judith. Als er iets bijzonders is, moet je het mij wel laten weten.'

'Dat spreekt voor zich.' Judith schuift de lege mok op tafel en staat op. Het papiertje met het adres stopt ze zorgvuldig in een vakje van haar tas.

'Heel veel succes,' wenst Dorien haar.

'Dank je wel.' Judith knikt nog even en gaat dan naar buiten. Een nieuwe uitdaging wacht haar. En hoewel het niet gemakkelijk is, ze gaat ervoor. Het zal haar haar eigen verdriet voor even doen vergeten.

Die avond gaat haar mobieltje. Het is Lieke, die meteen met de deur in huis valt.

'Zullen we nu direct gaan?'

'Direct gaan?' herhaalt Judith haar vraag. 'Wat bedoel je?'

'Naar Leons moeder. Je moet er geen gras over laten groeien. Dus wat denk je ervan?'

Het blijft even stil. Judiths hart bonst met felle slagen. Dit is echt Lieke. Meteen actie ondernemen. Maar ze heeft er geen zin in. Ze ziet er vreselijk tegen op.

'Ik ga met je mee,' zegt Lieke. 'En nu meteen. Want je weet het: van uitstel komt afstel.'

'Tjonge, wat ben jij bazig.'

Lieke lacht. 'Soms moet ik wel zo zijn. Hoe moet ik jou anders over de streep trekken? Ik begrijp heel goed dat je ertegen opziet, Judith. Maar als je niets onderneemt, kom je nooit ergens achter.'

'Als mevrouw Slagman meer wist, had ze mij heus wel opgebeld.'

'Dacht je dat nou echt? Waarom duurt het dan zo lang? Je kunt mij niet wijsmaken dat ze nog steeds niets van haar zoon weet.'

'Je moest eens weten hoe vaak er mensen van huis weglopen en hun familie maanden, soms jaren in onzekerheid laten zitten.'

'Dat kan wel zijn, maar dat is nog geen reden om het uit te stellen. Bovendien was die reactie van Roelien op zijn zachtst gezegd ook heel vreemd.'

'Daarin heb je gelijk.'

'Zal ik meteen naar je toe komen?'

'Tja… eh…'

'Je aarzelt omdat je er vreselijk tegen opziet,' zegt Lieke. 'Daarom moet ik zulke vragen ook niet aan je stellen. Ik kom er meteen aan.'

Voordat Judith hierop kan reageren, heeft Lieke opgehangen.

Judith zucht diep. Haar handen trillen. Ze weet dat haar vriendin gelijk heeft. Ze ziet er erg tegen op. Ze heeft sinds de bewuste trouwdatum geen contact meer met Leons moeder gehad. En als het aan haarzelf ligt, zou ze alles laten voor wat het was. Ook al krijgt ze nooit antwoord op haar vraag. Het is voorbij en Leon en zij leven voortaan ieder hun eigen leven. Daar verandert toch niets meer aan. Maar die reactie van Roelien bewijst wel dat er een vreemd luchtje aan zit.

Judith laat zich op de rand van het bed zakken en kijkt peinzend voor zich uit. Wat is het leven moeilijk. Dat heeft ze nog nooit zo duidelijk ervaren als de laatste paar weken. Ze heeft het gevoel alsof ze in korte tijd jaren ouder geworden is.

Het duurt niet lang of Lieke staat bij haar voor de deur. Met tegenzin gaat Judith met haar vriendin mee. Waarom kan ze niet wat flinker zijn? Ze is toch niet laf? Ze moet de feiten onder ogen leren zien.

Al snel zijn ze in de straat waar Leons moeder en zus wonen. Ze zetten de fietsen tegen het hekje neer en Lieke neemt de leiding.

'Ze is thuis,' fluistert ze in Judiths oor, alsof iedereen haar zomaar kan horen. 'Ik zie iemand door de kamer lopen.'

Door de vitrage ziet Judith een schim. Dan is die weg.

Lieke loopt voor haar uit en drukt op de bel. Judith voelt de spanning tot in haar vingertoppen.

Het duurt een minuut. Twee minuten. Er wordt niet opengedaan.

Lieke kijkt naar Judith en geeft haar een zetje tegen haar arm. 'Ik weet zeker dat er iemand thuis is. Ze hebben ons gezien, maar willen niet opendoen. Eigenaardig.'

Haar vinger zoekt opnieuw de bel en laat het schelle geluid een minuut lang aanhouden. Weer wachten. Nee, er wordt niet opengedaan.

'Zie je wel dat er iets niet klopt,' fluistert Judith. 'Wat moeten we nu doen?'

'Achterom lopen,' zegt Lieke vastberaden.

'Weet je dat wel heel zeker?'

'Zo zeker ben ik nog nooit eerder geweest.' Lieke steekt haar neus in de lucht en gaat vooruit. Judith volgt met kloppend hart.

Lieke loopt door het poortje, het pad over naar de achterdeur. Alsof ze hier kind aan huis is. Ze klopt aan en als er opnieuw niet wordt opengedaan, wil ze de deur openen. Verbaasd kijkt ze naar de klink.

'Op slot,' zegt ze.

'Dan hebben we ons vergist,' meent Judith. Haar hart bonst. Dit is voor haar heel bekend terrein. Vele gelukkige uren heeft ze hier met Leon doorgebracht. En nu komt ze hier als een vreemde, als iemand die hier niets te maken heeft.

Haar gedachten van zojuist is ze alweer vergeten. Want opnieuw voelt ze de pijn vanbinnen. Het is voor haar heel confronterend om hier te staan. En ze weet het: ook al doet ze zich flink voor en denkt ze dat ze het achter zich kan laten, ze heeft het nog lang niet verwerkt.

Lieke draait zich om en ziet het bleke gezicht van haar vriendin. De grote, ontstelde ogen. Ze begrijpt meteen dat ze hier niet langer moeten blijven. Het wordt Judith zichtbaar te veel.

'Kom, we gaan,' zegt ze kort. 'Maar mevrouw Slagman is nog niet van ons af. Dat verzeker ik je.'

Als ze aan de voorkant hun fiets pakken, kijkt Judith nog eens naar binnen. Nee, er is niemand te zien. Ze moeten zich wel vergist hebben. Dan in een ooghoek ziet ze iets bewegen. Ze kijkt naar boven en ziet tot haar schrik de vitrage voor het raam terugvallen.

Lieke ziet het ook. 'Zie je wel dat ze toch thuis is.' Met vastberaden stappen loopt ze opnieuw naar de voordeur en weer klinkt doordringend de bel. Maar alles blijft stil.

'Kom nu maar, Lieke. Het is duidelijk dat mevrouw Slagman ons niet te woord wil staan. Laten we gaan.'

Lieke begrijpt dat er niets anders op zit. Met tegenzin pakt ze haar fiets en ze kijkt nog eens naar de ramen. Alles ziet er nu stil en verlaten uit.

'Vreemd is dit,' zegt ze en ze herhaalt: 'Maar als ze denkt dat we het hierbij laten zitten, dan heeft ze het mis.'

'Ik ga het steeds vreemder vinden,' zegt Judith als ze naast elkaar de straat uit fietsen. 'Roelien wil niets meer met me te maken hebben. En nu we bij hen voor de deur staan, doen ze niet open. Wat zit hier toch achter?'

'Daar kun je lang of kort over praten, maar antwoord hierop krijg je pas als een van de twee je te woord staat. En zolang ze ieder gesprek mijden, zal het gissen blijven.'

'Heb je inmiddels al geprobeerd om Leon op zijn mobieltje te bereiken?' vraagt Judith.

'Ja. Maar hij neemt niet op. Toch geef ik het niet zomaar op, Juut. Echt, de aanhouder wint.'

Judith glimlacht triest. Wat een vreemde toestand. Maar wat heerlijk dat ze Lieke heeft die haar als vriendin zo in alles bijstaat.

Die avond eet Judith heel weinig. Het is alsof er een knoop in haar maag zit. De gesprekken tussen haar ouders en Anke gaan langs haar heen. De emoties zitten bij haar heel hoog.

Wat later, als ze samen met haar moeder in de keuken bezig is met opruimen, vertelt Judith wat ze die middag met Lieke heeft ondernomen.

'Vindt u het niet vreemd dat Leons moeder en zus elk contact met mij vermijden? Ik heb toch niets gedaan waar ik me schuldig onder moet voelen? Eerst was het Roelien die me snel voorbijfietste en nu deed er niemand open, terwijl er wel iemand thuis was. Lieke en ik hebben het gezien.'

Marita staat met een stapel vuile borden in haar handen om ze in de vaatwasser te zetten. Werkeloos blijft ze even zo staan. 'Dus jij ook al…'

'Wat bedoelt u?' Judith kijkt Marita gealarmeerd aan.

'Ik kwam mevrouw Slagman onlangs op de markt tegen,' legt Marita uit, 'en ik wilde een praatje met haar maken. Ze deed of ze me niet zag en liep snel door. Ik heb het je niet willen vertellen, maar nu begin je er zelf over. Dus jij hebt inmiddels dezelfde ervaring?'

'U dus ook? Wat vreemd? Waarom doen ze toch zo?'

Marita haalt haar schouders op en zet de vuile borden weg. 'Ik begrijp er ook niets van. Mevrouw Slagman en Roelien hoeven zich niet schuldig te voelen over die vervelende geschiedenis. Leon is voor honderd procent hiervoor verantwoordelijk. Als dat de reden is, dan hebben ze een misplaatst schuldgevoel.'

'Zou dat het echt zijn?'

Marita haalt opnieuw haar schouders op en pakt een vaatwastablet uit het kastje.

'Ik weet het niet. Je probeert allerlei oorzaken te bedenken, want normaal is dit niet. Je kunt elkaar gewoon blijven groeten. Om net te doen alsof je vreemden voor elkaar bent, terwijl je op elkaars verjaardagen geweest bent, gaat me te ver.'

Judith komt er niet toe om de keuken uit te gaan. Ze zou nog veel meer met haar moeder willen bespreken. Er zijn zoveel dingen die haar bezighouden. Voordat ze echter iets wil zeggen is Marita haar al voor.

'Wat gaan we met je trouwjurk doen?'

'Met mijn trouwjurk?' herhaalt Judith verbaasd. 'Daar heb ik niet eens over nagedacht.'

'Wil je hem, ondanks alles, houden?'

Judith schudt haar hoofd. 'Ik zou niet weten waarom. Ik trouw toch nooit meer.'

'Kind, je weet niet wat je zegt.'

'Dat weet ik wel. Ik moet er sowieso niet aan denken om weer van een andere man te gaan houden. Dat is voor mij over. Ik vertrouw geen enkele man meer. Dus trouwen staat helemaal niet meer op mijn verlanglijstje.'

Marita kan een glimlach niet onderdrukken. Een glimlach die voortkomt uit een wijsheid van jaren.

'Dat je nu zo praat is begrijpelijk. Dat met Leon heb je nog niet verwerkt. Maar het is niet eerlijk van je om alle mannen over één kam te scheren. Ze heten niet allemaal Leon Slagman.'

'Dat weet ik wel, mam. Maar ik dúrf ook niemand meer te vertrouwen. Ik blijf liever mijn leven lang alleen, dan dat ik opnieuw zo'n ellendige ervaring mee moet maken. Ja, stil maar, ik weet precies wat u wilt zeggen. U krijgt het toch niet uit mijn hoofd gepraat. En wat die trouwjurk betreft: laten we hem maar op Marktplaats zetten. Als ik er iemand anders blij mee kan maken voor een leuke prijs, dan houd ik er in ieder geval nog een voldaan gevoel van over.'

Marita knikt. 'Jij mag het zeggen. Het is jouw jurk.'

'Ik heb er niets meer mee, mam. Het enige wat ik erbij voel, is pijn. Dus weg ermee.'

'Nu nog iets anders,' zegt Marita dan. 'Wat gaat er met de flat gebeuren?'

Judiths hart bonst. Ze had het haar ouders willen vertellen van haar plannen, maar nog niet meteen. Ook al kan ze in haar flat trekken wanneer ze dat wil, ze wilde er niet halsoverkop in gaan. Alles rustig op zijn tijd. Als ze getrouwd was, had ze er al een poosje in gewoond. Maar nu staan de zaken er heel anders voor.

'Het is dat u er nu zelf over begint. Ik had er juist over gedacht om er alsnog in te trekken.'

Marita draait zich om naar haar dochter. 'Je meent het?'

'Ja. Waarom niet? Alles is kant-en-klaar. Ik kan er zo in.'

'Kun je het wel aan? Is het niet te emotioneel en te pijnlijk voor je?'

Judith schudt haar hoofd. 'Ik ben een paar dagen geleden even binnen geweest. Het was niet gemakkelijk, dat geef ik eerlijk toe. Toch ben ik vastbesloten. Ik wil de flat niet verkopen. Het is goed dat ik alsnog op mezelf ga.'

'Toch niet omdat je zou denken dat je hier te veel bent?'

Judith ziet de bezorgde blik in de ogen van haar moeder en ze voelt zich vanbinnen warm worden.

'Welnee,' zegt ze snel. 'Ik weet dat pa en u mij het huis niet uit willen hebben. Het is mijn eigen keus. En niet omdat ik het bij jullie niet naar mijn zin heb, maar omdat ik voel dat het goed is als ik mijn eigen leven op ga bouwen. Als ik was getrouwd, was ik al enkele weken de deur uit geweest.'

'Toch had ik het niet verwacht,' geeft Marita toe. 'Je hebt hier afleiding, daar zit je alleen. Als je maar niet aan het piekeren slaat. Je hebt genoeg zorgen gehad.'

Judith glimlacht. Voor het eerst.

'Ik waardeer uw bezorgdheid. Als ik het echt niet aankan, ben ik binnen de kortste keren weer thuis en verkoop ik de flat alsnog. Gemeubileerd en al.'

Marita knikt tevreden. 'Als ik daarop aankan, laat ik je wat makkelijker gaan. Want weet dat pa en ik het liefst willen dat je weer een beetje van het leven gaat genieten. We hebben met je meegeleden.'

'Dat weet ik,' zegt Judith zacht. 'Geloof maar dat ik hier veel zal zijn, ook al woon ik op mezelf. Want ondanks alles zal ik jullie missen.'

'Ik heb je niet gedwongen het huis uit te gaan.'

'Nee mam, dat weet ik. Ik vind het ook bijzonder fijn dat u er verder niet moeilijk over doet.'

'Zou dat geholpen hebben?'

Nu lacht Judith hardop. 'Ik denk het niet. Vanavond nog zal ik er met pa ook over spreken.'

'Wanneer denk je in je flat te trekken?'

'Wees gerust. Morgen nog niet. Ik doe het rustig aan.'

Marita knikt. 'Goed zo. En nu ga ik koffiezetten.'

Judith knikt. Ze kent haar moeder door en door. Die doet wel heel nuchter, op het laconieke af. Maar Judith weet ook dat haar besluit om in de flat te gaan wonen, haar moeder veel zal bezighouden. Het is een stap die ieders leven zal beïnvloeden.

Toch is Judith blij dat ze er open en eerlijk over gesproken heeft. Het gesprek met haar moeder heeft haar goedgedaan.

4

Judith staat voor het raam en kijkt naar de regendruppels die gestaag langs het glas glijden. Het loopt tegen vier uur en om die tijd heeft ze afgesproken met meneer Ravestein. Enerzijds is ze benieuwd wie ze aan zal treffen na alle informatie van Dorien. Anderzijds maakt het haar wat onzeker. Wat zal dit nieuwe adres haar brengen? Ze zal intensief met de kleine en grote zorgen van deze mensen te maken krijgen. Ze zal deel uit gaan maken van dit gezin, en een vertrouwensband op gaan bouwen met het kind. Of haar dat lukken zal?

Ze loopt naar de gang. Met trage bewegingen trekt ze haar regenjas aan. Haar moeder komt de trap af. Ze is door Judith al op de hoogte gebracht van het nieuwe adres en de tragiek die ermee samenhangt.

'Zie je ertegen op?' vraagt ze belangstellend.

Judith schudt haar hoofd. 'Niet speciaal. Ik ben gewend om bij mensen over de vloer te komen die ik van tevoren niet kende. Bij deze familie ligt het iets anders. Ik ben me ervan bewust dat ik op dit adres niet alleen als hulpverlener zal functioneren, maar ook als maatschappelijk werkster en peuterbegeleidster. En ik heb daar niet voor gestudeerd.'

Het laatste komt er ietwat hulpeloos uit en Marita doorziet haar dochter meteen.

'Je vindt het aan de ene kant een uitdaging om eraan te beginnen. Aan de andere kant ben je onzeker of je daarvoor wel de nodige capaciteiten hebt.'

'Zo is het precies.' Judith kijkt Marita aan. 'Alles wat ik in huis heb, wil ik hun geven. Als ik maar niet ergens in tekortschiet. Het ligt in dit gezin zo gevoelig. Ik kan me niet veroorloven om daar fouten te maken.'

Marita schudt haar hoofd en kijkt haar dochter ernstig aan.

'Dus jij wilt daar komen als iemand die alles weet en ook daarnaar weet te handelen. Kind, je zou een supermens zijn. Fouten maken mag, daar kun je juist van leren. En als die man dat niet kan begrijpen, dan zal hij inderdaad moeten zoeken naar een hoogbegaafd persoon die alles gestudeerd heeft op het gebied van wat jij zojuist noemde. Maar dat zegt niks over het gevoel. Want dat kan bij zo'n gestudeerd persoon nog ontbreken. Weet je waar het om gaat?' Marita neemt een strijdbare houding aan. 'Ik zal je enkele kernwoorden opnoemen die jij in je hebt. Leer mij mijn dochter kennen. Het gaat om liefde, warmte, meeleven en trouw. Dat kun jij in rijke mate uitdelen aan het meisje, en daar kunnen de vader en de moeder van meeprofiteren.'

Judith ritst haar regenjas dicht. Ze is blij met de woorden van haar moeder, maar dat neemt de onzekerheid niet geheel weg. Gek dat haar dat zo ineens overvalt. Toch zal ze haar uiterste best doen om zo goed mogelijk voor dit gezin te zorgen.

'Ik ben blij dat u dit gezegd hebt, mam,' zegt ze. Ze opent de deur en kijkt naar de regen die nog altijd voortduurt. 'Ik zal er veel aan denken.'

'Je hoeft dit ook niet in eigen kracht te doen, Judith. Dat weet je,' antwoordt haar moeder zacht.

Judith knikt. 'Tot straks.'

Dan gaat ze de stromende regen in.

Als Judith even later bij huize Ravestein aan de voordeur belt, wordt haar geduld flink op de proef gesteld. Er wordt niet direct opengedaan. Nog eens drukt ze op de bel. Het blijft stil. Vertwijfeld kijkt ze op haar horloge. Ja, het is vier uur. En het is woensdagmiddag. De datum klopt ook. Ze heeft zich niet vergist.

Ze weet niet anders te doen dan achterom te lopen. Er moet toch iemand zijn?

Terwijl ze langs het huis loopt, associeert ze dit meteen met het huis van mevrouw Slagman, waar ze tevergeefs achteromliep. En dat terwijl er iemand thuis was. Er komt een pijnlijke trek om haar mond als ze aan Leon denkt. Ze vermant zich snel. Ze kan hier niet verdrietig binnenkomen.

Het eerste wat Judith aantreft als ze de achterdeur opent, is het meisje dat op haar knieën midden in de keuken zit. Om haar heen ligt het bezaaid met duploblokken. Haar handen zoeken kleur bij kleur. Rood bij rood, geel bij geel, blauw bij blauw. Haar haren zijn in twee blonde staartjes gebonden, elk met een kleurige strik. Het meisje is zo verdiept in haar spel, dat ze Judith niet eens opmerkt.

Bij het aanrecht is een oudere dame in een bontgekleurd schort bezig met een flinke vaat, die ze met rappe handen wegwerkt. Dat zal de oma zijn.

Judith staat op de mat. Ze trekt de deur achter zich met een zachte klik in het slot. Bij dit geluid kijkt de oudere vrouw pas op. Als Judith haar blik ontmoet, treft haar de naakte pijn die erin te lezen is.

'Goedemiddag. Neem me niet kwalijk dat ik u zo plotseling overval,' begint Judith zich te verontschuldigen. 'Ik heb aangebeld bij de voordeur, maar er werd niet opengedaan.'

De oudere dame droogt snel haar handen en drukt dan die van Judith.

'Mevrouw Koppelaar,' zegt ze. 'Het spijt me dat ik de bel niet heb gehoord. Ik denk dat het kwam doordat Annemieke precies op dat moment alle blokken omgooide. Het was zo'n herrie.'

Het meisje is ondertussen geschrokken overeind gekomen. Haar duplo is voor een moment vergeten. Judith ziet twee helderblauwe ogen, een klein wipneusje en een roze mondje dat net even iets geopend is, zodat de kleine witte tandjes zichtbaar zijn. Een lach komt niet tevoorschijn. Zodra het meisje de blik van Judith ontmoet, slaat ze haar ogen neer en trekt ze zich zo ver mogelijk terug in een hoekje. Judith begrijpt dat ze het meisje even de gelegenheid moet geven wat tot zichzelf te komen.

'Dat is mijn kleindochter. Annemieke.'

Judith knikt. Deze vrouw is dus inderdaad de oma die regelmatig voor het kind zorgt.

'Geef die mevrouw eens een handje, Annemieke.'

Het meisje denkt er niet over. In stil protest doet ze haar beide handjes op haar rug en kruipt zo mogelijk nog verder weg in haar hoekje.

Mevrouw Koppelaar glimlacht verontschuldigend naar Judith.

'In de woonkamer is veel meer ruimte om te spelen,' legt ze uit. 'Maar ze wil alsmaar in mijn buurt zijn. Ik laat het maar zo.'

Judith kijkt van de oudere vrouw naar Annemieke. Ze begrijpt het. Het kind dat door nare omstandigheden gescheiden is van haar moeder, zoekt nu de warmte en bescherming bij haar oma.

'Geef mij die natte jas maar,' onderbreekt mevrouw Koppelaar haar gedachten. Ze steekt haar hand uit om de jas aan te pakken. 'Wat een troosteloos weer, hè? Je zou er bijna de lamp bij aandoen. En dat eind juni.'

Ze loopt met de druipende jas de keuken uit, zodat Judith en Annemieke een moment samen zijn. Judith buigt zich over de blokken.

'Wat heb jij dat knap gedaan,' prijst ze. 'Rood bij rood, geel bij geel… Ken je de kleuren al, Annemieke?'

Ze kijkt naar het meisje. Annemieke heeft haar duim in haar mond gestoken en met haar andere hand woelt ze door een van de staartjes. Ze geeft geen reactie.

Mevrouw Koppelaar komt alweer terug en trekt een stoel bij de keukentafel vandaan. 'Ga zitten, dan was ik ondertussen verder af.'

Daar is Judith het niet mee eens. 'Als u een theedoek voor me heeft, help ik u.'

Mevrouw Koppelaar heeft haar handen alweer in het afwaswater gestoken en schudt heftig haar hoofd. 'U komt hier net binnenstappen. Hoe zou ik u dan gelijk aan het werk kunnen zetten?'

Judith glimlacht. 'Nou, ik kom hier met een missie, namelijk de helpende hand bieden. Waarom zou ik daar niet nu meteen mee beginnen? U bent snel klaar met de vaat en ondertussen kan Annemieke rustig aan mijn aanwezigheid wennen. En noem mij maar gewoon Judith.'

Mevrouw Koppelaar zucht. 'Vooruit dan maar… eh… Judith. Ik moet je eerlijk zeggen dat het mij oplucht dat Harm voor iedere dag hulp is gaan zoeken. Ik wil het met alle liefde doen, maar ik merk dat het me te veel gaat worden.'

Judith begint af te drogen en luistert naar mevrouw Koppelaar die iets van haar zorgen kwijt wil.

'Het is zo slopend. Ik wil zo veel mogelijk bij mijn dochter in het ziekenhuis zijn. Daarnaast heb ik de zorg voor Annemieke op me genomen. Het huishouden gaat hier uiteraard ook gewoon door. Thuis heb ik mijn man en nog twee zoons. Ik houd dit niet lang meer vol.' De handen die een moment stillagen in het sop, gaan nu weer rusteloos verder. 'Ik wil er voor honderd procent zijn, maar het lukt me niet. Harms moeder leeft niet meer. Zijn vader is hulpbehoevend. Hij heeft twee oudere broers die getrouwd zijn en ver weg wonen. Daarom komt het meeste op mij neer. Ik ben zo moe…'

Judith kijkt opzij. De ogen van de vrouw staan intens verdrietig. De rimpeltjes rond haar ogen en mond verraden een diepe smart. Haar schouders zijn gebogen als onder een zware last.

'Daarom ben ik immers hier,' zegt Judith zacht. 'Ik wil proberen om iets van de last van uw schouders te nemen.'

'Een mens kan weleens te veel willen dragen,' reageert mevrouw Koppelaar. 'Er is echter een grens. De zorg om mijn dochter vliegt me regelmatig naar de keel. Ze is zo ziek…'

Het is voor Judith duidelijk dat mevrouw Koppelaar haar zorgen wil spuien. Het is niet niks wat deze vrouw moet doormaken. Judith weet niet goed hoe ze moet reageren. Wat valt er ook te zeggen bij zo veel leed?

Een antwoord wordt haar bespaard, want er klinkt gerucht bij de deur. Annemieke, die weer aan het spelen was gegaan met haar blokken, veert overeind. 'Papa.'

Een lange man komt binnen. Hij tilt zijn dochtertje op. 'Dag kleine meid.' Hij gooit haar in de hoogte en met een hoog gilletje laat ze zich in papa's armen terugvallen.

'Oma is el,' vertelt het meisje dan. 'En nog een mefou.'

Hij zet Annemieke weer neer tussen haar blokken en wendt zich tot Judith.

Het eerste dat haar opvalt is de droeve blik in zijn ogen en de krampachtige lach om zijn mond. De zorgen om zijn vrouw tekenen zijn gezicht.

Zijn grijze ogen nemen haar kritisch op. Ze begrijpt het. Hij heeft haar immers laten komen om de taak van zijn schoonmoeder over te nemen, als de kennismaking en het gesprek van beide kanten bevalt. En die taak omvat onder andere de zorg voor zijn dochtertje.

Ze heeft de theedoek neergelegd en krijgt van hem een droge, koele hand.

'Harm Ravestein. Ik zie dat je meteen de handen uit de mouwen gestoken hebt.' Ze hoort de waardering in zijn stem.

'Ik ben Judith Bakker. Uw schoonmoeder was aan de vaat begonnen. Ik kan dan niet werkeloos toekijken.'

'Het aanrecht had al lang opgeruimd moeten zijn,' meent mevrouw Koppelaar zich te moeten verontschuldigen. 'Maar vanmiddag moest ik onverwachts weg, zodat de vuile boel bleef staan.'

'Had die vaat voor mij laten staan, ma. U doet al meer dan genoeg,' zegt Harm.

'Ik ben gewend mijn werk af te maken,' zegt mevrouw Koppelaar beslist. 'En kijk, met de hulp van Judith is hij toch nog helemaal weggewerkt.' Haar blik gaat naar de keukenklok. 'Al is het inmiddels kwart over vier.'

'Dan wordt het hoog tijd dat u stopt. Er wordt de laatste tijd te veel van uw krachten gevergd. Ik ga me steeds schuldiger voelen.'

Mevrouw Koppelaar reageert meteen: 'Ja zeg, ga je daar ook nog eens druk over maken. Er zijn wel belangrijker dingen…'

Harms mond staat strak. 'Dat besef ik helaas maar al te goed.'

Zijn schoonmoeder loopt naar de gang waar ze haar jas aantrekt. Annemieke komt meteen overeind. 'Ga oma weel huis toe?'

'Ja meisje. Opa wil ook eten vanavond. En ome Johan en ome Michiel…'

'Ikke mee.'

'Een andere keer,' zegt ze, terwijl ze het kleine meisje naar zich toe trekt en haar knuffelt. 'Dag oma's meisje.'

Ze laat het kind weer los en haar hand grijpt naar een volle vuilniszak die in de gang staat.

'Wat is dat?' vraagt Harm.

'De strijk,' zegt zijn schoonmoeder. 'Ook daar was ik niet aan toegekomen en daarom doe ik die vanavond bij mij thuis.'

'Als u dat maar laat.'

'Ach jongen, die strijk moet toch gedaan worden. Ik kan toch niet…?'

'Ik ben er nu toch?' zegt Judith dan.

De ogen van mevrouw Koppelaar zoeken die van Judith.

'Maar…'

'Ja ma,' valt Harm Judith bij. 'Waarom denkt u dat ik hulp heb gezocht? Immers om u te ontlasten? Hoe had u trouwens gedacht die volle vuilniszak mee te nemen?'

'Achter op de bagagedrager van mijn fiets,' klinkt het laconiek.

Harm schudt verbaasd zijn hoofd. 'Ja, natuurlijk. De zware zak achter op uw fiets. Hoe komt u op het idee?'

'Ik heb het wel vaker gedaan.'

'Dan toch op momenten dat ik er niet was. U wist best dat ik het niet zou toestaan. De zak blijft in ieder geval hier.'

Mevrouw Koppelaar gaat met haar hand langs haar vermoeide ogen. Judith heeft met haar te doen.

Harm loopt met zijn schoonmoeder mee naar buiten. Annemieke dribbelt er onmiddellijk achteraan. Judith begrijpt dat het kind nog niet alleen met haar in één ruimte wil zijn. Met vreemde mensen heeft ze het duidelijk niet op. Begrijpelijk voor een meisje van drie jaar.

Het is gelukkig even droog. Bezorgd kijkt Judith naar vader en dochter die daarbuiten staan zonder jas. Gelukkig krijgt mevrouw Koppelaar het snel in de gaten.

'Naar binnen jullie. Straks worden jullie nog ziek. Ik pak mijn fiets wel uit de schuur. Dag Judith.'

Judith zwaait haar na. Met gemengde gevoelens draait ze zich dan om en kijkt naar de schone, opgeruimde keuken.

Achter haar stappen Harm en Annemieke binnen.

'Wil je koffie?' vraagt hij.

'Graag.'

Annemieke blijft ditmaal dicht in de buurt van haar vader. Haar hoofdje reikt tot aan zijn bovenbenen. Het valt Judith op dat Harms haar bijna zwart van kleur is, terwijl Annemieke heel blond is. Waarschijnlijk is haar moeder net zo blond.

Ze kan het niet helpen dat er steeds meer vragen in haar opborrelen. Wat mankeert Harms vrouw precies? Hoelang ligt ze al in het ziekenhuis? Wat zijn de kansen?

Ze kijkt naar Harms vaardige handen, hoe hij de koffiemokken pakt en het apparaat in werking stelt. Zijn handen zijn lang en slank, zijn nagels goed verzorgd. Wat voor werk zou hij doen?

Als de koffie klaar is en Annemieke mee wil lopen naar de woonkamer, wijst Harm naar de blokken.

'Eerst opruimen.'

Annemieke schudt haar blonde staartjes heen en weer. 'Nee, papa doen.'

Judith kijkt van vader naar dochter. Jaja, vader Harm. Hoe ga je dit oplossen?

'Niets ervan,' klinkt Harms stem vastberaden. 'Jij bent al een hele grote meid en kunt best zelf je speelgoed opruimen.'

'Zal ik haar helpen?' vraagt Judith zacht. Ze weet dat dit niet erg pedagogisch is, maar het zal misschien eindelijk het ijs breken. Tot nog toe heeft Annemieke nog niets tegen haar gezegd.

'Nee, ze moet het zelf leren. Als je haar nu helpt, vraagt ze het je de volgende keer weer.'

'Oei, wat een strenge vader...' plaagt Judith.

Harm staat met een blaadje waarop twee volle mokken staan en een beker limonade. Over zijn schouder kijkt hij naar haar om.

'Streng? Misschien. Ik doe het heel bewust en met een bedoeling. Dat leg ik je later wel uit.' Hij loopt voor haar uit naar de smaakvolle woonkamer.

Judith kijkt geïnteresseerd rond. Donkereiken meubels staan tegen een lichte gesausde wand. Er is met warme kleuren gewerkt. Aan de muur hangt een foto van Annemieke en in de vensterbanken staan goed verzorgde planten en allerlei snuisterijen.

Judith houdt hiervan. Het heeft wel iets weg van de inrichting in haar flat.

Haar blik valt op een laag kastje waarop een ingelijste foto staat. Harm met zijn vrouw. Ze kan er haar blik niet van aftrekken. Ze ziet een knap gezicht omlijst met dezelfde blonde krullen als Annemieke. Net wat ze dacht, Annemieke lijkt op haar moeder. Dezelfde blauwe ogen en dezelfde mond.

Harm heeft ondertussen het dienblad op de tafel gezet en volgt haar blik.

'Dat is Marlies.'

Marlies... Judith proeft als het ware de naam op haar tong. Die naam past bij dat vriendelijke, levenslustige gezicht.

Levenslustig. Deze zelfde vrouw ligt nu ernstig ziek in het ziekenhuis.

Harm kan er ook niet toe komen om te gaan zitten. Al staande begint hij te praten.

'Vorig jaar om deze tijd kreeg Marlies klachten. Ze had last van buikpijn, was steeds misselijk en had daardoor minder eetlust. Ze viel kilo's af. Na een aantal onderzoeken bleek ze de ziekte van Crohn te hebben. Weet je wat dat is?' onderbreekt hij zichzelf.

Judith knikt. 'Ontstekingen in de darmen die veel pijn bezorgen en die altijd weer terug kunnen komen.'

Harm knikt. 'Zo begon het, als een chronische ziekte. Inderdaad kwamen de klachten na een paar maanden terug en er moest een stuk van haar darm weggehaald worden. Dat is inmiddels gebeurd. Maar helaas zijn ze erachter gekomen dat het niet alleen om die ziekte van Crohn gaat. Ze hebben kwaadaardige plekjes gevonden. Ook die zijn weggehaald.'

Eindelijk komt hij tot het besef dat ze allebei nog midden in de kamer staan en dat hij vergeet haar een stoel aan te bieden.

'Ga zitten.'

Judith knikt en kiest voor een makkelijke stoel die uitziet op het raam. Vanuit de keuken klinkt het geluid van de duploblokken. Judith hoort het zonder dat het werkelijk tot haar doordringt. In gedachten ziet ze de jonge vrouw liggen in dat ziekenhuisbed, tussen de witte, koele lakens.

Harm zet voor haar de mok koffie neer en biedt haar een koekje aan. Daarna loopt hij naar de keuken en ze hoort hem met Annemieke praten. Ze stelt zich voor hoe het moet zijn om vader en moeder tegelijk te zijn. Nee, ze kan zich daar niet in verplaatsen. Ze weet niet eens hoe het is om moeder te zijn. Een kind…

Ze had getrouwd kunnen zijn. Ze had…

Stop! Ze moet haar gedachten die kant niet op laten gaan. Wat heeft het voor zin om zichzelf zo te kwellen?

Het hoge stemmetje van Annemieke komt haar tegemoet. De bromstem van Harm komt ertussendoor. Hij prijst zijn dochter voor het opruimen van de blokken.

'Keurig gedaan. Je bent een grote dochter van me. Jij hebt iets lekkers verdiend.'

De speelgoedkrat met de duploblokken wordt in een hoek van de woonkamer gezet. Zorgzaam schuift hij daarna een klein stoeltje voor Annemieke bij de tafel. De beker limonade wordt voor haar neergezet en een kinderkoekje legt hij ernaast. Zijn hand gaat strelend over de staartjes. Dan gaat hij ook zitten.

'Ik zal je een andere keer meer vertellen over Marlies,' zegt hij en met een knik naar Annemieke: 'Je begrijpt: kleine potjes hebben grote oren.'

'Ik snap het. Misschien dat je me wat bijzonderheden kunt vertellen waar ik rekening mee moet houden.'

Harm vertelt over de peuterspeelzaal waar het kind op de dinsdag- en donderdagmorgen met plezier naartoe gaat.

'Het is goed voor haar dat ze twee keer in de week kinderen heeft om mee te spelen. Ze is anders zo alleen.'

Ze drinken koffie en Harm bemoeit zich regelmatig op een liefdevolle manier met Annemieke. Hij maakt haar gezichtje schoon, trekt haar op schoot, terwijl hij verdergaat met te zeggen wat hij van Judith verwacht. Judith knikt. Ze krijgt steeds meer zin om hier te helpen. Het is duidelijk dat ze hier heel hard nodig is. En ook al kan zij Annemiekes moeder niet vervangen, ze zal in ieder geval haar best doen om haar taak zo serieus mogelijk op te nemen en het meisje alles te geven wat het nodig heeft.

Ze kijkt nog eens naar Harm als hij zich met zijn dochter bezighoudt. Zijn dikke, donkere haar krult licht in zijn nek. Zijn gezicht is hoekig en zijn grijze ogen onder de donkere wenkbrauwen lijken erin weggezonken. Zijn neus is groot en lichtgebogen. Maar het hoort helemaal bij zijn gezicht. Zijn lippen zijn smal en zijn kin is vierkant.

Hij zou kunnen afstammen van een zigeunervolk.

Ze bijt een klein lachje weg. Hij moest eens weten waar zij aan zit te denken.

Het is al vijf uur geweest als Judith overeind komt.

'Ik moet weer gaan,' zegt ze. 'Jij zult ook wel aan het eten moeten beginnen. Of kan ik iets voor je doen?'

Voor het eerst komt er een spontane lach die verder reikt dan zijn mond, en die meteen voor een moment alle zorgen van zijn gezicht wegstrijkt.

'Ik waardeer je aanbod, maar mijn schoonmoeder is zo goed geweest om een maaltijd klaar te zetten die alleen nog opgewarmd hoeft te worden.' Meteen gaat hij verder: 'Wat denk je, Judith? Zie je het zitten om hier de taak van Marlies voorlopig over te nemen?'

'Ik wel,' zegt ze. 'Zie jij het zitten om die taak aan mij toe te vertrouwen?'

'Ik ga ervoor,' klinkt het vastberaden uit Harms mond.

Met een handdruk nemen ze even later afscheid van elkaar. Daarna neemt Judith het kleine handje van Annemieke een moment in de hare. De grootste verlegenheid is inmiddels verdwenen.

Maandag kan Judith beginnen.

5

De regen houdt nog enkele dagen aan, maar dan breekt de zon door. De laatste wolkjes worden weggeblazen en de lucht wordt steeds blauwer.

Judith staat genietend op het balkon van haar flat. Ze heeft de knoop meteen doorgehakt nadat ze er met haar moeder over gesproken had. Haar vader had het begrepen dat ze zelfstandig wilde zijn. Met vereende krachten hebben ze nog wat spullen overgebracht: haar kleding, haar fiets en nog wat kleine dingen.

In de hal van de flat had Siem zijn handen op haar schouders gelegd en haar ernstig aangekeken.

'Beloof je me dat je altijd naar ons toe komt als je ons nodig hebt? Ma en ik begrijpen dat je een eigen leven op wilt bouwen. Dat had je al enkele maanden geleden gedaan als alles gelopen was zoals wij allemaal hadden gedacht. Maar nu ben je alleen. Zul je niet te veel gaan piekeren? Ja, stil maar. Ik ken je door en door, dochter van me. '

Judith hangt het kleine wasje op terwijl ze zich de hartelijke woorden van haar vader herinnert. Het bevalt haar om hier te wonen, ook al gaan haar gedachten nog ontelbare malen naar Leon. Dan stelt ze zich voor hoe het geweest zou zijn als ze hier samen hadden gewoond. Die gedachten doen haar veel pijn en toch kan ze ze niet van zich afzetten.

Het is allemaal zo raadselachtig. Het afbetalen van het huis gaat gewoon door van de rekening die Leon en zij samen geopend hebben. Op die rekening wordt nog steeds Leons aandeel van de hypotheek gestort. Hij heeft de maandelijkse overboeking blijkbaar niet stopgezet.

Toch beseft ze dat het op deze manier niet door kan gaan. Ze kan hier moeilijk wonen op een deel van de kosten die Leon voor deze flat opbrengt. Ze moet met hem in contact komen. Al is het dan niet om de hele zaak uit te praten, dan wel om financiële redenen. Maar hoe? Hij heeft inmiddels een ander telefoonnummer. Het nummer dat hij had is sinds enkele dagen buiten gebruik.

Zijn moeder en zus lijken wel van de aardbodem verdwenen. Lieke heeft er nog eens aangebeld, maar kreeg weer geen respons. Ook Siem en Marita hebben geprobeerd om met mevrouw Slagman in contact te komen, helaas ook zonder resultaat.

Het is voor hen allemaal een raadsel wat hier toch achter kan zitten. Eerst was het Leon die zonder reden zijn biezen had gepakt. Zijn moeder en Roelien waren toen net zo geschrokken en verbaasd als zij. En nu doen ze in die geheimzinnigheid volop mee. Ze zijn geen van beiden bereikbaar. Ook niet per telefoon, want mevrouw Slagman en Roelien nemen deze niet op. Thuis worden ze niet aangetroffen, terwijl ze er toch moeten zijn.

Judith knijpt haar handen om de rand van het balkon. Het is frustrerend. En toch zal ze vol blijven houden. Ze moet Leon spreken. En als het via zijn moeder en zijn zus niet lukt, dan op een andere manier. Via zijn werk? Ook dat heeft ze al een paar keer geprobeerd. Ze kreeg telkens dezelfde collega die een vaag verhaal gaf dat hij voor een bepaalde periode daar niet meer werkte. En hoe ze daar ook op door bleef vragen, ze kreeg geen heldere antwoorden. Het was het best als ze hem dat zelf vroeg, adviseerde zijn collega. Ja, leuk gezegd, als ze juist naar zijn collega's belt omdat ze zelf niet met hem in contact kan komen.

Soms ligt ze 's nachts wakker en malen haar gedachten alsmaar door. Waarom vertelt die collega haar niets meer? Weet hij soms ook niets? En waarom is Leon daar tijdelijk weg? Waar is hij heen? Allemaal vragen waar ze geen antwoord op krijgt. Het is iets om van uit je vel te springen.

Judith slaakt een diepe zucht. Het leven is haar nog nooit zo zwaar gevallen als de laatste maanden.

Annemieke is al snel over haar verlegenheid heen. De eerste dag dat Judith bij de familie Ravestein in huis komt, doet ze haar best om het vertrouwen van het meisje te winnen.

Oma Koppelaar is de eerste ochtend aanwezig, zowel voor Judith als voor Annemieke. Ze maakt Judith wegwijs in alle kamers en kasten, en vertelt haar hoe zij het gewend was alles aan te pakken.

'Je moet het op je eigen manier doen,' zegt ze, 'maar dan weet je waar je alles kunt vinden en je hebt wat richtlijnen hoe we het hier gewend zijn.'

Judith knikt. Ze is blij dat mevrouw Koppelaar het een en ander aan haar uitlegt, maar ze popelt om zelf de handen uit de mouwen te steken.

Harm heeft ze die morgen vluchtig gezien. Toen ze binnenkwam, stond hij klaar om naar zijn werk te gaan. Ze weet niet wat hij voor werk doet, maar ze is er wel benieuwd naar.

Als mevrouw Koppelaar aan het eind van de morgen vertrekt, heeft Annemieke het even moeilijk. Het liefst wil ze met haar oma mee.

Judith heeft met het kind te doen. Zo klein nog heeft ze al heel wat meegemaakt. Ze mist haar moeder. Maar als oma Koppelaar haar klein-dochter belooft dat ze deze week bij haar en opa mag komen eten en dat ze dan zelf mag kiezen wat, is het meisje al een klein beetje verzoend met de gang van zaken.

Judith en Annemieke zwaaien oma na. Er liggen nog twee dikke tra-nen op Annemiekes gezichtje, die Judith met een zorgzaam gebaar wegveegt.

'Kom op, Annemieke, dan gaan we samen de tafel dekken. Help jij me? Jij weet nog beter dan ik waar alles te vinden is.'

Judith doet alsof ze van Annemiekes hulp afhankelijk is. Het leidt haar meteen af van haar verdriet, want ze vindt het interessant om Judith wegwijs te maken hier in huis.

Uit eigen beweging noemt Annemieke haar 'tante Judith'. Judith moet wennen aan deze nieuwe status. Wat haar betreft noemt Annemieke haar gewoon bij haar voornaam. Toch laat ze het zo. Als Annemieke zich hier prettig bij voelt, is het haar prima.

Even later zitten ze tegenover elkaar aan tafel. Annemieke begint langzamerhand een beetje los te komen. Ze vertelt over haar belevenis-sen op de peuterspeelzaal, over mama in het ziekenhuis, over haar twee jonge ooms...

Judith luistert er geduldig naar. Ze geniet van het hoge kinderstem-metje dat nog veel moeite heeft met het uitspreken van de r. Toch kan ze al heel goed praten en ze heeft, zo jong als ze is, al een goede woord-keus.

Als Judith haar handen vouwt om voor het eten te bidden, ziet ze de grote, blauwe ogen van het kind naar zich opgeslagen.

'Doe u ook altijd bidde?' vraagt ze.

Automatisch knikt Judith. Maar meteen dringen er zich allerlei vra-gen aan haar op. Is Annemieke dit niet gewend? Ze weet wel wat bid-den is, anders zou ze het op een andere manier hebben gevraagd.

'Ik bid altijd voor mijn eten,' antwoordt ze dan. 'Jij niet?'

Langzaam schudt het blonde krullenkopje van nee. 'Papa en mama niet. Opa en oma wel.'

Allerlei gevoelens bestormen Judith. Wat daarboven uitsteekt is medelijden en verbazing. Dit kind wordt zonder geloof grootgebracht. Haar blik glijdt naar de boekenkast die een deel van de muur in beslag neemt. Er staan veel soorten boeken in: geschiedenis, romans, voor-leesboeken, informatieboeken...

Dan ziet ze op de onderste plank een dik boek staan met een zwarte kaft. De statenbijbel. Dus toch! Verrast kijkt ze ernaar en haar nieuwsgierigheid is meteen gewekt. Deze mensen voeden hun kind zonder God op, maar in de boekenkast staat wel een grote statenbijbel. Een erfstuk misschien?

Opa en oma bidden wel…

Nu pas dringen die laatste woorden goed tot Judith door. Helemaal onwetend is Annemieke dus niet.

'Als je bij opa en oma bent, bid je dan ook?' vraagt Judith.

'Opa doet hadop bidde. Ikke doe mijn hande same… Zo…' Ze doet het voor en Judith glimlacht. 'Enne… oogjes dicht. Dat finde opa en oma fijn.'

'Dan zal ik ook hardop bidden. Ja?' Judith kijkt naar het meisje dat heftig knikt.

Ze kan het niet helpen dat ze zich een beetje onzeker voelt. Ze voelt zich onverwachts voor een moeilijke opgave geplaatst waar ze van tevoren geen rekening mee had gehouden. Ze is er automatisch van uitgegaan dat dit gezin bij een kerk behoorde. En nu blijkt het zo niet te zijn. Hoe zouden de grootouders hiermee omgaan? Zouden zij bezig zijn om iets van de Bijbel aan dit kind door te geven? Wat weet het kind precies van de Bijbel? Want zo jong als ze is, in kinderlijke eenvoud kan er al best iets aan haar uitgelegd worden.

En Judith kent zichzelf te goed dat ze weet dat ze niet kan zwijgen over de Bijbel. Over Christus en de heilsfeiten.

'Opa zei dat bidde… dat bidde…' Annemieke denkt diep na. Dan licht haar gezichtje op. 'Bidde is pjate… prrrate tege God…'

Judith kijkt Annemieke ernstig aan. Ze doet aandoenlijk haar best om die lastige r goed uit te spreken. Maar dat is nu even niet belangrijk. Judith voelt zich geroepen om het meisje meer te vertellen dan alleen over het onderwerp bidden.

Kinderlijk eenvoudig probeert Judith iets te vertellen dat de Heere boven in de hemel woont en op de aarde neerziet. En dat Hij van alle mensen af weet. Ook van haar, Annemieke.

'Opa en oma doe bidde… vool mama,' zegt ze. Haar ogen zijn vol kinderlijk vertrouwen naar Judith opgeslagen. 'Papa niet. Papa doe niet bidde…'

Papa doe niet bidde…

Deze vier woorden, die op een gebrekkige manier door het kind zijn gezegd, blijven de rest van de dag bij Judith als weerhaakjes in haar gedachten steken. Waar zal Harm zijn troost en bemoediging uit putten nu zijn vrouw zo ernstig ziek in het ziekenhuis ligt? En Marlies? Hoe staat zij hier tegenover? Zij is bij de Bijbel opgegroeid. Dat blijkt uit de geringe informatie die ze van Annemieke heeft. Is het zo dat zij samen met Harm een andere weg zijn ingeslagen nadat zij getrouwd zijn? Een weg waarin God geen plaats meer had en ze hun eigen koers in dit leven wilden varen? Die middag is Annemieke met haar poppen aan het spelen. Het incidentje tijdens de lunch is ze alweer vergeten.

Judith werkt de was en de strijk weg. Ze zet het eten klaar, zodat Harm het direct op kan zetten als hij thuiskomt. Daarna kijkt ze de koelkast en de kasten na of er van alles nog voldoende in huis is. Oma Koppelaar heeft overal voor gezorgd, stelt Judith uiteindelijk tevreden vast. Toch wil ze nog even met Annemieke naar buiten. Ze heeft de hele dag al binnen gezeten. Misschien even naar de kinderboerderij. Dat is hier net de straat uit.

Als ze met het voorstel komt, vergeet Annemieke meteen haar poppen. Haar ogen krijgen glans en met voldoening stelt Judith vast dat dit ideetje het kind goeddoet.

Hand in hand lopen ze even later de straat uit. Annemieke is opgetogen als ze de geitjes mag voeren en konijntjes op schoot mag houden. Het spijt Judith dat ze geen fotocamera bij zich heeft. Het zou mooie plaatjes op kunnen leveren voor de moeder van Annemieke. Zij moet toch al zo veel van haar dochter missen.

O wacht, met haar mobiel kan ze wel wat foto's maken. Al is het niet de kwaliteit van een camera, ze heeft toch iets om aan de ouders te laten zien.

De tijd vliegt om en met tegenzin gaat Annemieke later op de middag met Judith mee naar huis. Daar wacht Harm al.

Meteen krijgt hij een enthousiast verhaal van zijn dochter te horen over geiten, konijnen en kippen. Als Judith hem vertelt dat ze zojuist samen naar de kinderboerderij geweest zijn, kijkt Harm haar verrast aan.

'Wat leuk dat je dat gedaan hebt.' Zijn blik volgt zijn dochter die onmiddellijk een doos met plastic beestjes tevoorschijn heeft gehaald. Natuurlijk moet ze haar avontuur van die middag naspelen.

Een glimlach komt om Harms mond. Zacht vult hij aan: 'Ze komt toch al zo veel tekort. Bedankt, Judith.'

Judith krijgt het warm als ze de waardering in zijn stem hoort.

'Daar hoef je mij niet voor te bedanken. Het is toch een gewone zaak om Annemieke af en toe eens mee te nemen naar zulke gelegenheden?'

Harm kijkt Judith bedachtzaam aan.

'Neem van mij aan,' zegt hij, 'dat niet iedereen feeling heeft voor een kind van drieënhalf. Ik heb de achterliggende tijd vaker een oppas over de vloer gehad omdat mijn schoonmoeder ook weleens verhinderd was. Maar geloof me, Judith, er kwamen vrouwen hier over de vloer om een extraatje te verdienen. Annemieke kwam op de tweede plaats.'

Een bitter trekje komt om zijn mond en Judith schudt haar hoofd. 'Toch niet allemaal zeker?' zegt ze ongelovig.

'Nee, gelukkig niet,' beaamt Harm. 'Er waren er ook bij die wel om Annemieke gaven. Het is niet gemakkelijk geweest.'

Judith kijkt naar Harm en vindt dat hij er vermoeid uitziet. Logisch, hij heeft zorgen genoeg aan zijn hoofd. Ze is blij dat ze hem iets ontlasten kan. Zijn dankbare blik zojuist toen hij zag dat het eten zover klaar was, geeft haar een ongekende voldoening.

In de kamer speelt Annemieke onverstoorbaar door met boerderijbeestjes. Ze doet de geluiden van de dieren na.

'Viel het mee of tegen de eerste dag?' vist Harm.

Judith schudt haar hoofd. 'Ik heb genoten van je dochter. Ze is al zo wijs en voor haar leeftijd praat ze al best goed.'

Een glimlach trekt over zijn gezicht en vaagt meteen alle zorgrimpels weg. Trots komt er in zijn blik en een moment kijkt hij achterom naar zijn spelende dochter.

'Annemieke is een zonnetje hier in huis,' zegt hij zacht. 'Als ik haar niet had…'

De woorden blijven even hangen.

'O ja, voor ik het vergeet, Judith. Op woensdagmiddag heb je iedere week vrijaf. Ik sta voor de klas, weet je. Voor groep 8 van de basisschool aan De Brink. Ken je die?'

'De Fontein?' vraagt Judith.

'Precies. Ik ben daar directeur. De schoolvakanties ben ik dus ook vrij. Ik had je dit eerder willen vertellen, maar er kwamen zoveel andere onderwerpen aan de orde, dat het in de vergeethoek is geraakt.'

'Geeft niet.' Judith maakt aanstalten om te vertrekken. 'Het is goed dat je me het nu vertelt, dan zal ik daar rekening mee houden. Ik ga nu. Morgenochtend hoop ik om acht uur weer present te zijn.'

Ze zwaait nog even naar Annemieke, die vluchtig terugzwaait maar het te druk heeft met haar spel.

Als ze daarna buiten staat, heeft ze het gevoel of ze het ene wereldje uit stapt om het andere in te stappen. Ze heeft heel veel te overdenken.

Als Judith onderweg voor het stoplicht moet wachten, gaat er plotseling een schok door haar heen. Voor haar staat een jonge vrouw. Het is onmiskenbaar Roelien. Even nog staat Judith in tweestrijd, dan neemt ze een besluit. Het is nu of nooit.

Het licht springt op groen en Roelien zet haar voeten weer op de trappers. Judith haast zich om naast haar te komen. Haar hart bonst alsof ze iets gaat doen wat niet geoorloofd is. Dwaas die ze is!

Roelien kijkt opzij als ze merkt dat de fietser naast haar niet doorrijdt, maar het tempo aan het hare aanpast.

'Dag Roelien,' groet Judith heel gewoon.

Het stuur van de jonge vrouw maakt een slingertje. Met een geschokte blik staart ze Judith aan. Een stugge groet komt over haar lippen en ze houdt meteen haar vaart in zodat Judith alsnog passeren kan.

Dat is Judith echter niet van plan. Ook zij remt af.

'Nog een beter idee,' zegt ze uitgestreken, alsof ze Roelien verkeerd begrepen heeft. 'We kunnen beter even stoppen zodat we kunnen praten met elkaar. Anders zijn we halverwege als we thuis zijn.'

'Maar ik wil niet... ik kan niet...' stottert Roelien verbouwereerd. Toch stopt ze. Waarschijnlijk is ze zozeer door deze plotselinge ontmoeting overvallen om er goed op te kunnen reageren.

Ze staan naast elkaar op het trottoir naast een drukke weg. Geen ideale plek om een intensief gesprek te voeren. Het is niet anders, vindt Judith. Roelien moet ondertussen begrijpen dat zij zich niet langer voor de gek laat houden. Door al die geheimzinnigheid heeft Roelien zichzelf verraden dat ze inmiddels alles over Leon te weten is gekomen.

Ze windt er geen doekjes om en gooit gelijk de vraag voor Roeliens voeten, waar ze sinds de dag voor haar trouwdag van uur tot uur mee bezig geweest is.

'Waar is Leon?'

Roelien haalt met een onrustig gebaar haar hand door haar haren.

'Dat weet ik niet,' zegt ze.

'Dat weet je wel, Roelien. Jij en je moeder ontlopen me. Jullie nemen de telefoon niet op als ik bel en doen de deur niet open als ik bij jullie aan huis kom. Dat is voor mij het bewijs dat jullie iets voor me willen verzwijgen.'

Ze ziet dat Roelien van haar wegkijkt. Een spiertje bij haar mond trilt verdacht.

'Dat kan ik je niet vertellen,' komt ze dan eindelijk tot een besluit.

Judith kijkt demonstratief op haar horloge. 'Tja, ik heb de tijd, al staan we hier tot middernacht. Maar ik ga niet eerder naar huis voordat ik de waarheid van je weet. Nogmaals, waar is Leon?'

Opnieuw valt er een gespannen stilte. Dan capituleert Roelien toch nog onverwachts. Zacht zegt ze met zichtbare tegenzin: 'Zoetermeer.'

Het verrast Judith dat ze antwoord krijgt. Ze had verwacht dat ze er een lange strijd om zou moeten leveren.

'Waar in Zoetermeer?' vraagt ze meteen door.

'Dat kan ik je niet zeggen.'

Het is alsof Judith opnieuw een slag in haar gezicht krijgt. Denkt ze eindelijk achter de waarheid te komen en dan houdt Roelien opnieuw haar mond. Het is om stapel van te worden.

'Waarom kun je me dat niet zeggen?'

Roelien blijft zwijgen. Judith voelt het ongeduld en de boosheid opnieuw in zich omhoogkomen.

'Waarom mag ik het niet weten, Roelien? Het is alsof we volslagen vreemden voor elkaar zijn geworden. We konden het goed met elkaar vinden toen ik nog verkering had met Leon. Wat is er gebeurd? Heb ik iets verkeerds gedaan? Zeg het me dan. Begrijp je niet hoe deze hele geschiedenis mij vanbinnen verteert? Ik weet nog steeds niet waarom hij mij vlak voor onze trouwdag aan de kant heeft gezet. Wat is er gebeurd en waarom zit hij in Zoetermeer? Ik moet het weten. Nu!'

Ze is steeds sneller en heftiger gaan praten. De frustratie en de spanningen om dit alles zoeken zich een uitweg naar buiten.

Roelien ziet het. Ze zegt zacht: 'Ik vind het allemaal net zo ellendig als jij, Judith. Geloof me. Maar ik kan en mag het van Leon niet vertellen. Je zou je diep ellendig voelen als je alles wist.'

Even blijft het stil tussen hen. Judith laat de woorden van Roelien op zich inwerken. Dan zegt ze: 'Weet jij dat de waarheid weten, hoe bitter die ook mag zijn, beter is dan deze martelende onzekerheid? Ik heb slapeloze nachten gehad. Alles heb ik gedaan om achter de waarheid te komen. Niemand die me iets vertellen wil. Het heeft bij mij vanbinnen iets beschadigd. En dan zeg jij dat je het me niet vertellen kunt. Draai de rollen eens om, Roelien. Hoe zou jij je voelen in mijn plaats?'

Judith kijkt haar gewezen schoonzusje aan. Ze ziet hoe zij inwit geworden is en moet vechten tegen allerlei emoties. Maar Judith voelt geen medelijden. Dat hebben ze met haar ook niet. Het enige wat Roelien hoeft te doen is vertellen wat er met haar broer aan de hand is. Maar… ze zwijgt weer.

Judith voelt een nieuwe radeloosheid opkomen. Wat is er toch voor verschrikkelijks gebeurd dat Leon van de aardbodem verdwenen schijnt?

Nee, hij is niet verdwenen. Zoetermeer weet ze nu… Dat is in ieder geval een aanknopingspunt. Allerlei scenario's gaan aan Judith voorbij en zonder dat ze er erg in heeft, spreekt ze haar gedachten hardop uit.

'Misschien is Leon in de drugswereld terechtgekomen, al kan ik me dat in de verste verte niet voorstellen. Maar ik kon me ook niet voorstellen dat hij mij een enkele dag voor ons trouwen in de kou liet staan zonder verklaring. Dus uitgesloten is het niet. Of misschien heeft hij wel een zelfmoordpoging gedaan. Maar ook daar kan ik me helemaal niets bij voorstellen, we waren immers gelukkig samen. Wat zou er nog meer kunnen zijn? Misschien een andere vrouw? Is het dat? Speelde hij dubbelspel?'

Met vaste blik kijkt ze Roelien aan, die in elkaar duikt.

'Houd op,' roept ze gekweld. 'Houd daar alsjeblieft mee op. Echt, er is niets van dit alles. Echt niet.'

'Vind je het vreemd dat ik me allerlei dingen in mijn hoofd ga halen, omdat ik weten wil wat er aan de hand is? Dus nu de waarheid, Roelien.'

'Ik zal Leon vragen of hij het je zelf wil vertellen, via een brief,' grijpt Roelien naar de laatste strohalm. Dan, onverwachts, zet ze haar voeten op de trappers en gaat er als een haas vandoor. Judith kijkt haar na en neemt de moeite niet om haar achterna te gaan. Het machteloze gevoel dat ze nu nóg niets heeft kunnen bereiken, zwelt nog verder aan. Ze tuurt voor zich uit zonder werkelijk iets te zien.

Een brief… Nou, ze moet het eerst nog zien.

Zoetermeer. Een aanknopingspunt. Toch nog iets.

Of is ze stapel om Leon zo achterna te lopen? Nee, weet ze zelf, het is geen achternalopen. Ze wil alleen de waarheid weten waarom ze op zo'n onbeschofte manier aan de kant is gezet. Dat is ze verplicht aan zichzelf. En eerder, weet ze, heeft ze geen rust.

6

'Marlies wil graag met jou kennismaken.'

Harm staat in de gang, klaar om naar zijn werk te gaan. Afwachtend kijkt hij Judith aan.

Judith heeft zich moeten haasten om op tijd hier te zijn. Bijna de hele nacht heeft ze liggen woelen en draaien. Steeds stond haar dat merkwaardige gesprek met Roelien voor ogen. Een gesprek waar ze niet meer mee opgeschoten is dan de plaatsnaam die Roelien noemde: Zoetermeer. Het liet haar geen rust. Pas tegen de morgen viel ze in slaap, om tegen halfacht wakker te worden.

Ze voelt zich geradbraakt. Voor de spiegel heeft ze gepoogd zich een beetje toonbaar te maken. Ze hoopt dat Harm niets aan haar merkt.

En nu zijn voorstel: Marlies wil kennis met haar maken. Natuurlijk wil zij graag weten wie haar kind onder haar hoede heeft.

'Ik begrijp het,' zegt ze.

Harm kijkt op zijn horloge. 'Ik moet nu echt weg. Zullen we vanmiddag als ik thuiskom, meteen afspreken?'

Judith knikt. Ze ziet er enerzijds tegen op, al wil ze het zichzelf amper bekennen. Wat verwacht Marlies van haar? Hoe is zij en hoe draagt ze haar ziekte?

Ze moet dit voorlopig van zich afzetten. Ze heeft warempel genoeg aan haar hoofd. Nu gaat Annemieke voor.

Annemieke is in de kamer te vinden. Ze heeft haar pyjama nog aan. Ze zit op haar knietjes op de stoel en drinkt uit een beker.

'Ik ga naal school toe,' kondigt het meisje aan.

Judith glimlacht. 'Heb je er zin in?'

Een heftig knikken moet haar enthousiasme weergeven.

'Kom maar,' zegt Judith. 'Dan zal ik je helpen met wassen en aankleden. En daarna zal ik je haar doen. Jij mag zeggen hoe je het hebben wilt. Eén staartje, twee staartjes, vlechtjes…'

Annemieke hobbelt voor haar uit de trap op en zegt eigenwijs: 'Daal wil ik eelst ovel nadenke.'

Judith lacht achter haar hand. Heerlijk, zo'n kind dat je met haar uitspraken over je eigen grote problemen een moment heen kan zetten.

Samen met Annemieke zoekt ze de kleren uit die ze vandaag aan zal trekken. Ze helpt daarna het kind met wassen en aankleden. Ondertussen staat Annemiekes mondje niet stil. Ze vertelt over de school waar ze straks naartoe zal gaan, over juf Anja en juf Ria. Dat ze een mooie tekening voor mama mag maken, want dat had juf Ria haar beloofd.

Judith luistert met een glimlach en haalt na het aankleden een borstel door de blonde haren totdat ze gaan glanzen. Daarna maakt ze er twee ingevlochten vlechtjes van waar Annemieke uiteindelijk voor kiest. 'Jij mag zelf de strikjes erbij zoeken,' zegt Judith. 'Maar denk erom dat het mooi kleurt bij je kleren.'

Ziezo, een klein praktijklesje. Het meisje kleuren bijbrengen. Eens kijken of ze dat al kan. Hoewel... ze herinnert zich de eerste keer dat ze hier binnenstapte. Annemieke was toen bezig de duploblokken kleur bij kleur te sorteren. Ze is pienter voor haar leeftijd.

Judith geniet van het kind en tegelijk schrijnt het bij haar vanbinnen om de moeder die al deze dingen van het kind missen moet.

Annemieke heeft ondertussen haar keus gemaakt. Uit een doosje vol met haarbandjes, speldjes en strikken haalt ze twee rood met witte wokkeltjes tevoorschijn waarop lieveheersbeestjes pronken.

'Deze,' zegt ze vastbesloten.

Alsof het Judiths dagelijks werk is, zo weet ze in een handomdraai het gewenste resultaat te bereiken. Als ze klaar is, tilt ze Annemieke op, zodat deze in de spiegel kan kijken.

'Mooi,' zegt Annemieke. 'Net als mama.'

Judith neemt dat compliment dankbaar in ontvangst. Ze ruimt de spullen op, zoekt meteen een was uit om die vervolgens aan te zetten. Daarna maakt ze het bed van Annemieke op en zet een raam open.

Het is prachtig weer. De lucht die de kamer binnenstroomt, neemt een zoete geur mee van de bloesemboom die voor in de tuin staat. Genietend snuift Judith het op. Voor het eerst voelt ze zich weer een beetje ontspannen na de klap die Leon haar toegebracht heeft.

Harm heeft het tasje al klaargezet dat Annemieke altijd meeneemt naar school.

Even later gaan ze samen op weg. Judith voelt het kinderhandje in de hare, zo vertrouwd, alsof het nooit anders geweest is.

Het is Judith een beetje vreemd te moede als ze tussen de andere moeders en peuters het schooltje binnenstapt. Ze maakt kennis met juf Anja en juf Ria, die van de thuissituatie van Annemieke volledig op de hoogte zijn. Ze vragen of er nog nieuws is, maar Judith kan niets meer vertellen dan zij al weten.

Buiten voor het raam zwaait ze naar Annemieke, die enthousiast naar haar terugzwaait. Het doet iets met Judith. Daar staat het meisje naar haar, een vreemde, te zwaaien. En dat terwijl haar eigen moeder hier hoorde te staan. Wat moet het, naast die vreselijke ziekte, ook psychisch een groot te verteren brok zijn voor Marlies, dat ze niet voor haar dochter zorgen kan. Alles moet ze van het meisje missen.

Als Judith terugloopt naar huis kan ze die gedachten niet van zich afzetten. Ze heeft met Marlies te doen. Wat zou zij graag Marlies iets teruggeven van wat zij nu missen moet, maar hoe?

Langzaam maar zeker rijpt er een plannetje in Judith. En impulsief als ze is loopt ze gelijk door naar de Hema die in het winkelcentrum te vinden is. Daar koopt ze een multomap, papier en een pen. En eenmaal weer in de woning van Harm en Marlies gaat ze aan de tafel zitten en begint te schrijven.

De dag vliegt om. Voor Judiths gevoel lijkt de tijd nog sneller te gaan dan anders.

Als Harm die middag thuiskomt uit school, vindt hij zijn dochtertje buiten in de zandbak. De droogmolen hangt vol met bonte en witte was. De keukendeur staat open en achter het aanrecht staat Judith groente schoon te maken. Het vlees suddert in de pan en een heerlijke braadlucht komt naar buiten.

Een moment blijft Harm staan en hij neemt het tafereeltje in zich op. Marlies, denkt hij smartelijk, Marlies, jij hoort hier te staan.

Even sluit hij de ogen en een diepe zucht welt op vanuit zijn borst. Vrijdag horen ze meer van de dokter. Wát zullen ze horen? Hij wil het weten en toch ook weer niet. Hij moet het zichzelf bekennen dat hij bang is. Hoe zou hij ooit zonder Marlies verder kunnen leven? Hij kan haar niet missen.

In gedachten schudt hij z'n hoofd. Waarom zou hij op de dingen vooruitlopen, terwijl ze nog niets zeker weten?

Het is de angst die hem zulke sombere gedachten ingeeft.

Het verraste stemmetje van Annemieke klinkt ineens vanuit de zandbak: 'Papa!' Ze stapt over de rand met zandtaartjes heen en rent op haar korte beentjes naar haar vader toe.

Een lach veegt meteen de sombere trekken van Harms gezicht weg. Hij vangt haar op in zijn armen en houdt haar een moment in de lucht.

'Dag grote dochter van me. Hoe is je dag geweest?'

'Leuk. Zet me neel, papa. Ik heb iets vool mama gemaakt.'

Judith kijkt vanuit de keuken naar het tafereeltje buiten. Ze heeft gezien hoe Harm verdrietig voor zich uit stond te staren en hoe Annemieke hem afleidde van het sombere dat hem bezighield. Ze kan er slechts naar raden wat er in hem omgaat, maar moeilijk is het niet. Marlies…

Ze heeft medelijden met hem. Met hem, met Marlies en met Annemieke. Hoewel Annemieke de draagwijdte van dit alles nog niet kan bevatten. Wat heerlijk om kind te zijn en om daarom nog niet alles te kunnen begrijpen…

Wat later, als Annemieke de tekening aan haar vader heeft laten zien en ze weer naar de zandbak is teruggekeerd, komt Harm de keuken in. Even blijft hij op de bezigheden van Judith neerzien, dan schraapt hij zijn keel en zegt: 'Wanneer wil je mee naar Marlies?'

Judith heeft inmiddels alles klaar. 'Dat mag jij zeggen.'

'Ik beschik niet over jouw agenda.'

'En ik niet over de jouwe.' Ze kijkt lachend naar hem op. Ze houdt wel van een steekspel van woorden. Serieus gaat ze verder: 'Ik meen het. Zeg jij maar wanneer. Dan kijk ik wel of het me uitkomt.'

'Morgenavond?' En als Judith knikt gaat hij verder: 'Ik ben morgenmiddag vrij, maar ik ga liever zonder Annemieke. Ik weet namelijk niet wat Marlies met jou wil bespreken, en niet alles is voor kinderoortjes bestemd. En naar de woensdagmiddag kijkt Annemieke altijd uit omdat die sinds de ziekte van Marlies voor ons samen is gereserveerd.'

Ze spreken een tijd af en Harm belooft haar af te halen. Voor oppas wordt morgenavond gezorgd.

'Ik wil graag nog iets anders met je bespreken,' zegt Judith.

'Dat kan,' knikt Harm. 'Zullen we buiten zitten?'

Judith volgt hem naar buiten en naast elkaar nemen ze plaats op de tuinbank waarvandaan ze het volle zicht op Annemieke hebben.

Judith lacht. 'Ze kan wel een stevige badbeurt gebruiken. Ik wed dat zelfs haar haren vol zitten met zand.'

'Ach, een flinke hoeveelheid badschuim, speelgoed voor in bad, en het eerste uur hoor je haar niet,' lacht Harm.

'Annemieke is een lief kind,' zegt Judith. 'Het is niet moeilijk om van haar te gaan houden. Is ze altijd zo gemakkelijk?'

'Nou…' Harm krabt eens achter zijn oor en glimlacht. 'Ze is lief. Maar daarom heeft ze ook haar driftbuien, hoor! Vergis je niet. Als ze eenmaal iets in dat kopje heeft, krijg je het er niet zomaar weer uit.'

'Zou dat niet bij veel kinderen zo zijn? Dat ervaar jij bij de kinderen in je klas waarschijnlijk ook wel.'

'O zeker. De jeugd, hè? En toch zou ik het werk op school niet kunnen missen. Het is geweldig interessant om met kinderen om te gaan, Judith. Om ze iets te leren en klaar te stomen voor de maatschappij.

Het is een baan met veel uitdaging en voldoening. Maar ik denk niet dat dit het onderwerp is waar je over praten wilde?'

Het treft Judith dat Harm met zo veel bezieling over zijn werk in het onderwijs kan praten. Nee, dit was niet het onderwerp waar zij over wilde beginnen, maar het is daarom wel prettig als ze hem hierover hoort praten. Werk waar je voldoening in kunt vinden…

'Het sluit er wel bij aan,' gaat Judith erop in. 'Want die voldoening die jij op school vindt, vind ik hier. Ik geniet ervan om voor Annemieke te zorgen. Maar juist dát heeft me aan het denken gezet.'

'Ik begrijp je niet.'

'Ik zal het uitleggen. Vanmorgen hielp ik haar met wassen en aankleden. Daarna heb ik haar laten kiezen wat ze met haar haren wilde. Invlechten dus. Ze mocht van mij de strikjes uitzoeken en ik wees haar op de kleur die het beste bij de kleren paste. Ik genoot van haar onbeholpenheid en haar uitspraken. Daarna bracht ik haar naar de peuterspeelzaal, ik sprak de beide juffen en zwaaide haar na voor het raam. Ik genoot van dit alles en tegelijkertijd schrijnde het vanbinnen. Want ik besefte heel pijnlijk dat ik uiteindelijk een vreemde ben voor Annemieke en dat haar eigen moeder al deze dingen missen moet.'

Ze kijkt opzij naar Harm en ziet hoe zijn kaakspieren zich spannen. In een machteloos gebaar haalt hij zijn handen langs zijn slapen.

'Ik had je dit niet moeten vertellen,' zegt Judith geschrokken. 'Het is niet mijn bedoeling om het jou moeilijk te maken.'

Harm schudt zijn hoofd. 'Ik vind het fijn dat jij zo eerlijk en open bent, Judith. Dat waardeer ik. Natuurlijk doet het me pijn om wat je me vertelt, maar dit is voor mij geen nieuws. Dat heb ik me al lang gerealiseerd. Het is niet alleen die ellendige ziekte van Marlies. Ook op het psychische vlak heeft het haar een enorme dreun gegeven dat ze niet meer voor onze kleine meid zorgen kan. Al die tijd heeft ze eraan vastgehouden dat het tijdelijk zou zijn dat ze uitgeschakeld was. De laatste keren dat ik bij haar was, heeft ze haar twijfels gekregen. Ik zal ook eerlijk tegen jou zijn: Marlies en ik zijn allebei doodsbang voor de uitslag die de dokter vertellen zal.'

Er valt een stilte. Judith kijkt naar Annemieke die uit de zandbak klimt en aangeeft dat ze niet langer meer in het zand wil spelen, maar gaat fietsen.

'Op de stoep blijven,' waarschuwt Harm automatisch. 'Denk erom!'

Even later horen ze haar met haar fietsje al zingend het hekje uit gaan. Harm glimlacht bijna verontschuldigend naar Judith. 'De onbezorgdheid van de jeugd.'

'Dat kan in dit geval een zegen zijn,' zegt Judith zacht.

'Wat wilde je me nou precies vertellen?' vraagt Harm op het onderwerp terugkomend.

Judith vertelt: 'Ik ben vanmorgen vanuit de peuterspeelzaal doorgegaan naar de Hema en heb daar een map, papier en een pen gekocht. Eenmaal weer hier ben ik gaan schrijven. Alles wat ik met Annemieke beleef schrijf ik op. Tot de kleinste details. Iedere dag maak ik een verslag, zodat Marlies het kan lezen en meebeleven. Op die manier hoop ik haar het gevoel te geven dat ze toch niet alles van Annemieke mist.'

Getroffen kijkt Harm haar aan. 'Dat je hieraan hebt gedacht. Ik vind het geweldig, Judith.'

'Zo geweldig is het nou ook weer niet,' zegt Judith bescheiden. 'Maar op deze manier wil ik ook graag iets voor Marlies betekenen. Als jij nu vanavond de map meeneemt, dan zorg ik dat er iedere keer een vel is volgeschreven. Zo kan ze het keer op keer in de map stoppen en kan ze dagelijks alles op de voet volgen.'

'Dat doe ik. Wat zal Marlies hier blij mee zijn.'

Een poosje blijven ze nog zitten, zwijgend. Allebei zijn ze met de gedachten bij één persoon: Marlies. Voor Harm een deel van hemzelf, voor Judith tot nog toe een volslagen vreemde. Daar zal echter morgen verandering in komen.

Ze staat op. 'Ik denk dat de was inmiddels droog is. Ik zal hem afhalen en dan ga ik naar huis.'

'Niets ervan,' zegt Harm vastberaden. 'Weet je dat het al twintig minuten geleden is dat je dagtaak erop zat? Ik moest me schamen om daar geen erg in te hebben. Die was haal ik af en jij gaat nu.'

Judith trekt een grimas. 'Oei, nu kan ik me een beetje invoelen wat er in de kinderen van je klas om moet gaan als je zo optreedt. Je bent een strenge meester.'

'Zo moet het ook,' zegt Harm onverstoorbaar, 'anders luisteren ze niet en jij ook niet. Dus tot morgen, Judith. En bedankt voor wat je vandaag weer voor ons hebt gedaan.'

'Daar hoef je me niet voor te bedanken. Het is toch mijn werk?'

'En toch bedank ik je.'

'Geef je de hartelijke groeten door aan Marlies? Zeg haar maar dat ik uitkijk naar de kennismaking morgenavond.'

'Dat zal ik doen.'

Hij zwaait naar haar als Judith de fiets pakt. 'Tot morgen.'

Eenmaal thuis neemt Judith de post meteen mee naar boven. Een krant, enkele folders en een bankafschrift, dat ze meteen opent. Haar ogen glijden langs de cijfers. Hé, wat is dat nu? Het maandelijks bedrag voor de aflossing van de hypotheek is afgeschreven, maar Leons bijdrage is niet gestort. Voor het eerst.

Ze krijgt hetzelfde machteloze gevoel waar ze de laatste tijd vaker last van heeft. Het maakt haar tegelijkertijd boos. Natuurlijk wil ze het liefst alleen voor de kosten van haar flat opdraaien. Ze heeft ook om die reden haar uiterste best gedaan om Leon te vinden. Tot nog toe zonder resultaat. En nu staat ze opeens voor deze verrassing. Het is om van uit je vel te springen.

Dit moet bespreekbaar zijn. Maar zolang Leon zijn gezicht niet laat zien, moet zij zien hoe ze dit weer rond gaat breien met de bank. Misschien is het goed als ze zo snel mogelijk een afspraak maakt. Vandaag lukt dat niet meer. Morgenmiddag dan maar. Dan is ze vrij en dan kan ze misschien gelijk voor een gesprek komen.

Het lichtje van de telefoon knippert. Er is gebeld. Als ze terugluistert hoort ze dat er een medewerker van de bank ingesproken heeft, die graag een afspraak met haar wil maken om het een en ander door te spreken.

Het is duidelijk dat het bankpersoneel er ook geen gras over laat groeien. Gelijk hebben ze. Er moeten spijkers met koppen geslagen worden.

Vastberaden telefoneert ze naar het belastingkantoor. Daar krijgt ze nu wel wat te horen: dat er geen salaris meer aan Leon wordt uitgekeerd om de eenvoudige reden dat hij daar niet meer werkt.

'Heeft hij zijn ontslag genomen?' vraagt ze.

'Hij is ontslagen.'

Onthutst kijkt Judith voor zich uit. Leon deed zijn werk altijd nauwkeurig en hij had er een hoge functie. Voor zover zij na kan gaan, heeft hij nooit klachten gekregen.

Dan komt ze tot het besef dat onder alle zekerheden rond Leon de bodem is weggeslagen. Ze had immers ook nooit verwacht dat hij haar de bons zou geven vlak voor hun huwelijk?

'Ontslagen,' herhaalt ze verbijsterd. 'Maar waarom?'

'Daar kan en mag ik u geen mededelingen over doen, mevrouw. Dit zijn privéaangelegenheden. En als ik me nu excuseren mag...'

Een beleefde groet en het gesprek is beëindigd. Verdwaasd kijkt Judith naar de telefoon in haar handen, alsof die het helpen kan dat het gesprek onbevredigend is verlopen. Allerlei vragen borrelen er in haar op. Waarom is er zoveel geheimzinnigheid rond Leon? En waarom heeft hij zijn ontslag gekregen terwijl hij altijd punctueel heeft gewerkt?

Als Lieke die avond bij haar komt koffiedrinken, is Judith blij dat ze haar verhaal kwijt kan. Ook Lieke vindt dit een vreemde geschiedenis, maar ze is niet geheel pessimistisch.

'Al met al ben je twee dingen te weten gekomen,' vat ze al het nieuws samen. 'Je weet nu dat hij door ontslag niet meer op dat kantoor werkt. En dat je hem moet gaan zoeken in Zoetermeer.'

'Dat is een speld in een hooiberg,' zegt Judith moedeloos.

'Al moeten we heel Zoetermeer op z'n kop zetten, maar vinden zullen we hem,' zegt Lieke vastberaden.

Er breekt een lach door op Judiths gezicht. 'Jij gaat dus met me mee?'

Lieke kijkt alsof ze beledigd is. 'Moet je dat nog vragen?'

Het gesprek bij de plaatselijke Rabobank verloopt stroef. Judith doet haar best om de vrouw tegenover haar te overtuigen dat ze echt niet weet waar Leon is. Maar het is alsof het niet tot haar door wil dringen.

Moedeloos bedenkt Judith dat het ook ongeloofwaardig is. Als je samen een flat koopt, dan ga je er wonen en los je maandelijks volgens de contracten het bedrag af dat je schuldig bent aan de bank. Dat die aflossing is gehalveerd is niet haar schuld. Hoe moet ze dit duidelijk maken?

Met tegenzin vertelt ze haar verhaal. Het is niet leuk om aan een ander bekend te maken hoe je door je vriend een enkele dag voor de trouwdag aan de kant wordt gezet. Maar ze heeft geen keus.

Tot zover wordt Judith begrepen. Maar als ze vertelt dat ze echt niet weet waar Leon is, glijdt opnieuw die ongelovige trek op het gezicht van de bankmedewerkster.

'Er moet toch een adres van hem zijn?' vraagt ze. 'En anders is er ook nog familie die u aan het adres kan helpen. Er zal toch het een en ander geregeld moeten worden. De hypotheek moet volledig overgeschreven worden op uw naam. Maar dat kan uiteraard niet zomaar. Hij is bij dit alles betrokken. Zonder zijn handtekening schieten we niets op.'

'Dat begrijp ik ook,' schiet Judith gefrustreerd uit. 'Maar wat kan ik hieraan doen? Ik ben zelf ook slachtoffer van die hele geschiedenis. Ik heb dit alles nog niet eens verwerkt. En nu doet u alsof ík de schuldige in dit alles ben. Ik zal u het adres van zijn moeder geven. Dan moet zij u maar verder helpen. Als ik bel is ze nooit thuis.'

'Ze ontloopt u?' concludeert de vrouw tegenover haar.

'Ja, inderdaad. Dus voor mij is dit alles net zo ongrijpbaar als voor u die deze bankzaken voor ons behartigt.'

Judith schrijft op een papiertje het adres van mevrouw Slagman. Als ze het overhandigt, ziet ze het onbegrip op het gezicht van de bankmedewerkster. Wrang denkt ze: zoiets als dit heeft deze vrouw natuurlijk in heel haar loopbaan nog niet meegemaakt. Het zij zo.

'Ik zal u zo snel mogelijk bellen om u te laten weten of ik succes heb geboekt bij uw gewezen schoonmoeder,' zegt de vrouw stijfjes als ze beiden opstaan. 'Zo niet, dan zullen er toch andere maatregelen getroffen moeten worden.'

'Wat voor maatregelen?'

'Dat de flat verkocht moet worden.'

'Zullen we maar niet op de dingen vooruitlopen?' zegt Judith stug. 'Ik wil er namelijk graag blijven wonen, en zonder dit heb ik al genoeg aan mijn hoofd.'

Als ze door de uitgang van de bank naar buiten loopt, ademt Judith de zomerse lucht diep in. Het benauwde gevoel dat ze daarbinnen kreeg, wijkt langzaam.

Aan het onderhoud zojuist houdt ze een onvoldaan gevoel over. Ze vraagt zich af of dit hele gedoe om die flat uiteindelijk ook niet in haar nadeel uit zal vallen.

7

'Een prettige middag gehad?' Harm kijkt haar vragend aan, terwijl hij het portier van de auto voor haar openhoudt. Judith schuift op de passagiersstoel en zonder direct een antwoord te verwachten, sluit Harm galant het portier aan haar kant.

Een prettige middag... allesbehalve, denkt Judith wrang.

Harm, die intussen achter het stuur is gekropen, ziet haar gezicht vertrekken.

'Toch geen narigheid?'

Hij wacht even met starten en kijkt haar vragend aan. Judith haalt haar schouders op. Ze heeft geen zin om hem met haar problemen op te zadelen. Hij heeft meer dan genoeg aan zijn eigen besognes binnen zijn gezin.

Als ze denkt dat hij met een nietszeggend antwoord genoegen neemt, heeft ze het echter mis. Hij geeft het niet zomaar op en vraagt door. Uiteindelijk gaat ze voor de bijl en zegt hem wat haar dwarszit. In summiere woorden vertelt ze wat haar de laatste tijd overkomen is en wat de gevolgen hiervan zijn.

Harm schudt bedenkelijk zijn hoofd.

'Ik wilde dat ik je kon helpen,' zucht hij. 'Maar ik zou in deze situatie niet weten hoe.'

Judith haalt haar schouders op. 'Ja, zeg! Buiten dat ik het van je waardeer dat je voor me klaarstaat, wil ik je toch zeggen dat je aan je eigen zorgen al genoeg hebt. Het was niet mijn bedoeling om je met de mijne lastig te vallen, maar je weet zo door te porren dat ik het wel moet zeggen.'

Harm start de auto en lacht, maar wordt meteen weer ernstig.

'Ik ben geïnteresseerd in de mensen om mij heen. En zeker in mensen die voor mij ook klaarstaan. Dan doe ik graag iets terug.'

'Het is immers mijn werk, en ik doe het met plezier,' zegt Judith zacht.

'Dat weet ik wel, maar je moest eens weten hoe je mij uit de brand hebt geholpen. De laatste tijd was het echt behelpen en als je dan iemand krijgt die van aanpakken weet en bovendien ook nog eens van je dochtertje gaat houden... Geloof me, er zijn kilo's van mijn schouders gevallen.'

Judith staart verlegen voor zich uit. Ze is blij dat ze voor deze man

iets goeds heeft kunnen betekenen, maar hij moet het niet overdrijven.
'Dus jij hebt ook een portie leed achter de rug?' vorst hij verder.
'Ja,' antwoordt ze. 'Ik zit nog in dat verwerkingsproces. Het is immers heel kortgeleden gebeurd. Ik ben blij met de afleiding die ik in jouw gezin krijg.'
'Afleiding…' Judith hoort een bepaalde nuance in zijn stem waaruit ze begrijpt dat hij haar woorden op de juiste waarde schat. 'Het is maar wat je onder afleiding verstaat. In ieder geval niet iets om je vrolijker te maken. Voorlopig zijn we nu onderweg naar een ernstig zieke. Mijn vrouw.'
Judith knijpt haar handen in elkaar. Ze hoort het verdriet in zijn stem.
'We hebben ieder zo onze eigen portie, hè?'
'Ja, dat is zo,' antwoordt Harm. 'Het enige positieve hierin is dat we elkaar goed kunnen begrijpen.'
'De situaties zijn niet met elkaar te vergelijken.'
'Dat hoeft ook niet,' reageert Harm rustig. 'Niet één situatie is immers gelijk. Maar het feit ligt er dat jij je geliefde verloren hebt, ook al is hij nog in leven. Ik heb mijn geliefde nog, maar…'
Een stilte blijft in de kleine ruimte van de auto hangen. Een stilte die tegelijkertijd vol is met gedachten en gevoelens.
Judith slikt iets weg. Ze kan zo wel begrijpen wat Harm heeft willen zeggen. 'Ik heb mijn geliefde nog, maar zij is binnen korte tijd waarschijnlijk niet meer in leven.'
Ze kijkt opzij en ziet hoe een spiertje bij zijn kaak trilt. Het leidt haar meteen af van al haar eigen zorgen, die lijken ineens minder erg dan ze waren.
Met verstikte stem herhaalt ze wat hij enkele minuten geleden tegen haar heeft gezegd: 'Ik wilde dat ik je kon helpen. Maar ik zou in deze situatie niet weten hoe.'

Judith herkent Marlies meteen van de foto, met dit schrille contrast dat ze nu heel bleek ziet en er zorgenrimpeltjes rond haar mond getekend zijn. Het laat Judith niet onberoerd als ze zich in gedachten het blozende, lachende gezicht van de foto in herinnering brengt.
'Dat is mama,' had Annemieke haar gewezen.
Dit is dezelfde mama, en toch heel anders.
Judith loopt naar het bed en ziet de vragende en onderzoekende ogen van Marlies op zich gericht. Ze drukt de krachteloze hand en beiden noemen ze hun naam.

'Ik ben blij dat je kennis komt maken,' zegt Marlies. 'Ik wilde zo graag weten in wiens handen Annemieke is.'

'Ik begrijp het,' knikt Judith. Een beetje onwennig gaat ze zitten. Ze ziet dat Harm op de gang met een verpleegkundige staat te praten. Hij heeft zojuist Marlies begroet en heeft zich daarna teruggetrokken. Judith verdenkt hem ervan dat hij dit bewust heeft gedaan, zodat zij en Marlies een moment hebben om elkaar rustig af te tasten.

Er valt een beklemmende stilte. Judith weet dat ze boordevol vragen zit, maar dat ze die op dit moment niet goed kan verwoorden. Ze verdenkt Marlies van hetzelfde.

Dan beginnen ze tegelijk te praten. Ze schieten allebei een beetje zenuwachtig in de lach zodat dat meteen de spanning verbreekt.

'Het is niet gemakkelijk,' zegt Marlies dan. 'Je mag gerust weten dat ik heel erg heb moeten vechten tegen jaloezie.'

'Jaloezie?' Judith kijkt vragend naar het bleke gezicht, waarin de blauwe ogen groter schijnen. Ogen vol verdriet en zorgen. Ogen: spiegels van de ziel.

'Ja, jaloers op jou. Dat jij voor mijn dochter zorgt. Dat jij de volle gezondheid mag hebben en van haar mag genieten. Ik mis haar zo vreselijk...'

Judith verschuift wat op haar stoel. Wat moet ze hier toch op zeggen?

Marlies gaat alweer verder: 'Begrijp me niet verkeerd. Ik ben heel blij en dankbaar voor alles wat je doet. Maar de momenten dat ik Annemieke aan mijn bed zie zijn zo kort. En ik weet niet hoelang dit alles gaat duren. Heeft Harm je alles verteld?'

Een directe vraag en Marlies' blik blijft in die van Judith haken. Vorsend, vragend.

'Ik weet alles,' zegt ze zacht.

'En weet je ook dat de mogelijkheid heel reëel is dat ik niet meer beter word?'

'Ook dat weet ik.'

'Vrijdag krijg ik de uitslag van alle onderzoeken en ik ben bang, Judith. Veel banger dan ik Harm laat merken. Hij heeft al meer dan genoeg aan zijn hoofd. Het beetje dat ik voor hem kan doen is zo flink mogelijk zijn.'

'Toch is dat niet goed,' vindt Judith, haar woorden voorzichtig kiezend. 'Het is beter om samen te huilen dan voor elkaar de schijn op te houden. Niemand vraagt van jou flink te zijn, Marlies. Niemand.'

'Och, houd toch op. Straks ga ik echt huilen.'

'Nou, én?'

Ze kijken elkaar aan alsof ze elkaar op krachten willen meten. Judith voelt het gesprek een kant op gaan die ze absoluut niet voorzien heeft. Maar het gaat nog verder dan ze had gedacht, want onverwachts draait Marlies zich nog meer naar haar toe.

'Je leert Annemieke bidden, hè?'

Judith, verrast om deze plotselinge vraag, knippert met de ogen. Hoe komt Marlies hier opeens zo bij? Ze heeft hier met Harm niet over gesproken, en Annemieke is er zelf na de eerste keer dat ze vol vragen zat, ook niet meer op teruggekomen.

Haar gedachten gaan snel. Dan zegt ze: 'Annemieke had allerlei vragen toen ze zag dat ik voor mijn eten bad. Ik heb haar daar eerlijk op geantwoord.'

'Ze weet het wel,' antwoordt Marlies. 'Mijn ouders bidden ook. Ikzelf heb het afgeleerd.'

Haar stem klinkt nu bitter. Judith schrikt ervan.

'Waarom?' vraagt ze.

Marlies probeert wat rechtop te zitten en Judith helpt door enkele kussens in haar rug te duwen.

'Hè ja, zo lig ik veel beter,' zegt Marlies dankbaar. 'Jij weet precies hoe ik het wil.'

'Dat is meer aanvoelen dan dat ik het weet, hoor,' zegt Judith.

'Een verborgen talent dus,' stelt Marlies vast en ze verbetert zichzelf: 'Nee, niet verborgen. Van Harm weet ik inmiddels hoe goed jij alles thuis weet op te vangen. En ook weet ik dat jij veel om Annemieke geeft. Dat geeft me zo'n rust.'

'Het is niet moeilijk om van je dochter te houden,' reageert Judith spontaan. 'Het is een schat. En ze wil alles weten.'

Marlies glimlacht. 'Over het bidden onder andere. We zijn een beetje afgedwaald.'

'Je had het erover dat jij het bidden had afgeleerd,' gaat Judith hierop in. 'Hoe komt dat? Of vind je me nu te nieuwsgierig?'

Marlies kijkt haar aan en ze lacht even. 'Nee, belangstellend. Dat is een beter woord voor je. Ik ben in het geloof bitter geworden omdat ik niet begrijpen kan dat God alle ellende zomaar toelaat. En dat terwijl Hij zo machtig moet zijn om met één wenk alles hier op aarde goed te trekken.'

'Wij kunnen God toch niet de schuld geven van al onze ellende?' vraagt Judith. 'Ik heb begrepen dat jij ook bij de Bijbel bent opgevoed en dat ik jou geen nieuws vertel dat God alles goed heeft geschapen, maar dat we zelf God de rug hebben toegekeerd.'

'Je bedoelt Adam en Eva in het paradijs? Ja, ik ben inderdaad goed op de hoogte. Maar je kunt mij toch niet vertellen dat wij na zesduizend jaar de schuld moeten krijgen van twee mensen die toen in ongehoorzaamheid geleefd hebben?'

'Wil jij beweren dat jij je leven volledig inricht tot eer van God?'

Marlies haalt haar schouders op. 'Waarom zou ik dat doen als ik toch niet in Hem geloof?'

'Dat doe je wel. Je kunt niet boos zijn op iemand die niet bestaat. En boos ben je op Hem, want je vertelde me zojuist nog dat je het niet begrijpen kunt dat God al die ellende in de wereld toelaat.'

'Jij neemt het wel heel letterlijk op.'

'Hoe moet ik het anders opnemen? Ik neem jou serieus. Je zou beledigd zijn als ik je niet serieus nam.'

Voor Judith is dit de vreemdste kennismaking die ze ooit heeft meegemaakt. Het is niet iets gewoons om over zulke zwaarbeladen onderwerpen te spreken als je elkaar net leert kennen. Maar ze begrijpt dat het bij Marlies in deze bijzondere situatie heel anders ligt. Het is duidelijk dat ze ondanks alles over deze dingen nadenkt nu ze zo ziek is en niet weet of ze beter zal worden. Bovendien is het Annemieke geweest die door een enkele opmerking over het bidden haar moeder er opmerkzaam op heeft gemaakt. Waarschijnlijk kon Marlies dit niet helemaal verkroppen en moest ze er, na veel denken, nu meteen lucht aan geven.

Harm komt de ziekenkamer in. Judith voelt zich voor een moment te veel. Als ze op wil staan, drukt Harm haar terug in haar stoel en hij schuift voor zichzelf er ook een bij.

Judith ziet dat Marlies zichtbaar moe wordt. Het gesprek heeft haar misschien te veel aangegrepen en Judith voelt zich schuldig. Maar wat had ze dan moeten doen? Moeten zwijgen op de vragen die Marlies haar stelde? Nee, dan zou haar geweten gaan spreken. Ze komt uit voor waar ze in gelooft.

'Heeft Judith het je al verteld?' hoort ze Harm ondertussen aan Marlies vragen.

'Wat verteld?'

'Judith?' Harm kijkt haar vragend aan. 'Heb je de map al laten zien?'

De map... Natuurlijk. Door dit gesprekje met Marlies was ze het vergeten. De map zit in haar tas en de eerste bladzijden over Annemieke zijn inmiddels al volgeschreven.

Ze pakt de map uit haar tas en houdt die nog even in haar handen.

Dan vertelt ze Marlies wat er door haar heen gegaan is toen ze voor Annemieke zorgde, haar naar de peuterspeelzaal bracht, nazwaaide en alles voor haar deed wat Marlies hoorde te doen.

'Ik heb besloten om iedere dag een verslag te schrijven over alles wat Annemieke zegt en doet. Vanaf het moment dat ik binnenstap tot ik weer wegga. Zo kun je toch alles meebeleven wat je dochter meemaakt en hoe ze zich ontwikkelt. De map mag je hier houden en Harm zal iedere dag een of meer volgeschreven vellen papier meenemen om die in de map erbij te kunnen doen. Alsjeblieft.'

Ze geeft Marlies de map, die hem meteen opent en twee volgeschreven vellen erin vindt. Marlies kijkt ernaar, leest even een paar zinnen en met haar blik zoekt ze vervolgens die van Judith.

'Dat je dit voor me doet. Ik vind het... het is geweldig. Echt.' De dankbaarheid en waardering klinken door in de klank van haar stem. 'Mag ik het straks meteen lezen?'

Harm kijkt Judith schalks aan en plagend zegt hij: 'Ik denk dat Marlies ons nu wegkijkt. Ze heeft niet veel geduld...'

Marlies laat haar man niet uitspreken. 'Wegkijken? Ik ben veel te blij dat jullie er zijn. Nee, blijf nog.'

Judith ziet dat Harms hand die van Marlies zoekt en nu voelt ze zich echt te veel. Ze staat op.

'Harm kan natuurlijk nog blijven, maar ik heb lang genoeg aan je bed gezeten. Mag ik je nog eens komen opzoeken, Marlies?'

'Natuurlijk,' reageert deze spontaan. 'Heel graag zelfs. Ik voel me met jou verbonden nu je voor mijn man en dochter zorgt. Ik wil alle nieuwtjes graag weten.' Ze tikt op de multomap. 'Ik ben zo benieuwd wat jij allemaal gaat schrijven!'

Judith drukt de smalle hand van Marlies. 'Veel sterkte verder. En tot ziens.'

Als ze bij de deur is en zich nog even omdraait, ziet ze de opgestoken hand van Marlies die naar haar zwaait. Ze zwaait terug en is daarna in de gang waar het een komen en gaan is van bezoekers. In afwachting van Harm gaat ze op een van de stoelen zitten die tegen de muur staan.

Het is ongeveer een kwartier later als Harm zich weer bij haar voegt. Zwijgend lopen ze naast elkaar het ziekenhuis uit en pas in de auto begint Harm te praten.

'Hoe vond je Marlies?'

'Bedoel je lichamelijk of wat haar karakter betreft?'

'Eigenlijk allebei.'

Judith denkt na. Wat voert bij haar de boventoon van dit bezoek? Ze heeft medelijden met Marlies. Niet dat ze zielig is. Integendeel. Maar ze is nog zo jong en dan zo ziek. Niet wetend hoe het verder zal gaan. 'Ik vind haar flink,' komt ze dan tot de slotsom van haar gedachten. 'Te flink. En tegelijk vind ik het een stille kracht in haar dat ze zo kan zijn.'

'Ze houdt zich flink voor mij,' zegt Harm.

Getroffen kijkt Judith hem aan. Want wat hij zegt is waar. Marlies heeft het immers zelf ook tegen haar gezegd toen Harm met die verpleegkundige op de gang stond te praten.

'Ze kan mij niet om de tuin leiden,' gaat hij verder. 'Ik ken haar immers door en door. Soms wilde ik dat ze wat meer aan me prijsgaf. Ze hoeft me niet te sparen. We hebben elkaar trouw beloofd in goede én in kwade dagen.'

'Heb je haar dat ook gezegd?'

'Jazeker. Maar ze blijft in die houding volharden. Toch kan ze dit niet lang volhouden. Ieder mens moet zich van tijd tot tijd kunnen ontladen. En het is niet niks wat haar ten deel is gevallen.'

'Ze heeft het mij verteld.'

'Wat?'

'Dat ze voor jou flink wil zijn omdat je het zonder dat al moeilijk genoeg zou hebben.'

'Zie je wel? Dat wist ik. Die dwaze, gekke, lieve meid.'

Judith hoort de liefde voor zijn vrouw in de woorden doorklinken. Het doet haar pijn voor Harm, maar ook voor Marlies dat ze zo'n zware weg door moeten maken. Allebei zijn het warme, gevoelige mensen. En ze begrijpt dat ze allebei met de nodige vragen zitten. Als ze daarmee naar het goede Adres zouden gaan, dan zou dat al veel verlichten. Wat jammer dat ze in dat geloof niet meer willen leven. Waar moeten ze nu hun troost en bemoediging zoeken? Ze hoort Marlies opnieuw tegen haar zeggen: 'Je leert Annemieke bidden, hè?' Het klonk niet verwijtend. Eerder gelaten en met weinig begrip.

Je leert Annemieke bidden... Annemieke heeft de nodige vragen gesteld waar zij antwoord op gegeven heeft. Nu bidt ze hardop omdat Annemieke het vroeg. Een vraag waarschijnlijk uit nieuwsgierigheid, hoewel haar grootouders het toch ook doen. Maar toch heeft Judith er gewillig gehoor aan gegeven. Ze kon eenvoudig niet weigeren. Wie weet wat dit met het kind zou gaan doen.

'Kan ik vool mama ook bidde?' had ze gevraagd. 'Hoe moet dat?'

Kostbare vragen waar Judith niet aan voorbij wilde gaan. En ze heeft het haar uitgelegd. Nu doet Annemieke het op haar eigen onbeholpen manier. Maar recht uit haar hart.

Harm heeft er tot nog toe niets over gezegd. Zou hij het als een inbreuk op zijn opvoeding zien? Zelf heeft hij er immers ook niets mee. Het is alsof hij haar gedachten raadt, want plotseling zegt hij: 'Annemieke heeft iets nieuws uitgevonden. Ze bidt voor haar moeder.'

Iets nieuws uitgevonden...

Behalve dat het Judith overvalt dat hij opeens over dit onderwerp begint terwijl zij er juist aan zit te denken, heeft ze moeite met die opmerking. Het klinkt een beetje banaal. En ze voelt dit tegelijkertijd als een steek onder water.

Kom maar over de brug, Judith, denkt ze spottend. Want dat is duidelijk Harms bedoeling, anders had hij het wel op een andere manier geformuleerd.

Voor de tweede keer vertelt ze die avond hoe het gegaan is. Als ze uitverteld is, knikt Harm.

'Ik heb alle respect voor jouw religieuze opvattingen, Judith. Maar Marlies en ik zijn over deze zaken anders gaan denken nadat we getrouwd zijn. Kortom: wij hebben er niets mee. Ik had het prettig gevonden als je van tevoren had gevraagd of ik het goedvond dat je je eigen ideeën met mijn dochter besprak. Ik heb haar in het volste vertrouwen in jouw handen overgegeven en ik ben tot nog toe heel tevreden, dat weet je inmiddels. Maar geloofszaken zijn persoonlijk. En ik vind het niet prettig als jij onze dochter iets opdringt waar Marlies en ik zelf niet achter staan.'

Judith ademt diep in. Nu ligt de bal bij jou, Judith, spot ze tegen zichzelf. En het is aan jou hoe je die oppakt.

Ze kijkt opzij naar het strakke profiel van Harms gezicht. Ze waardeert zijn openheid en eerlijkheid. Maar ze kan niet van de gedachte af dat Harm het haar toch kwalijk neemt dat zij iets van haar eigen overtuiging aan zijn dochtertje heeft opgedrongen.

'Ik ben blij dat je het eerlijk open hebt gegooid, Harm. Misschien ben ik hierin tekortgeschoten en had ik zelf al eerder eerlijk tegen je moeten zijn. Ik kan het je uitleggen.'

Ze vertelt hem dat ze eerlijk de vragen van Annemieke over zaken als bidden en Bijbellezen heeft beantwoord.

'Dit is een deel van mijn leven, Harm. Ik zal daarom het bidden niet laten omdat Annemieke dit niet gewend is.'

'Dat verwacht ik ook niet van je,' is het korte commentaar van Harm. 'Maar ik wil niet dat je Annemieke hier mee belast.'

'Wat jij belasten noemt, is voor mij juist heel heilig. Daar kwets je me mee,' zegt Judith.

Harm steekt meteen berouwvol zijn hand uit. 'Het spijt me. Zo heb ik het niet bedoeld en dat heb je niet verdiend.'

'Oké.' Judith knikt opgelucht. 'Het is logisch dat Annemieke vragen gaat stellen als ze mij ziet bidden en danken voor en na het eten. Het is mijns inziens niet verkeerd om haar het een en ander uit te leggen. Uiteindelijk zal ze in haar latere leven heel veel met andersdenkenden te maken krijgen.'

'Zolang het informatief blijft, is het mij prima. Mijn schoonouders voelden ook de roeping om het stuk godsdienstige opvoeding aan te vullen dat wij nalaten haar te geven. Daar heb ik uiteindelijk een stokje voor gestoken. Marlies maakte het niet zoveel uit. Maar dat komt omdat ze daar zelf in opgevoed is en voor haar is dat een heel vertrouwd deel uit haar jeugd. Marlies en ik vinden het belangrijk dat Annemieke normen en waarden meekrijgt voor het leven, respect voor de mede- mens en zo meer. En ik zou graag willen dat jij je daarbij aanpast.'

Ze zijn ondertussen bij haar flat aangekomen waar Harm haar zou afzetten. Hun gesprek krijgt hierdoor abrupt een einde. Judith kan het niet helpen dat ze er een onaangenaam gevoel aan overhoudt.

'Hoe ben jij opgevoed?' vraagt ze nog snel, voordat ze uitstapt.

'Mijn ouders geloofden wel,' vertelt hij. 'Maar dan op een manier dat iedereen het voor zichzelf mocht weten. Vrijblijvend dus.'

Geloof op losse schroeven, stelt Judith in gedachten vast. Een geloof zonder fundament. Of oordeelt zij te snel?

Ze wil hier eerst grondig over nadenken. Ze bedankt Harm voor het thuisbrengen, wenst hem welterusten en loopt dan naar de ingang van haar flat.

Het was een dag vol indrukken.

8

Het is zaterdagmorgen. Judith heeft eerst grondig uitgeslapen en is nu bezig in haar keuken een boterham te smeren en koffie te zetten. De zorgen om de hypotheek van haar flat zijn even op de achtergrond geraakt. Ze denkt aan Harm en Marlies. Gisteren hebben ze een gesprek gehad met de dokter. In spanning heeft ze de thuiskomst van Harm afgewacht. Toen hij eenmaal de keuken binnenstapte, stond zijn gezicht ondoorgrondelijk.

Het viel niet mee en niet tegen.

Harm vertelde dat het team in het ziekenhuis alle behandelingen gaat starten die nog mogelijk zijn om de ziekte van Marlies te bestrijden. De arts kon helaas geen definitieve garantie geven dat het zou lukken. Maar er was een kans.

'We zijn daar al blij om, Judith,' had Harm gezegd. 'Want we hielden er allebei rekening mee dat de dokter met nog minder gunstige berichten zou komen. Onder andere dat er geen behandeling meer mogelijk was.'

Judith zet automatisch het koffiezetapparaat in werking. Ze moet proberen in haar vrije tijd de zorgen van haar werk van zich af te zetten. Maar dat lukt haar in deze situatie niet. Ze is er te veel bij betrokken geraakt, al werkt ze er nog heel kort.

Ze schrikt op uit haar gedachten als de bel gaat. Ze kijkt op de keukenklok. Tjonge, tien uur al. Nieuwsgierig loopt ze naar de deur en opent die. Het is Lieke.

'Ik weet niet of je plannen hebt voor vandaag,' valt ze meteen met de deur in huis. 'In dat geval moet je die maar verzetten, want er staat voor vandaag iets heel belangrijks op het programma.' Lieke heeft een kleur en haar ogen schitteren opgewonden.

Judith kijkt er met verbazing naar en haar nieuwsgierigheid wordt er meteen door gewekt.

'Welja,' probeert ze luchtig te reageren. 'Sinds wanneer denk jij over mijn agenda te kunnen beschikken?'

'Vandaag,' gaat Lieke onverstoorbaar verder. 'Ik heb je iets te vertellen.'

'Dat heb ik ondertussen begrepen en je hebt me razend nieuwsgierig gemaakt. Ik heb koffiegezet. Drink je gezellig een bakje mee?'

Lieke raadpleegt haar horloge. 'Het kan nog net. Een halfuur. Maar dan moeten we echt weg.'

Even later zitten ze beiden met een mok koffie tegenover elkaar in de kamer.

'Kom op met je nieuws,' zegt Judith. 'Je hebt me heel nieuwsgierig gemaakt. Waar moeten we naartoe?'

'Naar Leon...'

De koffie gutst bijna over de rand van Judiths mok. Snel zet ze hem neer.

'Lieke,' zegt ze ingehouden, 'ik houd niet van zulke grapjes.'

'Het is geen grapje. Ik zal het je uitleggen.'

Dan krijgt Judith het verhaal te horen.

'Ik was gisteren bij de Hema en stond in de rij voor de kassa. Achter mij stonden mevrouw Slagman en Roelien. Waarschijnlijk herkenden ze mij niet, anders hadden ze vast hun mond wel gehouden. Ik hoorde hen namelijk praten over Leon. Ze gaan er straks naartoe. Om elf uur vertrekken ze. Met de auto. Ik heb het goed in mijn oren geknoopt, want wij gaan erachteraan.'

Judith is heel bleek geworden. Ze voelt hoe ze van top tot teen trilt. Het lijkt wel of de woorden in haar keel blijven steken.

'Want denk je ervan, Juut?'

'Ik weet niet...' hapert deze, totaal overvallen.

'Gaat het wel goed met je?' Lieke kijkt haar bezorgd aan.

'Het gaat wel,' zucht Judith. 'Maar je moet begrijpen dat dit bizarre plan van jou heel heftig voor mij is en mij ontzettend overvalt. Al die tijd ben ik op zoek geweest naar Leon. Ik wilde antwoorden op mijn vragen. Ik miste hem. Ja, zelfs dat. Ik hield immers van hem? En nu kom jij op het alleronverwachtst hiermee aan.'

'Ik begrijp het,' knikt Lieke. 'Maar dit is een te mooie kans om die te laten gaan. Vandaag zul jij antwoord krijgen op je vragen, Judith.'

'Weet je zeker dat ze naar Leon gaan?'

'Vast en zeker,' knikt Lieke. 'Ze noemden heel duidelijk zijn naam en dat ze om elf uur zouden vertrekken naar Zoetermeer.'

'Ik weet niet of ik wel meewil,' aarzelt Judith.

'Natuurlijk ga jij mee,' zegt Lieke vastberaden. 'Je schrikt er nu voor terug omdat je bang bent voor wat je te weten zult komen. Maar erger dan wat jou is overkomen, kan niet. En je hoeft niet alleen. Ik ga met je mee.'

Judith weet dat haar vriendin gelijk heeft. Deze kans krijgt ze misschien nooit meer en ze zal geen rust krijgen voordat ze weet wat er in werkelijkheid met Leon aan de hand is.

Ze is nerveus als ze even later naast Lieke in haar rode autootje schuift. Lieke is in het bezit van een rijbewijs en heeft zich sinds kort deze kleine tweedehandsauto aangeschaft.

De onzekerheid en nervositeit bij Judith groeien met de minuut.

'Hoe denk jij het klaar te spelen om mevrouw Slagman en Roelien achterna te rijden, zonder dat ze merken dat ze achtervolgd worden?'

'Ik houd afstand,' zegt Lieke rustig. 'Ik zal ervoor zorgen dat er telkens een of meer auto's tussen zitten.'

'Dan heb je kans om ze kwijt te raken.'

'We moeten samen goed opletten. Weet jij de kleur van hun auto?'

'Zwart. Als het nog dezelfde is. Niet een opvallende kleur dus.'

'Nou, 't zal best goed komen,' zegt Lieke optimistisch.

Judith trekt zich op aan de nuchterheid en kalmte die er van haar vriendin uitstraalt. Ze weet dat Lieke haar door dik en dun zal steunen. Ondanks dat voelt ze de beklemming toenemen vanbinnen.

Even later rijden ze de straat in waar moeder en dochter Slagman wonen. De zwarte auto staat voor de deur.

'We zijn op tijd,' constateert Lieke voldaan.

'Stel je voor dat ze hun plannen gewijzigd hebben,' denkt Judith hardop. 'Dan staan wij hier voor niets te wachten.'

'Dat is dan jammer. Dat risico nemen we er maar bij in. Maar zo pessimistisch als jij ben ik niet.'

Lieke parkeert haar Opel aan de overkant van de straat tussen enkele andere auto's in. Ze houden de huisdeur van moeder en dochter Slagman goed in de gaten. Toch gaat er nog een schokje door hen heen als de deur opengaat en ze die twee naar buiten zien komen.

'Het gaat dus door, Juutje.' Liekes stem klinkt bijna opgewekt. 'We laten ze nu eerst de straat uit rijden en dan volgen wij. Goed opletten of ze aan het eind van de straat links of rechts gaan.'

Onderweg verliezen ze de zwarte Toyota geen moment uit het oog. Lieke doet zoals ze beloofd heeft: ze laat telkens een of twee auto's tussen hen rijden.

Judith voelt haar hart bonzen als ze borden zien met de naam Zoetermeer erop.

'Het gaat goed,' zegt Lieke.

Ze rijden de ene straat in, de andere weer uit. Dan plotseling parkeert de zwarte auto aan de kant van de weg.

Judith kijkt om zich heen. Hier moet ergens Leons verblijfplaats zijn.

Maar waar? Haar blik blijft hangen op een gebouw, en dan wordt ze wit tot in haar lippen.

Néé! Nee, dit kan niet waar zijn. Het wordt Judith een moment zwart voor de ogen en ze trilt van top tot teen. Als in een droom ziet ze mevrouw Slagman en Roelien uit de auto stappen. Lieke is meteen op haar qui-vive.

'Er meteen achteraan...' sist ze.

Maar als er bij Judith niet direct reactie komt, kijkt ze gealarmeerd opzij. Ze ziet hoe haar vriendin wit weggetrokken is en als in trance naar het gebouw kijkt.

'Juut, gaat het nog?'

'Ik... ik...' hapert Judith.

'Je bent helemaal van de kook,' reageert Lieke geschrokken. 'Ach meid, dit moet ook wel een klap voor je zijn.' Bemoedigend legt Lieke een arm om Judiths schouders. 'Probeer je kalmte terug te krijgen, Judith. Je móét. We moeten die twee nog spreken.'

'Ik kan niet,' hapert Judith.

'Dan ga ik alleen,' zegt Lieke vastberaden. 'Kun je even alleen blijven?'

Judith wijst. 'Daar gaan ze al.'

Met lede ogen moeten ze toezien dat mevrouw Slagman en haar dochter door de ingang verdwijnen.

Even blijft het stil tussen de twee vriendinnen. Dan zegt Lieke: 'Nu weten we het, Judith. Het raadsel is meteen opgelost.'

Judith grijpt Lieke wanhopig bij haar mouw.

'Dit kan een vergissing zijn, Lieke. Het moet wel. Misschien gaan ze wel op bezoek bij iemand anders.'

Lieke schudt haar hoofd. 'Probeer eens nuchter na te denken. Leon heeft jou plompverloren de bons gegeven vlak voor de bruiloft. En hij leek opeens van de aardbodem te zijn verdwenen. Zijn moeder en Roelien gingen daarna ook geheimzinnig tegen jou doen. Dit klopt dus als een bus. Hij heeft iets uitgespookt en zit als gevolg daarvan in het huis van bewaring.'

Met grote ogen blijft Judith maar staren naar het gebouw. De gevangenis in Zoetermeer. Het bonst in haar hoofd en een misselijk gevoel komt uit haar maag omhoog. Dit is het dus. Hij zit een straf uit. Maar waarvoor?

'We moeten mevrouw Slagman en Roelien spreken,' zegt Lieke. 'Je hebt er recht op dat zij jouw vragen beantwoorden. En we blijven hier net zo lang wachten tot ze weer naar buiten komen.'

'Maar dat kan heel lang duren,' zegt Judith wanhopig. 'Ze zijn net binnen.'

'Al duurt het de hele dag,' zegt Lieke vastberaden. 'We gaan hier niet vandaan voor we de waarheid weten.'

Judith is blij dat ze op haar vriendin kan steunen. Zelf voelt ze zich tot niets in staat.

'Laten we een rondje gaan lopen,' stelt ze voor. 'Als we hier in de auto blijven zitten, word ik stapelgek.'

Judith grijpt Liekes arm, zoekend naar steun. Ze heeft het gevoel alsof ze zelfs niet op haar benen kan staan. Ze lopen een halfuur in een sukkelgang. Judith moet zich goed concentreren waar ze haar voeten zet, anders zou ze onderuitgaan. Maar de frisse lucht doet haar goed en ze ademt diep in. Langer dan een halfuur durven ze niet weg te blijven, omdat ze dan de kans lopen dat ze mevrouw Slagman en Roelien alsnog mislopen. Als ze weer bij de auto terugkomen, staat de zwarte Toyota er gelukkig nog.

Wachten duurt lang. Vooral als er een grote dosis spanning bij komt. En dat voelt Judith. Haar gedachten gaan terug naar haar verkeringstijd. De laatste maanden voor hun trouwdag kon Leon af en toe vreemd doen. Hij was soms lange tijd zwijgzaam en als zij dan vroeg wat er aan de hand was, kwam altijd het antwoord dat er niets was. Ook was hij regelmatig uit zijn humeur. Dat bevreemdde Judith, want hij was voor die tijd altijd opgewekt en vrolijk. Ze weet het aan de drukte op zijn werk en dacht er verder niet aan. Ze is veel te naïef geweest. Dat beseft ze nu pas goed. Ze had toen al door moeten vragen en het niet zomaar op moeten geven als hij met een ontkennend antwoord kwam. Het had haar waarschijnlijk een hoop ellende bespaard. Dat is echter achteraf praten en daar valt nu niets meer aan te verhelpen. Ze heeft een afschuwelijke periode achter de rug en als klap op de vuurpijl krijgt ze dit voor haar kiezen.

Maar dat kon niet uitblijven. Ze wilde antwoord op haar vraag. Welnu, dat heeft ze nu. Gedeeltelijk althans, want ze weet nog niet waarom Leon hier in het huis van bewaring zit. Wat voor vreselijks zou hij gedaan hebben? Het dringt nu pas goed tot Judith door dat Leon iets ergs op zijn kerfstok moet hebben. Anders zat hij hier immers niet.

Ze kan hem zich niet voorstellen als crimineel. Allerlei scenario's gaan door haar hoofd. Is hij aan drugs verslaafd geweest? Heeft hij overvallen gepleegd op banken en kantoren? Heeft hij… een moord op zijn geweten? Die gedachte vervult haar met een hevige afkeer. Ze knippert met haar ogen en bijt op haar tanden om haar emoties de baas te blijven. Het helpt niets als zij eraan toe zou geven. De situatie verandert er niet door.

Heeft ze Leon toch niet zo goed gekend als zij had gedacht? Is liefde dan zo blind dat ze hem zo volledig vertrouwde? Dat blijkt nu dus wel.

De minuten gaan tergend langzaam voorbij, maar Judith is zo diep in gedachten dat ze de tijd vergeet. En dan is het toch eindelijk zover dat mevrouw Slagman en Roelien door het bewaakte hek weer naar buiten komen.

Lieke ziet hen meteen en er vaart een schok door haar lichaam. 'Daar heb je ze.'

Judith schiet rechtop. Haar hart bonst fel en ze trilt als een rietje. 'Ik durf niet...' zegt ze ten einde raad.

'Ik ga wel.' Lieke geeft bemoedigend een kneepje in haar hand. 'Blijf maar zitten. Het grijpt je te veel aan. Ik begrijp het.'

Judith voelt zich laf als ze haar vriendin naar het hek ziet lopen dat het terrein van het huis van bewaring afsluit. Ze vindt het niet eerlijk van zichzelf als ze Lieke er alleen voor op laat draaien. Uiteindelijk gaat het haar aan en dan moet ze niet haar vriendin de kastanjes uit het vuur laten halen. Kom op, meid, houdt ze zichzelf voor, verstand op nul en ga ernaartoe.

Ze opent het portier en wil de auto uit stappen. Meteen moet ze de bovenkant van het portier vastpakken, want alles om haar heen draait weg. Snel gaat ze weer zitten. Ze beseft dat deze bizarre ontdekking haar te veel heeft aangegrepen en dat ze onmogelijk zonder de steun van Lieke op haar voeten kan staan. Ze verwenst zichzelf om deze zwakte, maar ze kan niet anders.

Ze ziet hoe Lieke heftig met mevrouw Slagman en Roelien staat te praten. Ze maakt gebaren en wijst naar de auto waar Judith in zit. Haar vinger wijst vervolgens naar het gebouw en ze ratelt druk. Moeder en dochter zien bleek en geschrokken. Dat kan Judith hiervandaan zien.

Het duurt niet lang of ze komen gedrieën naar haar toe. Judith gooit het portier open en kijkt dan in het gezicht van haar gewezen schoonmoeder, waarop de emoties goed te lezen zijn.

'Judith...' zegt ze moeilijk. 'Vergeef ons onze houding. Het enige excuus dat Roelien en ik hebben, is het feit dat we Leon moesten beloven dat we niets aan jou zouden vertellen.'

Judith recht haar rug. De spanning is nog lang niet uit haar lichaam geweken, maar ze voelt er iets bij komen. Vechtlust. Opkomen voor zichzelf.

'Beseft u wel wat een afschuwelijke periode ik achter de rug heb?' Als een watervloed komt alles bij Judith naar buiten. 'Leon en ik zouden gaan trouwen. We wilden samen een nieuwe toekomst opbouwen. Behalve dat hij me zo'n streek had geleverd vlak voor onze trouwdag, was hij opeens ook nog eens verdwenen. Ik kon geen enkele vraag aan hem stellen. Niets. Ten einde raad heb ik het bij u en Roelien geprobeerd. De deur werd voor me dicht gehouden en de telefoon werd niet opgenomen. Denkt u zich eens in hoe ik me gevoeld heb. En mag ik nu eindelijk eens weten waarom Leon hier in de gevangenis zit?'

Judith is opnieuw uit de auto gekomen. Ze heeft haar zwakte overwonnen en staat hier om haar eigen rechten in deze situatie op te eisen. Rechten waar ze al die maanden vergeefs op heeft gewacht.

'Leon zit ruim twee jaar vast voor fraude,' zegt mevrouw Slagman toonloos.

'Fraude?' herhaalt Judith. 'Heeft hij fraude gepleegd op het belastingkantoor waar hij heeft gewerkt?'

De oudere vrouw knikt.

'Voor hoeveel?'

'Het heeft geen zin dat ik je dat vertel, Judith.'

'Het heeft wel zin,' zegt Judith hard. 'Ik wil nu alles weten. Voor hoeveel heeft hij de boel opgelicht?'

Het blijft stil. Dan stapt Roelien naar voren. 'Als je het precies weten wilt, Judith: schrik niet. Voor zestigduizend euro.'

Judith slikt moeilijk. Zestigduizend euro. Hoe is het mogelijk?

'Dat is toch niet van de ene op de andere dag?' vraagt ze verbijsterd. 'En hebben zijn collega's het niet eerder kunnen merken dat hij daar een smerig spelletje speelde?'

Ze ziet de trekken van pijn op het gezicht van de oudere vrouw. Maar ze heeft geen medelijden met haar. Judith neemt het haar zeer kwalijk dat ze nog altijd de handen boven haar zoons hoofd heeft gehouden, door over dit hele geval tegen haar te zwijgen. Enkel en alleen omdat haar lieve zoontje dat wenste.

Roelien geeft haar opnieuw antwoord. 'Leon is geraffineerd te werk gegaan. Je weet dat hij zijn werk daar heel goed deed en dat iedereen tevreden over hem was. Juist daardoor werd hij niet zo snel verdacht toen het minder ging met de cijfers. Bovendien wist Leon het zo handig te doen dat het heel geleidelijk ging en het minder opviel.'

'Hoelang heeft hij de boel daar bedrogen?'

'Dat weten we niet precies,' antwoordt Roelien. 'Maar het moet wel om enkele jaren gaan, anders kun je niet aan zo'n onmogelijk hoog bedrag komen. Leon heeft ons niet alles verteld.'

'Hij schaamt zich heel erg,' komt mevrouw Slagman ertussen. 'En hij heeft er veel spijt van.'

'Dan mag hij een schouderklopje hebben,' zegt Judith met wrange spot. 'Hoelang zei u dat hij hier vast moet zitten?'

'Twee jaar, waarvan acht maanden voorwaardelijk,' antwoordt Roelien voor haar moeder.

De oudere vrouw heeft er nu opnieuw het zwijgen toegedaan en rilt zichtbaar. Koud is het niet. Waarschijnlijk komt het door de zenuwen.

Zestigduizend euro. Judith schudt nog eens in verbijstering haar hoofd. Hoe kreeg hij het voor elkaar?

'Gaat u maar vast zitten, ma,' zegt Roelien. 'Ik kom zo wel.'

Mevrouw Slagman laat zich dit geen twee keer zeggen. Ze loopt naar de auto. Een beetje gebogen als onder een zware last.

'Het spijt me zo vreselijk, Judith,' barst Roelien dan opeens los. 'Weet je dat ik me verschrikkelijk voor je schaam?'

'Dat hoef jij niet te doen,' zegt Lieke nu. 'Dat kan Leon beter doen. Maar volgens je moeder doet hij het al.'

'Hij durft jou niet meer onder ogen te komen, Judith,' laat Roelien los. 'Hij ziet eruit als een geest. Er is niets meer van de Leon over zoals hij was. Ik snap niet hoe hij zo stom kon zijn. En ma… ma…'

Roelien draait zich om, ze is zichtbaar geëmotioneerd. Snel herstelt ze zich daar weer van.

'Mijn moeder wil Leon nog steeds in bescherming nemen. Ze heeft medelijden met hem. Maar het is zijn eigen schuld. Hij heeft deze ellende zelf over zich heen gehaald. Mijn moeder wilde maar al te graag naar Leon luisteren, Judith. Toen hij haar vroeg tegenover jou te zwijgen, wilde ze dat grif beloven. Ik was het er absoluut niet mee eens. Natuurlijk ga je je vuile was niet buiten hangen, maar jij had alle rechten om alles te weten. Ik heb hun dat dan ook in duidelijke woorden gezegd. Maar tegelijk heb ik ook te veel mijn oren naar Leon en mijn moeder laten hangen. Ik heb ook tegen jou gezwegen, al was het onder protest. Ik had gewoon mijn eigen gang moeten gaan en me niet zo onder druk moeten laten zetten. Kun je me dat vergeven, Judith? Het spijt me zo. Ik ben hierin fout geweest.'

Judith ziet dat Roelien het oprecht meent.

'Zand erover, Roelien,' zegt Judith. 'Maar ik hoop dat je hieruit geleerd hebt dat je zelf je beslissingen moet nemen.'

Roelien kijkt haar opgelucht aan. 'Soms leer je vanuit de praktijk van het leven meer dan op een cursus.'

'Die ervaring heb ik inmiddels ook al,' knikt Judith. 'Nu nog even iets anders. Weet jij ook of je moeder is opgebeld door een medewerker van de Rabobank wat betreft de hypotheek op de flat?'

Roelien is ervan op de hoogte. 'Dat klopt. Leon krijgt uiteraard geen salaris meer en ook geen uitkering. Die mevrouw zal binnenkort wel opnieuw contact met je zoeken. Waarschijnlijk zal de hypotheek helemaal op jouw naam gezet worden. Maar daar sta ik uiteraard buiten.'

Judith heeft het gevoel of ze finaal op is. Deze ochtend heeft veel van haar gevergd. Ze zegt het eerlijk tegen Roelien, die daar alle begrip voor heeft.

'Ga maar snel naar huis,' zegt ze. 'En als je nog iets wilt weten, dan kun je me bellen. Wacht, ik zal je het nummer van mijn mobiel geven.'

Ze schrijft het op een papiertje en geeft het dan aan Judith die ondertussen is gaan zitten.

'Dank je,' zegt ze. 'Misschien maak ik er nog wel gebruik van.'

'En nogmaals: het spijt me heel erg, Judith.'

Judith wuift de verontschuldigingen weg. Ze is blij dat ze naar huis kan.

9

Het kost Judith heel veel tijd om ook dit nare nieuws van Leon te verwerken. Leon in de gevangenis. Een strafblad. Hoe is hij zover gekomen dat hij aan het liegen en bedriegen ging? Zij hadden het samen goed. Ze hadden ruimschoots het bedrag om de bruiloft te betalen. Ze hadden samen de flat gekocht. Ze hadden geen geldnood. Gelukkig niet. Wat heeft hem dan gedreven om zo te handelen? En dat al enkele jaren. Ze begrijpt het niet en dat zal ze waarschijnlijk nooit doen.

De twijfels bespringen haar. Heeft ze Leon wel écht goed gekend? Verkijkt ze zich zo gemakkelijk als het om mensenkennis gaat? Het doet haar pijn dat het juist in deze situatie om haar gewezen vriend gaat met wie ze samen een toekomst op zou bouwen.

Alsof het niet genoeg is geweest, moet ze nu ook haar familie nog eens inlichten over de praktijken van Leon. Dat doet ze nog diezelfde dag. Uitvoerig vertelt ze alles aan haar ouders en Anke, die het bijna niet geloven kunnen. Leon leek zo betrouwbaar en nu dit.

Ze merkt de bezorgde blik van haar moeder. 'Je ziet er wit en moe uit. Logisch. Je moet vanavond op tijd naar bed gaan, Judith. Wil je soms hier blijven?'

Judith schudt haar hoofd. 'Ik ga liever naar huis.' Ze waardeert de bezorgdheid van haar ouders, maar het is toch beter dat ze zelfstandig blijft. Ze komt hier ook wel weer doorheen.

De volgende stap is om naar de bank te gaan. Dat zal ze de komende week moeten doen. De hypotheek zal helemaal op haar naam komen te staan. Natuurlijk komt daar een boeteclausule bij. Uiteindelijk hadden ze een contract voor vijf jaar. Het kost haar daarom nog eens een extra bedrag. Dat zou op rekening van Leon moeten komen te staan. Maar hij heeft niets meer.

Die zondag blijft Judith alleen op haar flat. Ze gaat 's morgens en 's middags naar de kerk, waar ze ook haar ouders en Anke ziet. Opnieuw vragen ze aan haar of ze niet met hen mee wil gaan naar huis. Maar nee, ze wil niemand om zich heen hebben. Ze heeft genoeg aan zichzelf. Gelukkig respecteren ze dat.

Als het eenmaal weer maandag is, ziet ze ertegen op om weer te gaan werken. Ze heeft het prima naar haar zin in het gezinnetje van Harm en Marlies. Maar het liefst zou ze nu in bed willen kruipen en er niet meer uit willen komen. En met niemand hoeven te praten. Ze weet dat haar dit echter alleen maar in een neerwaartse spiraal zal brengen. Ze moet ertegen vechten om niet aan dat gevoel toe te geven. Ze heeft er immers alleen zichzelf maar mee.

De dagen slepen zich daarna voort. Judith doet wat haar hand vindt om te doen en probeert Annemieke de nodige aandacht te geven. Maar ze kan het niet helpen dat ze stiller is dan anders. Ze voelt wel de onderzoekende blik van Harm als hij thuis is en zij nog bezig is met de laatste werkzaamheden van die dag. Hij vraagt echter niets. Dat hoeft hij niet te doen ook, want ze zal het hem toch niet vertellen. Bovendien heeft hij genoeg aan zijn eigen zorgen. Ze zijn inmiddels de behandelingen gestart bij Marlies. Het blijft voorlopig nog heel spannend, want de artsen hebben gezegd dat het nog niet helemaal zeker is of het aan zal slaan of niet. Er is gelukkig nog een kans en daar trekken ze zich aan op.

Judith heeft er inmiddels de gewoonte van gemaakt om tussen de middag hardop met Annemieke samen te bidden. Ze bidt daarbij voor Marlies of ze weer beter mag worden. Annemieke stelt haar vragen hierover en Judith probeert het zo eenvoudig mogelijk uit te leggen. Ze merkt dat het het kind geruststelt dat er een God in de hemel is Die voor haar moeder kan zorgen. En Judith voelt zich geraakt door de belangstelling van Annemieke die hierin haar ouders voorgaat. Want Harm zwijgt over geloofszaken en Marlies heeft ook haar twijfels. Dat heeft ze tijdens dat bezoek wel laten blijken.

Trouw schrijft Judith iedere dag een verslag over Annemieke. En Harm neemt bij ieder bezoek de volgeschreven blaadjes mee.

'Je hebt talent om te schrijven,' zegt hij op een keer. 'Weet je dat Marlies er helemaal van opfleurt? Af en toe schatert ze om de uitspraken en de streken van Annemieke.'

Judith glimlacht. Het geeft haar voldoening dat ze hierin iets kan betekenen voor Marlies. Maar talent?

'Zo moeilijk is het niet om enkele blaadjes vol te schrijven,' zegt ze. 'Het is je dochter die ervoor zorgt dat ik er geen moeite mee heb. Ik beleef de hele dag van alles met haar.'

'Dat geloof ik direct,' knikt Harm. 'Je zou het ook in enkele regels af kunnen doen. Maar jij gaat uitgebreid op de kleinste details in. Marlies smult ervan.'

'Daar ben ik blij om,' zegt Judith. 'Dan is mijn opzet hierin geslaagd.'

'Meer dan dat,' bevestigt Harm.

Dan komt er een moment dat Marlies vraagt of Judith nog eens bij haar op bezoek wil komen. 'Ze heeft het een en ander aan je te vragen,' licht Harm toe.

Judith heeft zojuist een stapel pannenkoeken gebakken. Dat had ze Annemieke al een poosje geleden beloofd en deze middag is ze aan het bakfestijn begonnen. Annemieke heeft er al die tijd met haar neus bovenop gestaan. Het kind glundert. En Judith beseft dat het meisje veel te weinig vertier om zich heen heeft. Het is goed voor haar als ze over enkele maanden naar de basisschool kan gaan. Dan is ze dagelijks tussen leeftijdsgenootjes en dan kan ze spelen en ravotten. Precies wat ze zo hard nodig heeft.

Natuurlijk moet Judith dit keer blijven eten. Annemieke wilde het graag en Harm, die verrast was toen hij bij zijn thuiskomst de stapel pannenkoeken zag, is het direct met zijn dochter eens.

'Dat is een tijd geleden,' zegt hij. Er trekt meteen een schaduw van pijn over zijn gezicht. 'Marlies deed het regelmatig. Leuk dat je nu ook spontaan aan het bakken geslagen bent.'

Ze hoort de waardering in zijn stem en ze kan daarom hun uitnodiging om te blijven eten ook niet weigeren.

Als ze eenmaal aan tafel zitten, brengt Annemieke een moment haar vader in verlegenheid.

'Papa, nu moet u bidde.' Ze kijkt verwachtingsvol naar haar vader op.

'Waarom moet ik dat nu ineens doen?' vraagt Harm met een frons.

'Omdat tante Judith dit zo gewend is, hoef ik het nog niet te doen.'

De teleurstelling glijdt over Annemiekes gezicht. Harm en Judith zien het allebei. Dan kijken ze elkaar aan.

'Wel, Judith,' zegt Harm. 'In dit geval kunnen we het Annemieke moeilijk weigeren. Maar zoals je weet is het mijn gewoonte niet. Daarom wil ik je vragen of jij het wilt doen.'

Judith voelt zich meteen wat ongemakkelijk. Niet dat ze deze vraag van Harm wil weigeren. Maar de manier waarop hij zich er zo gemakkelijk van afmaakt zit haar niet lekker. Hij is er tenslotte toch ook bij opgevoed? Waarom zit zijn trots hem dan meteen zo in de weg? Ze heeft hem nooit op vijandigheid betrapt wat de godsdienst betreft. Een atheïst is hij dus zeker niet. En dan toch het balletje weer naar haar terugrollen.

Ze besluit er verder niets over te zeggen. Ze knikt alleen. Ze voelt haar hart bonzen. Want zo vrijmoedig voelt ze zich nu ook weer niet. Alles wat ze in het gebed zal zeggen, zal door hem gehoord worden en daarna gewikt en gewogen.

Betrapt ze zichzelf nu op valse schaamte? Waar gaat het in het gebed om? Dat God immers hoort en verhoort? Laten de mensen daartussen dan maar wegvallen.

Even aarzelt ze nog, dan vouwt ze haar handen en sluit haar ogen. In eenvoudige woorden, zodat Annemieke het ook begrijpt, vraagt ze om een zegen voor het eten. Dan bidt ze voor Marlies. Of de Heere haar helpen wil in deze zorgvolle weg waarin ze moet gaan. Of de behandelingen gezegend mogen worden. Maar of dit alles ook mag leiden tot een eeuwige zegen. Ze bidt ook voor Harm en voor Annemieke. Zonder Zijn steun en hulp kunnen ze immers niet?

Het blijft een poosje stil nadat Judith amen heeft gezegd. Harm helpt zijn dochter zwijgend een pannenkoek met stroop klaar te maken. Judith ziet dat Annemieke ervan geniet dat ze zo met z'n drieën zitten te eten van deze feestmaaltijd. Ze lijken een compleet gezinnetje zo. Ze denkt aan Marlies in het ziekenhuis. Ook al zullen de behandelingen aanslaan, ze zal er nog een poos moeten blijven.

Ze merkt dat Harms gedachten dezelfde kant op zijn gegaan, want plotseling zegt hij: 'Met alle respect voor je geloof, maar hoe kun jij in God nu een vaste steun vinden als alles je tegen lijkt te zitten?'

'Juist dáárom,' reageert Judith met klem. 'Waar zou ik anders heen moeten gaan met mijn zorgen? Ik moet er niet aan denken dat ik niet bij God terechtkan. Ik zou wanhopig raken.'

'Maar waarom laat God al deze ellende toe? Waarom moet juist uitgerekend Marlies met een levensbedreigende kwaal in het ziekenhuis liggen terwijl Annemieke en ik haar zo nodig hebben?'

Ze hoort de wanhoop in zijn stem en dat raakt haar diep. Harm is geen klager. Maar er zijn af en toe momenten dat je de steun van de ander zo heel hard nodig hebt.

'Ik kan je niet overal antwoord op geven, Harm. Denk je dat ik niet met vragen worstel?'

'Jij ook?' Harm kijkt haar verbaasd aan. 'En jij bent gelovig.'

'Ik geloof in God, ja,' antwoordt Judith. 'Maar denk jij nu echt dat ik niet met raadsels zit? Het geloof is geen optelsom van één plus één is twee.'

'Maar jij zegt zojuist dat je je steun bij God zoekt. Hoe zit dat dan?'

'Het een kan niet zonder het ander, Harm. Ik ga ook met mijn vragen naar Hem toe. Met mijn onzekerheid. Met mijn opstandige hart. Want dat heb ik ook. Net zo goed als jij.'

'Het zit jou ook niet allemaal mee in het leven, hè?' raadt hij.

'Hoe weet je dat?'

'Heel eenvoudig. Je werkt inmiddels alweer enkele weken hier. En ik merk heus wel in de korte momenten dat ik jou hier thuis tref, dat je stil bent en teruggetrokken. Je ogen staan zorgelijk en ik zie je gewoon denken.'

Judith kijkt Harm getroffen aan. Dat hij, ondanks zijn eigen zorgen, toch ook oog heeft voor die van haar? Een gevoelsmens is hij. Dat moet wel, want anders zou hij enkel en alleen met zijn eigen portie bezig zijn.

'Je hebt een goede opmerkingsgave,' geeft ze toe. 'Je hebt gelijk. Zoals je inmiddels weet heb ik in mijn privéleven ook iets heftigs te verwerken. Maar er is iets bij gekomen dat me nog eens bijzonder geschokt heeft. Ik wil daar liever nu niet over praten.'

Harm knikt. 'Ik begrijp het. Het is je goed recht om het voor jezelf te houden. Maar dat kan me niet beletten om mijn ogen goed de kost te geven. Als ik iets voor je kan doen, hoor ik het graag. Tenslotte heb jij mij ook uit de brand geholpen.'

'Voor wat, hoort wat,' zegt Judith. 'Ach nee, dat klinkt niet aardig. Sorry, Harm.'

Harm schudt zijn hoofd. 'Voor mij hoef je niet ieder woord op een goudschaaltje te wegen. Zo overgevoelig ben ik echt niet. Ik wil je alleen zeggen dat Marlies en ik heel blij met je zijn.'

'Nog een pannenkoek,' Annemieke schuift het lege bord naar haar vader. 'Tante Judith heeft ze goed gebakt, hè?'

Het klinkt als een anticlimax en ze moeten allebei lachen om het kind.

Harm mag nog een pannenkoek voor zijn dochter klaarmaken. Deze keer met basterdsuiker.

'Wat doe je, Judith? Wil je nog een keer op bezoek bij Marlies?'

Marlies heeft naar haar gevraagd en dat kan ze moeilijk weigeren. Waarom zou ze ook?

'Dat is goed,' zegt ze enkel.

Iedere keer als ze een ziekenhuis binnengaat, treft haar de hoeveelheid mensen die daar in en uit gaan. Allemaal mensen met hun leed en zorgen. Anders liepen ze hier niet.

Harm is dit keer bij Annemieke gebleven. Hij is vanmiddag nog bij Marlies geweest.

'Het is goed dat jullie samen het een en ander kunnen bespreken,' had hij gezegd. 'Daarom blijf ik thuis.'

Of hij het weet wat Marlies haar te vragen heeft? Harm heeft er niets over losgelaten.

Als Judith even later de ziekenzaal binnenloopt, ziet ze dat de andere dames al volop bezoek hebben. Marlies ligt alleen.

Judith ziet Marlies' ogen oplichten wanneer ze naar het bed toe loopt. Ze zit half overeind met enkele kussens in haar rug. Haar ogen staan moe en haar huid is bleek. Logisch. Hoelang zal het geleden zijn dat ze buiten is geweest?

'Wat fijn dat je gekomen bent,' begroet Marlies haar blij. 'Kom snel zitten.'

Als Judith eenmaal zit, steekt Marlies meteen van wal.

'Ik hoopte zo dat je snel komen zou, Judith. Mist Annemieke mij een beetje?'

Judiths ogen glijden naar het kastje naast Marlies' bed. Daar staat de foto van Annemieke.

'Er gaat geen dag voorbij dat ze niet aan je denkt,' zegt Judith warm.

'Hoe merk je dat?'

'Hoe ik dat merk?' Judiths gedachten gaan snel. 'Heel eenvoudig. Ze praat veel over je. En regelmatig heeft ze het over je thuiskomst. Ze maakt allerlei plannetjes voor dat moment. Ze wil slingers ophangen en ballonnen. En ze wil samen met mij een taart bakken. Het is maar goed dat Annemieke niet kan horen dat ik jou dat vertel, want dan zou ze boos op me zijn. Het is haar geheimpje, snap je?'

Marlies' glimlach reikt niet tot haar ogen. Ze staart droevig voor zich uit. Het laat zich raden waar ze aan denkt.

'Ze is erg wijs voor haar leeftijd, Marlies. Ze denkt heel diep na. En je hoeft haar niet met een kluitje in het riet te sturen, want ze heeft het zo door.'

'Het komt misschien omdat ze alleen is,' zegt Marlies bedachtzaam. 'Ze is altijd samen met Harm en mij geweest. Het zou goed voor haar geweest zijn als ze een broertje of zusje had gekregen. Ik heb vorig jaar een miskraam gehad en daarna begon die ziekte bij me op te spelen. Misschien moet Annemieke wel altijd alleen blijven…'

De laatste woorden blijven tussen hen in hangen.

Alleen blijven… Wat bedoelt Marlies hier precies mee? Dat er geen kinderen meer komen zullen? Een miskraam is niet niks en dat moet verwerkt worden. Maar dat wil daarom niet zeggen dat er geen zwangerschappen meer zullen volgen. Of bedoelt ze iets anders?

Ze voelt de hand van Marlies op haar mouw.

'Ik ben bang, Judith,' zegt deze geëmotioneerd. 'Ik ben zo bang dat ik niet meer beter zal worden.'

'Waarom denk je dat?' Judith kijkt haar vragend aan. 'De artsen zijn toch met nieuwe behandelingen gestart? Je mag daarom toch hoop hebben?'

'Ik knap niet op,' zegt Marlies wanhopig. 'Ik voel geen verbetering. Integendeel zelfs. Ik voel me soms zo door en door moe. En die pijn speelt ook regelmatig op. Ondanks de medicijnen daartegen. Misschien word ik niet beter.'

'Zo mag je niet denken, Marlies. De artsen doen er alles aan om die ziekte onder controle te krijgen. En jij moet vechten. Denk aan Harm en Annemieke.'

'Vechten?' Marlies kijkt met tranen in haar ogen naar Judith. 'Wat heeft het voor zin om te vechten als je erachter komt dat God je straft?'

Er gaat een schokje door Judith. 'Hoe kom je daar nou bij? Waarom zou God je straffen?'

'Dat is vragen naar de bekende weg,' zegt Marlies. 'Ik heb na mijn huwelijk met Harm God de rug toegekeerd. En nu ik in nood ben, moet ik steeds aan Hem denken. Nu keert Hij mij de rug toe, dat weet ik zeker.'

'Dan heb je zeer weinig kennis van God, Marlies.' Judith schudt haar hoofd en ze citeert: "Wie Hem aanroept in den nood, vindt Zijn gunst oneindig groot.' Dat staat in de psalmen.'

'Maar dat geldt niet voor mij. Ik heb me als een vijand tegenover Hem gedragen. En nu ik ziek ben en bang ben dat ik zal sterven, kan ik Hem opeens wel aanroepen. Ik ben een lafaard. Ik weet niet meer hoe het moet.'

Judith voelt zich onverwachts voor een dilemma geplaatst, waarin ze beseft dat ieder woord dat zij zegt, van groot gewicht zal moeten zijn voor Marlies. Maar hoe zal ze hierin kunnen voldoen? Ze is zelf ook zwak en afhankelijk. Hoe zal ze de goede woorden kunnen vinden die ze Marlies aan kan reiken? Het gaat over de ernstige zaken van het leven. Daar mag ze geen lege woorden voor gebruiken.

In stilte legt ze deze zorg aan de Heere voor. Of Hij haar de woorden in de mond wil geven.

'Heb je een Bijbel hier, Marlies?'

Marlies schudt haar hoofd. Haar ogen staan vol tranen. 'Nee. Begrijp je nu mijn wanhoop? Ik heb niet eens een Bijbeltje meegenomen naar het ziekenhuis, omdat ik tot voor kort dacht dat ik alles zelf wel op kon lossen. En nu kom ik erachter dat ik het niet kan. Dat ik tot niets in staat ben.'

'Ik zal zorgen dat er zo snel mogelijk een Bijbeltje hier komt,' zegt Judith. 'Want daaruit kun je troost en kracht putten. Daarin spreekt de Heere Zelf.'

'Maar niet tot mij.'

'Ook tot jou. Tot ieder die daarin leest.'

'Maar ik kan niet begrijpen dat Hij nog iets met me te maken wil hebben, Judith. Nu ik zo lang al op bed lig en er aan mijn levensboom wordt geschud, gaan mijn gedachten maar door. Ik moet steeds denken aan de opvoeding die mijn ouders mij gegeven hebben en waartegen ik een schop heb gegeven. Annemieke is niet gedoopt en wij hebben haar opgevoed zonder God. Ze heeft geen bidden van ons geleerd en we hebben nooit uit de Bijbel voorgelezen. Ook niet uit de kinderbijbel. En dat vliegt me nu telkens zo aan, Judith. Hoe kan ik dit ooit nog goedmaken?'

Wanhopig kijkt ze Judith aan.

'Van onszelf kunnen we niets verwachten,' zegt Judith. 'Maar wel van de Heere. Heb je dat goed verstaan, Marlies? Niets van ons, alles van Hem. Hij ziet jouw wanhoop en jouw tranen. En Hij wil niets liever dan dat jij daarmee naar Hem toe gaat.'

'Ik begrijp het niet. Als iemand mij bewust kwetst, beledigt en de rug toekeert, moet ik van zo'n persoon nooit meer iets hebben.'

'Gelukkig dat God heel anders is. In Zijn goedheid staat Hij zo oneindig ver boven ons, Marlies. En tegelijkertijd is Hij heel dichtbij.'

'Het klinkt zo wonderlijk.'

'Het is ook wonderlijk.'

'Weet je echt heel zeker dat God zo is?'

'Zo zeker als het in de Bijbel staat.'

Marlies leunt achterover in de kussens. Intens moe is ze ineens. Judith komt overeind en buigt zich zorgzaam over haar heen.

'Het breekt je nu op, zie ik. Luister, Marlies. Ik ga zorgen dat hier een Bijbeltje komt. En ik zal voor je bidden. Maar je moet het zelf ook doen. Wanhoop niet.'

'Maar ik heb niets verdiend.'

'Nee, dat klopt. Wij hebben geen van allen iets verdiend. Maar er is eeuwen geleden een kruis op deze wereld gezet, Marlies. Een kruis in deze zondige, ellendige wereld. Daaraan heeft de Heere Jezus de straf gedragen voor zondaren die zelf niet betalen konden. Hij heeft het gedaan, terwijl Hij Zelf zonder zonde was. Vind je dat geen groot, onbegrijpelijk wonder? En als Hij tot zoiets groots in staat is geweest, denk je dan niet dat Hij ook zo groot is om naar Marlies Ravestein om te kijken?'

Marlies pakt Judiths hand en drukt die. Ze is te moe om nog iets te zeggen, haar ogen vallen vanzelf dicht.

Judith buigt haar hoofd en kust Marlies op het bleke voorhoofd. Daarna loopt ze tussen de anderen de ziekenzaal weer uit. Bij de deur kijkt ze om.

Marlies kijkt niet meer op.

Judiths hart is vol met zorgen. Zorgen om Marlies.

10

Als Judith de volgende dag naar Harm en Annemieke gaat, neemt ze een Bijbeltje mee. Nadat ze Annemieke die ochtend naar de peuterspeelzaal heeft gebracht en daarna de strijk wegwerkt, staan haar gedachten ondertussen niet stil. Het gesprek tussen Marlies en haar houdt haar steeds bezig. Zou Marlies echt niet meer beter worden? Of wordt die gedachte enkel door angst ingegeven? Misschien hebben die behandelingen een lange tijd nodig voordat zij hun werk gaan doen en is Marlies te ongeduldig. Hoe dan ook, ze kan het niet helpen dat het haar ook onrustig maakt.

Ze kent Marlies nog maar heel kort. Eigenlijk alleen van die twee bezoeken in het ziekenhuis. En uiteraard uit de verhalen van haar man en dochter. Voor zichzelf heeft ze een helder beeld kunnen schetsen van deze jonge vrouw en moeder. Ze heeft een gevoelig karakter met heel veel zorg en liefde voor haar man en kind. Waarom moest juist haar deze erge ziekte overkomen? Ze is hier zo nodig voor haar gezin.

Judith zucht diep. Ze trekt zich misschien te veel de zorgen van dit gezin aan. Maar hoe zou ze zich eraan kunnen ontrekken? In de korte periode dat ze hier werkt, is dit gezinnetje een deel van haar leven geworden. Tegelijkertijd is ze ook blij met alle afleiding die ze in dit gezin krijgt, want het houdt haar weer van haar eigen persoonlijke zorgen af.

Als Harm die middag uit zijn werk komt, geeft Judith hem het Bijbeltje. Een moment kijkt Harm er verbaasd naar.

'Waarom geef je dit aan mij?' vraagt hij.

'Het is voor Marlies,' legt Judith uit. 'Ze heeft ernaar gevraagd.'

Harm kijkt haar onderzoekend aan. Hij houdt het Bijbeltje besluiteloos in zijn hand.

'Heb je nog even tijd voor me?' vraagt hij dan. 'Ik wil graag met je praten.'

Judith knikt. Even later zitten ze tegenover elkaar in de woonkamer. Annemieke is buiten met een buurjongetje aan het spelen.

'Hoe kom je er opeens bij om een Bijbeltje voor Marlies mee te geven?' vraagt hij nog eens. 'Heb jij het haar misschien geadviseerd?'

'Min of meer,' geeft Judith toe. Dan vertelt ze Harm van Marlies' angsten. Dat God niet meer naar haar om wil zien, omdat zij de laatste jaren niets meer met Hem te maken wilde hebben.

'Ze is in grote gewetensnood gekomen. Heeft ze jou daar niets over verteld?'

Langzaam schudt Harm zijn hoofd. Bitter zegt hij: 'Ze kijkt wel uit. Ze weet dat ik daar nooit over praat. Waarom zou ze er nu ineens wel met mij over beginnen?'

'Omdat jij haar man bent,' reageert Judith onverwachts fel. 'Omdat jij van haar houdt. Omdat zij jouw steun zo hard nodig heeft. Daarom zou ze er met jou over moeten praten.'

'Ze heeft er zelf ook nog nooit eerder behoefte aan gehad, Judith. Daarom vraag ik me af waarom ze het nu wel zou hebben? Zou dat met haar ziekte te maken hebben?'

'Daar heeft het waarschijnlijk alles mee te maken.' Even aarzelt Judith, maar ze besluit dan toch open kaart te spelen. 'Ze heeft mij gezegd dat ze bang is dat de behandeling niet aan zal slaan en ze dus niet beter zal worden.'

Harm wordt heel bleek en het blijft een moment stil. Dan vraagt hij gejaagd: 'Waarom denkt ze dat? De artsen hebben er toch niets over gezegd? Ze zijn nog volop bezig die ellendige ziekte te bestrijden.'

'De artsen hebben ook nog niets gezegd. De gedachte komt enkel en alleen bij Marlies vandaan. En die wordt haar ingegeven door angst. Angst voor de dood. Ze voelt dat ze niet opknapt. Waarschijnlijk wordt ze te ongeduldig en wil ze veel te snel resultaat zien.'

'En omdat ze bang is, gaat ze er ineens God bij halen.'

'Het klinkt een beetje cru, maar je hebt gelijk. De laatste jaren waarin ze God de rug heeft toegekeerd, klagen haar aan. Ze is bang dat God niets meer met haar te maken wil hebben en ze ziet deze ziekte als een straf van God.'

Harm schudt zijn hoofd. Zijn mond staat strak.

'Hoe komt ze daar nou bij? Een straf van God? Waarom zou juist zij dan ziek worden en ik niet? Als het daarom gaat, heb ik net zoveel schuld. Ik ben degene geweest die hierin het voortouw heeft genomen en ze is met mij meegegaan. En nu moet ik dus een Bijbel voor Marlies meenemen?'

Judith knikt. 'Als je dat wilt doen, graag. Ik heb het haar beloofd en ik hoop dat ze daar de steun en kracht uit mag putten die ze nu zo hard nodig heeft.'

Harm draait het zwarte boekje om en om in zijn handen. 'Jij zegt dat nu zo mooi. Maar in de Bijbel staan ook minder mooie dingen. Het gaat ook over de toorn van God. Over de zonde die Hij straft. Over oorlogen en plagen. Over bloed, vuur en rookdamp. Ja, je ziet het, ik ben goed op de hoogte van de inhoud. Denk jij dat Marlies zich hieraan op kan trekken? Ik denk dat ze eerder nog dieper in de put zal terechtkomen dan ze nu zit.'

'Jij zoekt dus het negatieve in de Bijbel op,' concludeert Judith. 'Maar er staan ook heel veel positieve dingen in.'

'Welke dan?'

'Sla de vier evangeliën maar open. Daar staat het kerstverhaal en het lijden en sterven van Jezus in beschreven. Dat alleen al overheerst al het negatieve waar jij het zojuist over had. Hij heeft de wereld overwonnen. De toorn van God is gestild in de straf die Zijn Zoon gedragen heeft.'

'Maar ondertussen is Marlies bang en onrustig geworden. Ze zal dus het negatieve dat in de Bijbel staat ook naar zich toe trekken.'

'Daar staat God gelukkig boven. En op Hem mogen we vertrouwen. Er staat: 'D' Allerhoogste maakt het goed, na het zure geeft Hij 't zoet.' Dat zou Hij ook aan Marlies waar kunnen maken.'

'Je weet je in deze zaken goed te verdedigen. Maar dat neemt niet weg dat ik hier mijn twijfels over blijf houden. Ik wil het Bijbeltje meenemen, enkel en alleen omdat ik het haar niet kan weigeren. Maar zodra ik merk dat het haar meer kwaad doet dan goed, neem ik het weer mee en krijg je het weer van me terug.'

'Ik hoop niet dat het zover komt,' zegt Judith. 'Integendeel. Ik hoop dat ze het Bijbeltje stuk zal lezen.'

'Ik hoop het niet, want het is tenslotte van jou.'

'Ik krijg het liever stukgelezen terug dan dat het nieuw blijft. Wat mij betreft houdt ze het. Ik heb er thuis nog meer.'

Judith voelt zich moe als ze even later naar huis fietst. Haar hoofd is zo vol van alle indrukken die ze de laatste dagen heeft opgedaan, dat ze zich afvraagt hoe ze dit allemaal kan verwerken. Het is te veel. De schok om Leon die in de gevangenis zit. De hypotheek die volledig op haar naam moet komen en waar de nodige kosten bij zullen komen. Het gesprek met Marlies en nu met Harm. Het is voor even genoeg.

Judith is blij dat ze nu naar haar eigen flat kan en ze hoopt op een rustige avond. Helaas komt er van die rust weinig terecht. Want als ze nog maar net klaar is met eten, gaat de bel. Groot is haar verrassing als ze Roelien voor zich ziet staan. Een verrassing die een moment wordt overvleugeld door teleurstelling. Weg rustige avond. Maar daar wil ze niet aan toegeven. Eigenlijk is ze ook wel heel nieuwsgierig met wat voor reden Roelien hiernaartoe gekomen is. Want ze gelooft niet dat ze zomaar voor een koffiepraatje komt.

'Dag Judith, mag ik binnenkomen?'

'Natuurlijk.' Judith doet de deur uitnodigend verder open en Roelien stapt binnen. Judith ziet hoe onrustig haar ogen heen en weer flitsen. Ze begrijpt dat het voor haar ook confronterend moet zijn. Het is de eerste keer dat ze weer een stap over de drempel van deze flat zet, sinds de tijd dat haar broer met Judith was verloofd.

Even later zitten ze in de kamer tegenover elkaar met een mok koffie.

'Vertel het maar,' zegt Judith.

Roelien aarzelt om het te vertellen. 'Het gaat om Leon,' zegt ze dan eindelijk. 'We zijn gisteren opnieuw bij hem op bezoek geweest en ik heb hem verteld dat jij nu alles van hem weet.'

Judith schuift op het puntje van haar stoel. 'Ja… en?'

'Hij schrok heel erg. Hij moest direct weten hoe jij reageerde. We vertelden hem dat jij diepgeschokt was. Daarna werd hij kwaad, want hij verweet mijn moeder en mij dat het onze schuld was dat jij het nu wist. Om het kort te houden: we hebben een stevige woordenwisseling gehad die er niet om loog. Nu wil hij jou spreken.'

Het blijft heel stil in de kamer. De laatste zin van Roelien blijft in de kamer hangen. Judith beeft.

'Een woordenwisseling nog wel,' zegt ze na een lange stilte. 'Hij zal de schuld eerst bij zichzelf moeten zoeken, Roelien. Het is niet eerlijk om nu de zwartepiet naar je moeder en jou toe te spelen. Het doet me pijn dat hij zelfs onder deze omstandigheden niet tot inkeer is gekomen.'

'Hij heeft heel veel spijt,' haast Roelien zich te zeggen. 'En hij heeft zijn lesje ondertussen wel geleerd. Volgens mijn moeder is hij door al deze omstandigheden heel kwetsbaar geworden en is dat de reden dat hij ons nu van alles verwijt.'

'En ben jij het met je moeder eens?' Judith kijkt Roelien recht aan.

'Nee,' antwoordt Roelien. 'Mijn moeder wil ondanks alles Leon de handen boven het hoofd houden. Het is niet eerlijk.'

'Ik ben in ieder geval blij dat jij het op zo'n zuivere manier inziet, Roelien. Het is jammer dat je moeder zo reageert.'

'Wil jij hem bezoeken?'

'Ik? Leon bezoeken?' Judith kijkt verward voor zich uit. Nu ze het weet, mag ze ineens op komen draven. Zover is ze nog lang niet.

'Dit gaat me veel te snel, Roelien. Ik wil hier eerst grondig over nadenken.'

'Dus je wijst zijn voorstel niet meteen af?'

'Ik zeg geen ja en geen nee,' houdt Judith zich op de vlakte. 'Ik heb alles wat Leon me aangedaan heeft, nog niet verwerkt.'

'Ben je nog kwaad op hem?'

'Ja.'

'Je zou hem geen nieuwe kans meer geven?'

'Wat bedoel je?'

Roelien draait de mok met koffie om en om in haar handen. Ze lijkt te aarzelen met wat ze wil gaan zeggen.

'Misschien ga ik wel te ver om jou zulke directe vragen te stellen. Je hoeft me uiteraard geen antwoord te geven als je dat niet wilt. Houd je nog wel van Leon?'

Judith staart voor zich uit en geeft niet direct antwoord. Dit is een vraag die ze zichzelf in de achterliggende tijd vaak gesteld heeft. Ze weet het niet. Liefde kun je niet zomaar van tafel vegen alsof het er nooit is geweest. Als ze haar gevoelens gaat analyseren is boosheid het eerste wat bovendrijft. En die is nog lang niet weg.

Ze brengt haar gedachten onder woorden. 'Ik weet het niet, Roelien. Ik weet werkelijk niet wat ik nog voor hem voel. Als er nog liefde is, dan is het flink bekoeld. Het eerste wat ik voel is boosheid. En het vertrouwen in Leon ben ik volkomen kwijt. Zeg het me eerlijk, Roelien, heeft Leon je deze vragen in de mond gelegd?'

Ze ziet een pijnlijke blos op het gezicht van Roelien tevoorschijn komen, en ze weet dat ze met deze vraag in de roos heeft geschoten.

'Mooi is dat,' concludeert ze, 'om jou voor het karretje te spannen.'

'Hij wil jou persoonlijk spreken,' zegt Roelien snel.

'Nu hij weet dat ik van alles op de hoogte ben? Hij had eerder moeten bedenken dat hij eerlijk tegenover mij had moeten zijn. Als alles gegaan was zoals gepland, dan hadden we nu al een poosje getrouwd geweest.'

Judith merkt dat haar stem overslaat door de emoties die haar overvallen. Ze verwenst zichzelf erom. Leon is het niet waard dat ze zich nog langer druk om hem maakt. Hij moet een afgesloten periode voor haar worden. Maar kan ze dit stukje uit haar leven zomaar wegstoppen?

'Dan zal ik hem vertellen dat je voorlopig geen behoefte hebt aan een gesprek met hem,' concludeert Roelien en ze vult haastig aan: 'Ik begrijp je wel, Judith. Toch raakt het me. Hij is en blijft tenslotte toch mijn broer.'

Als Roelien weg is, blijft Judith nog lange tijd werkeloos in haar stoel zitten.

Hoe vaak moeten we elkaar vergeven? Zeventigmaal zevenmaal. Dat staat ergens in Mattheüs. Ze weet het. Maar hoe zou zij Leon ooit kunnen vergeven als ze de pijn om zijn handelen nog zo intens voelt? Hoe zou zij ooit haar boosheid te boven kunnen komen en Leon weer recht in de ogen kunnen kijken zonder enige rancune? Het gebed. Ja, ze weet het. Het gebed is het enige, maar ook het beste middel om dit te overwinnen. Maar ze wil er niet om bidden. Ze wil niet zo ver komen dat ze hem alles vergeven kan terwijl hij haar zo veel heeft aangedaan.

Ze schrikt van haar eigen gedachten. Is zij echt al zover dat ze het gebed hierom van zich af schuift? Ze voelt zich in de grootste verwarring gebracht. Haar gevoel vecht tegen haar verstand. Het verstand kan het echter niet winnen.

De moeheid die ze aan het begin van de avond voelde, is door dit alles nog heftiger geworden. Het is het beste dat ze lekker vroeg naar bed gaat, zodat ze morgen uitgerust weer aan de nieuwe dag kan beginnen.

Die nacht slaapt ze heel onrustig en wordt ze geplaagd door nare, verwarrende dromen. Als ze die morgen uit haar bed komt, voelt ze zich geradbraakt. Toch zal ze weer aan de slag moeten. Harm en Annemieke wachten op haar.

De volgende dagen is ze erg stil. Wat er in de achterliggende dagen is gebeurd, houdt haar erg bezig. Haar gedachten gaan alsmaar door en ze merkt dat ze vergeetachtig wordt in haar werk. Annemieke vraagt veel aandacht en het gebeurt dikwijls dat Judith ja en nee antwoordt, terwijl het niet eens tot haar doordringt wat het kind aan haar vraagt.

Dit kan niet goed blijven gaan.

Dat Harm zo zijn eigen zorgen heeft, merkt Judith pas als hij haar op een middag vraagt of ze tijd voor hem heeft. Hij heeft deze dag gewerkt, maar is eerder naar huis gekomen dan zijn gewoonte was. Nu pas ziet ze de donkere kringen rond zijn ogen, de pijnlijke trek om zijn mond en het verdriet dat in zijn ogen te lezen is.

Judith verwenst zichzelf. Ze is te intens met haar eigen moeilijkheden bezig geweest, zonder erg in een ander te hebben. Dat ze nu opeens zo wakker geschud moet worden…

Ze realiseert zich onmiddellijk dat Marlies inmiddels het Bijbeltje in haar bezit heeft. Nog niet één keer heeft ze er Harm naar gevraagd. Is ze zo'n egoïste, dat ze er deze laatste dagen zo gemakkelijk langsheen leven kon?

Ze kijkt door de geopende keukendeur de tuin in. De temperaturen zijn deze dagen nog steeds hoog. Daarom heeft Judith het badje opgeblazen en zit Annemieke buiten heerlijk te spelen in het water.

Harm gaat op de tuinbank zitten en moet direct omlaagduiken omdat zijn lieve dochtertje een waterpistool op hem gericht houdt. 'Laat dat, Annemieke.' Harms stem klinkt ongewoon streng en Annemieke, die juist in een schaterlach uit wilde barsten, houdt prompt haar lachen in. Ze kijkt haar vader verbaasd aan.

Judith heeft medelijden met zowel de vader als de dochter. Ze begrijpt dat Harm diep in de zorgen zit. Het is niets voor hem om Annemieke zo af te snauwen.

Ze haalt snel een ijsje uit de vriezer en troost het kind ermee. Voor Harm en zichzelf haalt ze een koele dronk. Even later schuift ze naast Harm op de bank.

'Vertel maar,' zegt ze eenvoudig.

'Ik ben ongerust, Judith,' deelt hij haar zonder omwegen mee.

'Om Marlies,' begrijpt Judith.

Ze kijkt opzij en ziet hoe zijn kaakspieren zich spannen.

'Marlies laat de moed zakken. Ze voelt zich nog steeds niet beter en nu denkt ze dat er geen genezing meer mogelijk is. Aanstaande maandag hebben we een gesprek met de artsen. We zien er allebei heel erg tegen op.'

Judith weet niet goed wat ze zeggen moet. Wat kan zij voor troost bieden bij deze grote zorgen?

'Zolang er leven is, is er hoop, Harm,' zegt ze zacht.

'Ik klamp me aan iedere strohalm vast,' knikt hij. 'En zolang de artsen nog niet gezegd hebben dat het een…' hij slikt even, '… een aflopende zaak is, mogen we de moed niet opgeven. Alleen… ik raak dat ongeruste gevoel niet kwijt. Zou het kunnen dat je een bepaald voorgevoel ergens van kunt hebben?'

Harm kijkt haar vragend aan en Judith weet werkelijk niet wat voor antwoord ze erop kan geven. Het enige wat ze zich afvraagt is waar Harm nu zijn steun en troost uit put.

'Ik weet het niet. Echt niet,' zegt ze. 'Ik blijf iedere dag voor Marlies bidden. Ook voor jou.'

'Denk je dat het helpt?'

'Denk je dat het zou helpen als je het gebed achterwege laat?'

'Jouw geloof gaat heel diep, hè?'

'Och man, schei uit. Je moest eens weten hoe vaak ik twijfel en hoe groot mijn ongeloof kan zijn.'

'Jij?'

'Ja, ik. Denk niet dat ik een volmaakt supermens ben die geen onzekerheid kent. Het valt niet bij mij als persoon te zoeken. Alleen bij God. Alleen bij Hem.'

'Soms begrijp ik helemaal niets van het geloof. Marlies weet het ook niet meer. Ze is in je Bijbeltje gaan lezen, maar ze raakt steeds overstuur. Ik had het haar nooit moeten geven. Als dit de uitwerking is, had ik liever dat je het Bijbeltje gehouden had.'

'En toch heb je het niet mee teruggenomen.'

'Nee. Je moest eens weten wat een stampij ze maakte toen ik het in mijn jaszak wilde stoppen. Ik begrijp er niets van. Hoe kun je iets in je bezit willen hebben waar je juist zo overstuur van raakt?'

'Weet je ook waardoor ze van streek is geraakt?'

Harm haalt zijn schouders op. 'Het enige dat ik eruit krijg is dat de Bijbel één grote aanklacht is tegen haarzelf. Maar als ik haar vraag om in details te treden, komt er niets uit. Het enige dat ze steeds vraagt is of jij wilt komen.'

Judith staart naar Annemieke die uitgebreid van haar ijsje zit te genieten. Wat heerlijk moet het zijn om kind te zijn en bijna geen weet te hebben van de zorgen die je als volwassene zo kunnen belasten.

'Als ze het prettig vindt, ga ik haar natuurlijk bezoeken.'

'Wil je dat, Judith? We zouden het allebei heel fijn vinden. Misschien kun jij haar iets uitleggen over de Bijbel. Jij had het de vorige keer over het kerst- en het paasevangelie. Als jij haar daarbij kunt helpen… Aan mij moet ze het niet vragen. Ik kijk tegen deze dingen negatief aan. Nu nog meer nu ze er zo overstuur van raakt. Maar ze wil het ook voor geen goud kwijt. Ik snap er echt niets van.'

'Verwachten jullie van mij niet te veel?' vraagt Judith aarzelend. 'Ik ben tenslotte geen dominee.'

'Je wilt toch niet terugkrabbelen? Je hebt a gezegd, nu moet je ook b zeggen. Je hebt zelf je Bijbel aan Marlies gegeven. Nu zul je ook de consequenties ervan moeten dragen.'

'Ik ben niet zo laf dat ik die uit de weg zal gaan,' weerlegt Judith. 'Maar zoals ik je net al duidelijk wilde maken: verwacht van mij niets. Alleen van God, Harm. Alleen van Hem.'

11

Judith is blij als die avond Lieke bij haar komt. Lieke begrijpt haar en voelt met haar mee, en dat is precies wat Judith zo hard nodig heeft. 'Probeer wat afstand te nemen, Judith,' adviseert Lieke. 'Ik begrijp dat de zorgen in dat gezinnetje jou niet onberoerd laten. Maar het moet niet ten koste gaan van jouzelf. Jij moet er als hulpverlener voor dat echtpaar en dat kind zijn. En dat zal niet lukken als je hun verdriet zo dicht naar je toe trekt.'

'Maar hoe kan ik nou afstand nemen? Dat kind ziet mij als een plaatsvervangende moeder.'

'Zo bedoel ik het ook niet. Afstand nemen betekent niet je minder om die mensen bekommeren, maar wel een zekere nuchterheid in de hand houden. Op die manier kun jij hen het best helpen.'

Judith neemt de woorden van Lieke ter harte. Ze weet dat ze gelijk heeft. Ze zal kijken hoe ze ermee aan de slag kan gaan. Toch wil ze er voor de volle honderd procent voor deze drie mensen zijn.

De volgende dag is het woensdag. Marlies heeft naar haar gevraagd en ze wil daarom niet dat ze lang op haar hoeft te wachten. Harm en Annemieke gaan 's middags op bezoek, als Harm het goedvindt zal zij vanavond gaan.

Ze kan het niet helpen dat ze zich onzeker voelt. Waarschijnlijk verwachten Harm en Marlies te veel van haar. En ze heeft geen woorden. Die kan alleen God haar geven. Ze is zich ervan bewust dat ze Hem daarvoor bidden moet.

Ze voelt zich die avond gespannen als ze naar het ziekenhuis gaat. Hoe zal ze Marlies aantreffen? Als ze de zaal binnenkomt ziet ze dat de jonge vrouw aandachtig zit te lezen. Ze kijkt pas op als Judith bij haar bed staat. Het treft Judith als ze ziet hoe intriest Marlies' ogen staan. Maar ze lichten toch iets op als ze Judith bij haar bed ontdekt.

'Wat ben ik blij dat je er bent,' verzucht Marlies. 'Ik heb zo naar je komst uitgekeken.'

Judith schuift er een stoel bij en gaat zitten. 'Hoe is het?'

Marlies haalt haar schouders op. 'Hetzelfde als de vorige keer toen jij bij me op bezoek was. Ik ben nog steeds bang. Weet je dat Harm en ik aanstaande maandag een gesprek met de artsen hebben?'

Judith knikt. 'Harm heeft het me verteld.'

Marlies legt een hand op haar mouw. 'Harm is ook bang, hè? Hij probeert het voor mij wel te verbergen, maar ik ben niet gek. Heeft hij er iets tegen jou over gezegd?'

'Natuurlijk maakt hij zich zorgen,' geeft Judith toe. 'Het zou vreemd zijn als dat niet zo was. Hij vertelde me ook dat jij zo angstig werd van het lezen in de Bijbel.'

'Hij wilde het Bijbeltje meenemen. Maar dat wilde ik niet, Judith. Ik ben bang geworden, maar het vreemde is dat ik het Bijbeltje niet meer kan missen. Mag ik het nog een poosje houden?'

Judith voelt zich diep getroffen en het ontroert haar op een ongekende manier. Ze laat het echter niet aan Marlies blijken.

'Je mag het houden,' zegt ze. 'Nee, stil maar. Ik heb thuis nog meer Bijbeltjes.'

'Ik heb gelijk gehad,' gaat Marlies verder en nog eens herhaalt ze: 'Ik heb gelijk gehad. God vertoornt Zich over mij. Over mijn zonde. Ik heb zo vaak aan ons laatste gesprek gedacht. Jij had over het kruis waaraan Jezus stierf. Dat mag dan misschien voor de hele wereld geweest zijn, maar niet voor mij, Judith.'

Ze klemt haar handen om Judiths arm, zo fel dat het haar pijn doet. Ze voelt het niet eens. Meer nog dan de pijn voelt ze zich vanbinnen zo intens begaan met Marlies die in grote nood is. Hoe zou zij haar kunnen troosten? Ze voelt zich zo onbekwaam. Een stil gebed rijst in haar omhoog.

'Wat heb je allemaal in de Bijbel gelezen?'

Marlies slaat het boekje open. 'Ik ben bij het eerste hoofdstuk begonnen. Voor mij is het niet onbekend, dat weet je. De schepping en daarna de zondeval. Zoals Adam en Eva ongehoorzaam waren aan God, zo ben ik ongehoorzaam geweest door Hem te verlaten nadat ik met Harm getrouwd was. De naam van Eva had ook vervangen kunnen worden door de naam Marlies.'

'En door de naam Judith,' zegt Judith zacht. 'En met ons alle mensen die op deze aarde geleefd hebben en nog leven. Heb je nog verder gelezen?'

'Ik heb het geprobeerd. Maar alles was één grote aanklacht. Ik ben verder gaan bladeren. Pakte dan hier een stukje en dan weer daar een stukje, in de hoop dat ik een tekst zou kunnen vinden waarin ik bemoedigd kon worden. Ik vond er geen.'

'De Bijbel staat er vol van.'

'Vertel jij me dan eens waar het staat?'

Judith kijkt in de ogen van Marlies die smeken om enig houvast.

'Ik zal pen en papier nodig hebben om die lange, lange lijst van teksten en hoofdstukken op te schrijven waaruit jij moed mag putten, Marlies. Geef mij je Bijbel eens.'

Judith pakt het boekje aan en bladert erin. Ze stopt halverwege het boek Jesaja en begint voor te lezen uit hoofdstuk 65.

'Ik ben gevonden van hen, die naar Mij niet vraagden; Ik ben gevonden van degenen, die Mij niet zochten; tot het volk, dat naar Mijn Naam niet genoemd was, heb Ik gezegd: Ziet, hier ben Ik, ziet, hier ben Ik. Ik heb Mijn handen uitgebreid, den gansen dag tot een wederstrevig volk, die wandelen op een weg, die niet goed is, naar hun eigen gedachten.'

Marlies richt zich wat verder op in de kussens. Ze kijkt Judith met grote ogen aan.

'Dat gaat over mij,' zegt ze. Verbazing klinkt door in haar stem. 'Hoe kan dat nou? Het gaat echt over mij. Ik zocht Hem ook niet. Ik wandelde ook op een weg die niet goed was, naar mijn eigen gedachten. Hoe kan het nou dat het precies zo over mij in de Bijbel geschreven staat, Judith?'

'Heel eenvoudig,' zegt Judith. 'Omdat we allemaal eender zijn. Niemand uitgezonderd. Nu heb je het over je eigen persoon. Maar heb je ook goed geluisterd hoe de Persoon Jezus is?'

Marlies knikt en zacht herhaalt ze: 'Ik ben gevonden… Ik ben gevonden. Ziet, hier ben Ik, ziet, hier ben Ik. Is dat echt voor mij bedoeld, Judith?'

'Ga maar met deze tekst naar de Heere. Dan zal Hij het je wel duidelijk maken.'

'Maar mijn ongeloof is zo groot.'

'Ook dat kan Hij wegnemen.'

Marlies zakt terug in de kussens en heeft haar ogen gesloten. Bijna doorschijnend wit ziet ze en Judith voelt op dat moment dat deze jonge vrouw bezig is om afscheid te nemen van het leven. Ontroering kropt in haar keel. Natuurlijk hoopt ze dat het gesprek met de artsen nog enige hoop zal geven. Maar op de een of andere manier voelt er hier iets niet goed aan.

Marlies doet haar ogen weer open. 'Zul jij ook voor mij bidden, Judith? Als er meer mensen voor me bidden, verhoort God het gebed misschien sneller dan dat ik het alleen doe. Ik ben het immers niet waard…'

'Natuurlijk bid ik voor je. Iedere dag. Ook samen met Annemieke. Houd dit vast: Hij wil erom gevraagd zijn…'

Opnieuw bladert ze in het Bijbeltje en ze leest hardop uit Lukas 11:

'En Ik zeg ulieden: Bidt, en u zal gegeven worden; zoekt, en gij zult vinden; klopt, en u zal opengedaan worden. Want een iegelijk, die bidt, die ontvangt; en die zoekt, die vindt; en die klopt, dien zal opengedaan worden. En wat vader onder u, dien de zoon om brood bidt, zal hem een steen geven, of ook om een vis, zal hem voor een vis een slang geven? Of zo hij ook om een ei zou bidden, zal hij hem een schorpioen geven? Indien dan gij, die boos zijt, weet uw kinderen goede gaven te geven, hoeveel te meer zal de hemelse Vader den Heiligen Geest geven dengenen, die Hem bidden?'

Het blijft stil naast Judith. Is Marlies in slaap gevallen? Maar dan ziet ze hoe ze met gesloten ogen knikt.

'Dank je voor het voorlezen, Judith. Ik heb stof genoeg gekregen om over na te denken. Jij weet precies de stukjes voor te lezen waar ik houvast aan kan hebben. En toch, toch durf ik dit nog niet op mezelf toe te passen. De angst is nog niet weg...'

De angst is nog niet weg. Dit zinnetje herhaalt zich telkens weer in Judiths hoofd als ze onderweg is naar huis. Ze heeft Marlies beloofd om de voorgelezen stukjes met een rood potlood te onderstrepen, zodat ze makkelijk die teksten weer terug kan lezen. Ook zal ze hoofdstukken opschrijven die Marlies houvast en rust zouden kunnen bieden. Maar ze zal het doen met alle gebrek van zichzelf. Dat is ze zich heel sterk bewust.

Uiteindelijk gaat erom dat de Heere Zijn zegen hieraan wil verbinden.

De volgende dag doet ze Harm verslag van het bezoek. Harm luistert, maar geeft weinig reactie. Zijn gezicht staat somber en zijn ogen drukken grote zorg uit. Pas als Judith klaar is met vertellen, zegt hij: 'Mijn schoonouders hebben hun eigen predikant ingeschakeld. Op hun verzoek zal hij Marlies binnenkort bezoeken.'

Judith kijkt verrast op. 'Weet Marlies ervan?'

'Zij zouden het Marlies vertellen,' knikt Harm. 'Ik hoop van harte dat hij iets kan doen aan haar zielenrust...' Hij breekt af en draait zich schielijk om. Judith begrijpt dat de emoties hem aanvliegen en voelt zich bijna te veel. Pas als hij zich weer een beetje hersteld heeft, gaat hij verder: 'Ik besef dat, als ik over zielennood praat, het meestal gaat over mensen die aan het einde van hun leven gekomen zijn. En daar wil ik Marlies niet onder plaatsen. Nog niet...'

Judith heeft stil toegeluisterd. Ze voelt dat de woorden die hij zegt, niet kloppen.

'Dat is niet helemaal waar, Harm, wat je daar zegt. Zielennood of zielenrust hoeft niet altijd verbonden te worden met mensen die aan het eind van hun leven zijn. Zielenrust kun je ook krijgen midden in het leven, of zelfs als we nog zeer jong zijn. Bij kinderen. Maar daar moet eerst wel iets aan voorafgaan.'

Harm kijkt haar vragend aan. Het is duidelijk dat hij de woorden van Judith niet begrijpt.

'Wat moet eraan voorafgaan?' vraagt hij dan ook.

Judith kijkt met vaste blik naar Harm.

'Je kunt nooit rust voor je ziel krijgen als ze niet eerst onrustig is gemaakt,' antwoordt ze.

Harm knikt en zegt bitter: 'Nou, daar is dan inmiddels aan voldaan. Marlies ís ondertussen onrustig genoeg gemaakt.'

"Die gezond zijn hebben geen dokter nodig, maar die ziek zijn..." citeert Judith.

'Ik begrijp je niet.' Er klinkt ongeduld in Harms stem door.

'Als je gezond bent, heb je geen dokter nodig,' legt Judith geduldig uit. 'Als je ziek bent wel. Als je ziel onrustig wordt gemaakt, ga je zoeken naar rust. En bij Wie kun je dan het best terecht? Bij de Arts met een hoofdletter. God Zelf kan de rust aan Marlies schenken. En Hij is niet karig. Daar mag je nooit aan twijfelen.'

'Wanneer krijgt ze die rust dan?'

'Jij zou graag alles naar je eigen tijd willen regelen, Harm. Maar zo werkt het niet. Wij mensen kunnen dat niet regelen. Wat we wel kunnen is voor haar bidden of God haar die rust wil geven. En als God het geeft, dan is het enkel genade. Wij hebben het niet verdiend.'

'Wat jij daar allemaal zegt, klinkt mij niet helemaal vreemd in de oren,' zegt Harm bedachtzaam. 'In mijn opvoeding heb ik er ook iets van meegekregen. Maar te weinig dat ik ermee door wilde gaan nadat ik met Marlies trouwde. Het geloof was voor mij iets onbegrijpelijks en ik kon bovendien niet jaloers worden op mensen wier hele leven erdoor beheerst werd. Al die regels en wetjes... Dit mag niet en dat mag niet. En je moet wel zondags twee keer naar de kerk en je hoort je zus en zo te gedragen en te kleden. Ik kreeg het er benauwd van. En als ik nu zie hoe bang Marlies is geworden, komen er voor mij alleen nog maar meer vraagtekens bij.'

Judith kijkt naar Harm: een man die met deze vijandige vragen voor haar staat. En wie is zij om hem te kunnen overtuigen dat je wél jaloers kunt worden op iemand die uit het geloof leven kan?

Ze weet dat ze niet alleen voor Marlies moet bidden, maar ook voor

Harm. Hij heeft het net zo hard nodig. En voor hun kleine dochter...

Zijn gedachten staan ondertussen ook niet stil, want hij zegt smarte-lijk: 'Ik ben zo bang dat ik haar moet gaan verliezen, Judith.'

Hij slikt moeilijk en draait zich half van haar weg om zijn emoties niet te hoeven tonen.

Judith heeft geen woorden bij het zien van dit leed. Wat kan ze voor Harm betekenen? Niet meer dan een verzorgster voor zijn dochtertje, een hulp die zijn huishouden draaiende houdt en een soort van maat-schappelijk werkster die hem af en toe een hart onder de riem kan ste-ken. Ze kan over de Bijbel spreken, hem daaruit bemoedigen. Maar als hij zijn hart er niet voor open wil stellen, dan is het heel moeilijk. Ze beseft dat zij het uiteindelijk niet hoeft te doen. Ze mag het overlaten in de handen van God. Hij zal alles leiden naar Zijn raad.

Als het eenmaal zover is dat Harm en Marlies een gesprek hebben met de artsen in het ziekenhuis, voelt Judith zich zenuwachtig. Ze weet dat dit gesprek van grote invloed zal zijn op de toekomst. Of er is nog hoop voor Marlies, of de artsen stellen vast waar Marlies de laatste dagen zo bang voor was: dat de behandelingen niet aanslaan en dat ze verder niets meer voor haar kunnen doen.

Judith doet die dag alles op de automatische piloot. Annemieke speelt ongestoord om haar heen en babbelt over van alles en nog wat. Judith hoort het niet en zegt ja en nee, net hoe het haar uitkomt.

Die middag mag Annemieke bij een vriendinnetje van de peuter-speelzaal spelen. Judith is blij dat het meisje er niet is als Harm thuis-komt. Zo worden de emoties het kind voorlopig bespaard en kan Harm in alle rust vertellen hoe het gesprek verlopen is.

Judiths blik gaat steeds naar de klok. De wijzer gaat tergend lang-zaam vooruit. Waar blijft Harm toch? Zou het gesprek uitgelopen zijn? Haar hart bonst als ze eindelijk ziet dat hij zijn auto voor de deur par-keert. Nog voor hij bij de deur is heeft ze die al opengedaan.

'Dag Harm. Hoe is het gegaan?'

Met schrik ziet ze zijn afhangende schouders en zijn rood omrande ogen.

''t Is mis,' zegt hij schor.

Met grote ogen kijkt Judith naar hem op. Haar mond gaat open alsof ze iets wil zeggen, maar wat moet ze zeggen? Pijn voelt ze vanbinnen. Pijn om Marlies. Pijn om Harm. Maar ook pijn om het kleine meisje.

Harm loopt als een robot naar de kamer en gaat aan de tafel zitten. Met zijn rug naar haar toe vertelt hij: 'Marlies heeft gelijk gehad. De behandelingen sloegen niet aan. De artsen hebben verteld dat ze alles hebben gedaan wat in hun vermogen lag. Maar nu kunnen ze niets meer voor Marlies doen.' Hij draait zijn stoel een kwartslag om en kijkt haar aan met ogen waarin de wanhoop en radeloosheid te lezen valt. 'Niets meer, Judith. Helemaal niets meer. En toen Marlies deze boodschap hoorde, knikte ze maar alsof ze er zelf niet bij betrokken was. Volgens mij drong het niet eens tot haar door...'

Judith staart hem aan. Wat moet ze zeggen? Elk woord is te veel. Ze slikt. En nog eens. Haar keel voelt dik aan en haar ogen branden. Ze moet nu sterk zijn voor Harm. Zonder dat ze het wil glijden de tranen als vanzelf over haar wangen. Ze heeft geen controle over haar emoties. Marlies is voor haar een vriendin geworden. Een vriendin voor een korte periode uit haar leven. Dat besef dringt langzaam tot haar door.

En Harm en Annemieke...

Harm heeft zich weer omgedraaid en zijn hoofd op zijn armen gelegd. Zijn schouders schokken. Judith ziet het door haar tranen heen. Ze loopt als vanzelf naar hem toe. Ze kan niet anders. Ze legt een hand op zijn schouder. 'Harm...'

Zijn hoofd schiet omhoog en hij wil haar hand van zijn schouder afschudden. 'Laat me met...' Hij breekt zijn woorden haastig af als hij ziet dat Judith ook met haar tranen worstelt. Dat doet wat met hem. Hij komt overeind van zijn stoel. Zijn handen pakken ruw haar schouders vast zodat het haar pijn doet en hij kermt: 'Ik kan haar niet missen, Judith. Ik kan haar niet missen!'

In een moment van radeloosheid legt hij zijn hoofd op haar schouder en de snikken komen diep uit zijn borst. Judith huilt mee. De tranen komen als een bevrijding na al die spanning die ze gevoeld heeft.

Als ze wat later tegenover elkaar zitten aan tafel, zegt Harm: 'Ik had langer bij Marlies willen blijven, maar ze was zó moe. Ze wilde slapen. Ik ben nog een poosje met mijn schoonouders meegegaan. Zij waren ook bij het gesprek aanwezig. Je begrijpt dat we elkaar tot steun probeerden te zijn. Maar dat lukte niet. We waren alle drie overstuur.'

'Met elkaar huilen kan ook goed zijn,' zegt Judith. 'Op die manier verdriet met elkaar delen, helpt soms nog beter dan duizend woorden.'

'Ik weet niet hoe het nu verder moet...'

De woorden blijven in de kamer hangen. Judith gaat naar de keuken om koffie te zetten. Daar zijn ze beiden aan toe. Als ze even later terugkomt, zegt ze: 'Ik heb nagedacht. Zolang je mij nodig hebt, blijf ik hier, Harm.'

'Ook als... als Marlies...'

Judith knikt. 'Zolang jij me nodig hebt, zal ik voor je dochter blijven zorgen.'

'Dat zijn zware woorden. Je bent jong. Je zult op een keer gaan trouwen.'

Een trek van pijn glijdt over Judiths gezicht. 'Praat me niet over trouwen. Ik heb niet de minste plannen in die richting. Dus dat bezwaar kan gelijk van tafel geveegd worden.'

Harm is te veel met zijn eigen verdriet bezig om Judiths eigen pijn op dit moment op te merken. Hij gaat daar dan ook niet verder op door, maar zegt: 'Toch wil ik niet dat jij je hier vastlegt op mijn gezinnetje en mijn huishouden. Jij hebt recht op een eigen toekomst.'

'Zullen we dit onderwerp verschuiven naar een later tijdstip, Harm? Marlies leeft nog en zolang zij mij nodig heeft, zal ik er ook voor haar zijn.'

Het wordt tijd om Annemieke op te halen. Harm drinkt zijn koffie en komt overeind.

'Ik ga haar halen. Een hap frisse buitenlucht zal me goeddoen. Of nee...' Meteen laat hij zich weer neer in de stoel. 'Toch maar niet. Ze zullen naar Marlies vragen. En ik kan nu niemand hierover te woord staan. Ik kan het niet.'

'Ik begrijp het,' zegt Judith. 'Ik zal haar wel halen. Maar beloof me dat je dan toch een stukje gaat lopen. Als je denkt dat het je goeddoet, moet je het doen.'

'Ik rijd met mijn auto wel naar een onbekend stuk gebied waar ik geen kans heb bekenden tegen te komen. Ik beloof je op tijd thuis te zijn zodat jij niet over je uren heen komt.'

'Ach man, schei toch uit. Neem het er even van. Ik gun het je van harte. Ik zal zorgen dat het eten klaarstaat. En als je het prettig vindt, blijf ik gewoon een uurtje langer. Er is niemand in mijn flat die op me wacht.'

Niemand die op me wacht... Datzelfde zal ook voor Harm gaan gelden in de toekomst. Ja, Annemieke heeft hij nog. Een kostbaar bezit dat Marlies hem zal nalaten.

Judith slikt moeilijk.

Even later ziet ze hoe Harm met een ongecontroleerde snelheid de straat uit rijdt. Dan pakt ze haar jas. Ze gaat Annemieke halen.

12

Er breekt een moeilijke tijd aan voor Harm, maar ook voor Judith. Annemieke voelt duidelijk de veranderde sfeer aan. Harm is nog stiller geworden dan hij al was en hij kan weinig van zijn dochter hebben. Judith probeert het meisje genoeg aandacht te geven, maar zij ontkomt er ook niet aan dat ze meer in gedachten is dan anders.

Marlies heeft aangegeven dat ze geen bezoek wil. Alleen Harm, haar ouders en schoonvader zijn welkom, verder wil ze niemand zien. Harm heeft verteld dat Marlies zich volkomen in zichzelf opsluit. Ze zegt weinig en Harm weet er niet goed raad mee. Vanuit het ziekenhuis is hulp en begeleiding aangeboden om met deze moeilijke situatie om te gaan.

Judith is begaan met dit gezinnetje. Maar vooral ook met Annemieke, die alles nog niet begrijpen kan. Het is precies in deze periode dat ze steeds naar haar moeder gaat vragen.

'Wanneel komt mama thuis?' en 'Het duult zo lang,' en 'Wil mama nog wel voor mij zolgen?'

Die vragen snijden Judith door het hart. En als Harm dit hoort, sluit hij zich op in zijn kamer.

Deze situatie sleept zich enkele dagen voort en dan vindt Judith het hoog tijd om in te grijpen. Zo gaat het niet langer. Annemieke lijdt zichtbaar onder de sfeer. Bovendien helpt het niets om op deze manier door te gaan.

Als ze op een middag koffie voor Harm neerzet, zegt ze zonder omwegen: 'Harm, je hebt een dochter die om aandacht schreeuwt. Ze heeft haar vader heel hard nodig.'

Harm kijkt haar een moment bevreemd aan. 'Ik begrijp je niet. Ze gaat rustig haar eigen gang en ik merk niets aan haar.'

'O nee?' Judith trekt vragend haar wenkbrauwen op en gaat tegenover hem zitten. 'Annemieke is een rustig en gezeglijk kind geweest. Tot vorige week. Ze is dwars en vervelend. Alles is 'nee'. En ze heeft driftbuien.'

'Dan zal ze aangepakt moeten worden,' zegt Harm vastberaden. 'Ze moet naar je luisteren.'

'In dat laatste heb je gelijk,' antwoordt Judith zacht. 'Maar wat het eerste betreft, is het maar net hoe je het bedoelt. Als je daarmee wilt zeggen dat ze gestraft moet worden, dan ben ik dat niet met je eens. Annemieke moet haar moeder al een poosje missen en nu heeft ze ook een vader die geen aandacht aan haar schenkt.'

Het blijft heel stil in de kamer als Judith deze woorden uitgesproken heeft. Ze voelt de spanning tot in haar vingertoppen, want hoe vat Harm dit op? Met gebogen hoofd zit hij tegenover haar en ze ziet hoe hij werkt met zijn kaken. Hij heeft het zichtbaar moeilijk. Dan heft hij zijn hoofd op en kijkt haar vertwijfeld aan.

'Judith, geef me eerlijk antwoord: vind jij mij een slechte vader?'

Judith schuift op het puntje van haar stoel en schudt heftig haar hoofd. Ze begrijpt zijn vraag wel, maar het is ongerijmd. In de situatie waarin hij zich bevindt, komt er zo veel op hem af dat hij daardoor opgesloten zit in zichzelf. Net als Marlies.

'Je bent geen slechte vader,' zegt ze dan ook met klem. 'Die gedachte moet je onmiddellijk uit je hoofd zetten. Het is echter wel zo dat ik je even wakker moet schudden, Harm. Want je hebt een dochter die liefde nodig heeft. En wie kan dat anders geven dan haar eigen vader? Niemand neemt het je kwalijk dat je te veel met jezelf bezig bent. Je hebt heel veel te verwerken. Maar probeer ook aan je kind te denken. Ze mist haar moeder, maar jou eigenlijk ook. Want jij ziet haar deze laatste dagen niet. Niet echt, tenminste.'

'Ik moet vader en moeder tegelijk voor haar zijn. En ik weet niet of ik genoeg kwaliteiten daarvoor heb.'

'Niemand vraagt van jou het volmaakte. Maar het is een kleine moeite om Annemieke een poosje op schoot te trekken. Dan hoef je nog niet eens iets te zeggen. Probeer het, Harm. Ik weet zeker dat het niet alleen in Annemiekes voordeel werkt, maar ook in het jouwe. Je bent hier nodig voor je dochter.'

Harm kijkt haar aan. Zijn blik staat ondoorgrondelijk. Dan zegt hij: 'Bedankt voor je hint. Ik had het nodig. Tik me gerust nog eens op de vingers als ik het nodig heb, Judith.'

Als Judith later naar huis fietst, is haar hoofd vol gedachten. Van Harm weet ze dat Marlies voorlopig in het ziekenhuis blijft. Voor Annemieke is het misschien beter zo. Ze is inmiddels aan de situatie zonder moeder thuis gewend. Als Marlies thuiskomt, denkt Annemieke misschien dat het zo blijven zal. Het zal haar niet meevallen als ze opnieuw moet wennen aan een leven zonder haar moeder als Marlies er niet meer is.

Als Judith thuiskomt doet ze automatisch de handelingen die ze normaal ook pleegt te doen: post uit de brievenbus halen, de keukendeur openzetten voor frisse lucht, en de spullen klaarzetten voor een eenpersoonsmaaltijd.

Ze moet zichzelf bekennen dat ze geen zin en geen trek heeft. Peinzend kijkt ze door de geopende deur naar buiten. Zomerse geluiden komen naar binnen. Spelende kinderen, de wind die door de dicht bebladerde bomen ruist, een zoemende bij... Geluiden om stil bij weg te dromen. Maar dan dromen die mooi zijn en vol verwachting van de toekomst.

Haar mond wordt een smalle streep. Dat is wel heel tegenstrijdig met wat zij vanbinnen voelt. Zou Lieke toch gelijk hebben? Ze hoort opnieuw haar waarschuwing dat ze nuchter moet zijn en niet andermans verdriet naar zich toe trekken.

Hoe zal ze dat ooit kunnen? Lieke heeft makkelijk praten. Zij is bijna klaar met haar opleiding voor verpleegkundige, heeft plezier met haar studiegenoten en heeft nog weinig verdriet gekend. Bij haar is het anders. Niet dat ze zichzelf wil beklagen, o nee. Maar bij haar ziet het leven er toch heel anders uit dan bij haar vriendin. De slag die Leon haar heeft toegebracht is ze amper te boven of ze wordt opnieuw met verdriet geconfronteerd.

Zou ze met Lieke willen ruilen? Nee, toch niet. Het verdriet en de pijn die ze heeft ervaren, maakt haar tot de persoon die ze nu is. Nu ze weet wat het is om een verlies te lijden in het leven, weet ze ook mee te voelen met Harm. Al is de situatie van hem heel anders dan die van haar. Het geeft haar voldoening om iets te mogen betekenen voor deze mensen, al beseft ze dat het altijd met tekortkomingen gepaard gaat.

Peinzend staart ze naar buiten. Ze moet proberen om een balans in haar leven te vinden door ontspanning te zoeken.

Zal ze Lieke bellen en vragen of ze vanavond iets samen zullen gaan doen? Even iets anders. Ontspanning zoeken en proberen haar gedachten een andere richting te geven. Ja, haar besluit staat ineens vast. Haar woorden meteen in daden omzettend, loopt ze naar de telefoon. Lieke blijkt net thuis te zijn en is onmiddellijk te porren voor het plan van Judith.

'Leuk idee... Niet koken, Juut. We gaan ergens wat halen en dan zien we wel hoe we onze avond verder gaan invullen.'

Judith is blij dat ze bij haar vriendin kan spuien. Lieke laat haar uitpraten zonder zelf iets te zeggen en ze geeft antwoord op een moment dat Judith het van haar verwacht.

Ze zitten tegenover elkaar in een gezellig restaurantje en hebben pizza besteld. Nog voor het bestelde op tafel staat heeft Judith iets verteld over de situatie waarin haar gezin verkeert, zonder te veel van haar beroepsgeheim prijs te geven.

Lieke roert met een peinzend gezicht in haar glas ijsthee. 'Als het je te zwaar is,' zegt ze dan na een lange stilte, 'dan moet je dat zeggen tegen je leidinggevende. Misschien is het beter voor je als je een ander gezin krijgt.'

'Nee!' Judith hoort de vastberadenheid in haar eigen stem doorklinken. 'Nee, geen denken aan. Laat ik dan de pijn maar voelen. Liever dat, dan dat ik dat gezin zomaar in de steek laat.'

'Zomaar?' Lieke wikt en weegt het woord op zijn waarde. 'Ik denk niet dat je van zomaar kunt spreken. Jij moet het aankunnen. Die mensen hebben er niets aan als ze hulp hebben van iemand die zelf niet sterk in haar schoenen staat. Het is niet alleen in jouw voordeel, maar ook in het hunne, Judith.'

Judith kijkt strak voor zich uit. Ze denkt aan de woorden die ze deze middag nog tegen Harm heeft uitgesproken. Dat ze er altijd voor hen wilde zijn. En de tegenwerking van Harm dat hij en zijn dochter niet op haar toekomst beslag willen leggen, omdat zij misschien ook eens trouwen wil of een andere bestemming zal hebben.

Ze huivert even bij het woord trouwen.

Vastberaden kijkt ze haar vriendin aan. Ze herhaalt wat er zojuist door haar gedachten heen ging. Tot haar verbazing ziet ze Lieke daarop glimlachen.

'Je bedoelingen zijn goed,' zegt ze wijs. 'Maar niemand kan jouw toekomst voorspellen. Misschien heeft hij zelf al een oplossing als de tijd een eind verstreken is.'

Judith haalt haar schouders op. 'Het is maar goed dat we alles niet vooruit weten. Maar één ding weet ik zeker: ik laat die mensen niet in de steek. Nu zeker niet. Ze zijn mijn vrienden geworden.'

De woorden blijven in de lucht hangen. Ze voelt Liekes blik op zich gericht.

'Je hebt een band met hen gekregen, hè?' zegt Lieke begrijpend. 'Je houdt van Annemieke. En dat echtpaar is veel voor je gaan betekenen. Dat is niet verkeerd. Maar probeer alles in de juiste proporties te zien.'

De pizza wordt voor hun neus gezet. Het ziet er heerlijk uit en Judith voelt dat ze trek heeft. Een poosje blijft het stil tussen hen.

Pas als ze klaar zijn zegt Lieke iets wat Judith onverwachts een schok bezorgt.

'Uit al deze zorgen om dit gezin is me iets opgevallen, Judith. Je wordt er zo door in beslag genomen dat je Leon begint te vergeten…'

De rest van de avond gaat in een roes voorbij. Ze gaan samen naar een concert en na afloop drinken ze nog iets bij Judith. Het heeft haar goedgedaan om deze avond met haar vriendin op een gezellige manier door te brengen.

Als ze die avond op bed ligt, kan ze de slaap niet goed vatten. Die ene zin van Lieke blijft steeds maar door haar hoofd spoken: *Je wordt zo door de zorgen van dat gezin in beslag genomen dat je Leon begint te vergeten...* Ze voelt dat Lieke gelijk heeft. Komt ze dan toch los van hem? Zal eindelijk die pijn slijten om wat hij haar heeft aangedaan? Ze hoopt dat het waar is. Het zal haar rust geven.

De volgende dag blijkt dat Leon haar niet is vergeten.

Als ze die middag thuiskomt van haar werk, wacht haar een verrassing die haar in de grootste verwarring brengt. Naar gewoonte haalt ze de post uit de brievenbus om die vervolgens mee naar boven te nemen.

Ze bekijkt het stapeltje vluchtig: enkele folders, een bankafschrift, een rekening en wat nog meer? Haar hart bonst als ze er een envelop tussen vindt waarop een overbekend handschrift haar voor de ogen danst. Voor haar is dit geen vraag: het is het handschrift van Leon...

Wat moet hij opeens van haar?

Haar handen trillen als ze de trappen op loopt naar boven. Zenuwachtig steekt ze de sleutel in het slot van haar deur. Door het trillen steekt ze een paar keer mis. Even later staat ze binnen en loopt ze snel naar de woonkamer waar ze gaat zitten.

Ze is heel erg zenuwachtig, want wat heeft deze brief te betekenen? Haastig scheurt ze de envelop open en ze haalt er een volgeschreven brief uit.

Haar ogen vliegen over de regels.

Lieve Judith,

Ik heb van ma en Roelien gehoord dat jij inmiddels van alles op de hoogte bent. Ik was bijzonder geschokt, want ik wilde het voor jou niet weten. Ik schaamde me vreselijk en dat doe ik nog. Nu begrijp ik dat het voor jou niet verborgen had kunnen blijven. Je had het vast wel van iemand te horen gekregen.

De gedachte is niet bij me opgekomen dat je zelf het heft in handen zou nemen en ma en Roelien zou achtervolgen.

Ik weet niet goed wat ik je moet zeggen. Allereerst mijn excuses. Dat is wel het minste wat ik je kan geven. Ik heb je niet netjes behandeld vlak voor onze trouwdag, maar ik kon niet anders.

Nu je weet in wat voor onmogelijke situatie ik beland ben, hoop ik dat je me
kunt begrijpen.
Ik heb lang nagedacht. Nu ben ik tot de conclusie gekomen dat het beter is
dat we elkaar spreken. Persoonlijk contact is altijd beter dan een brief.
Daarom wil ik je vragen of je mij een keer wilt bezoeken. Zeg niet gelijk
nee, Judith. Denk er in ieder geval over na.
Ik loop met een groot schuld- en schaamtegevoel rond. Daarom zou ik het
zo graag glad willen strijken tussen ons.
Ik hoop dat je mij kunt vergeven.
En ook al zul je het niet geloven: ik houd nog steeds van je.
Je bent geen dag uit mijn gedachten.

Leon

Met trillende vingers schuift Judith de brief terug in de envelop. Daarna blijft ze minutenlang voor zich uit staren. Wat moet ze hier nu weer mee? Wat verwacht Leon van haar? Moet ze hem echt op gaan zoeken in de gevangenis? Kan ze hem zomaar vergeven voor alles wat hij haar heeft aangedaan? Denkt hij soms dat ze gewoon de draad weer op kunnen pakken waar ze gebleven zijn?

O, al die vragen. Ze heeft er zo snel geen antwoord op.

Ze beseft dat ze dit eerst moet laten bezinken, voordat ze hier een goed overdacht antwoord op kan geven. Het liefst zou ze hierover met iemand spreken. Iemand die het van een afstand kan bezien en haar raad kan geven.

Maar al snel nemen de toenemende zorgen in het gezin Ravestein Judith weer zozeer in beslag, dat alles van Leon opnieuw naar de achtergrond verdwijnt.

Nu Marlies weet dat ze niet meer beter kan worden, lijkt het erop alsof ze niet meer vechten wil. Ze gaat zienderogen achteruit.

Harm heeft bijzonder verlof aangevraagd om de laatste periode zo veel mogelijk met zijn vrouw te kunnen doorbrengen. Bovendien kan hij zich niet meer concentreren op de lessen op school.

Nu is hij meer in het ziekenhuis dan thuis.

'Heeft Marlies niet alsnog overwogen om haar laatste levensperiode thuis door te brengen?' vraagt Judith op een sombere regenachtige middag in september aan Harm.

Hij is zojuist uit het ziekenhuis gekomen en Judith zet een mok koffie voor hem neer. Boven dringen geluiden door van Annemieke die samen met een vriendinnetje op haar kamer aan het spelen is. Voor Annemieke willen ze alles zo normaal mogelijk door laten gaan. Daarom mogen er ook vriendinnetjes komen spelen.

'Ik kan dat kind niet alles ontzeggen,' had Harm laatst tegen Judith gezegd, alsof hij zich verontschuldigen moest. 'Ze moet al zo veel missen.'

Ondertussen heeft Harm haar vraag nog niet beantwoord. Hij lijkt diep in gedachten verzonken en roert zonder na te denken in zijn koffie.

Judith was bezig met strijken en vist een jurkje van Annemieke uit de wasmand. Zwijgend gaat ze weer aan het werk. Ze wil dit klaar hebben voordat ze weer naar huis gaat. En straks moet ze ook nog het eten klaarzetten, zodat Harm het alleen maar hoeft aan te zetten. Hoewel Harm al een paar keer geopperd heeft dat hij best zelf kan koken. Toch wil ze hem zo veel mogelijk ontlasten. Hij is vaak laat uit het ziekenhuis en hij kan er zo vermoeid uitzien...

Ze kijkt op de klok en ziet dat ze nog genoeg tijd heeft. Harm is vroeg deze middag. Voor hem moet het wel heel zwaar zijn om zo veel uren in het ziekenhuis door te brengen. Buiten de spanning om Marlies, word je zo suf van het zitten en nietsdoen...

Ze kijkt naar hem. Hij ziet ongewoon bleek en er zijn strakke lijnen om zijn mond. Ze hoeft zich niet af te vragen wat er op dit moment door hem heen gaat. Hij heeft niet eens haar vraag gehoord...

Dan plotseling kijkt hij op en een moment zijn zijn ogen recht in de hare.

Als betrapt buigt ze zich weer snel over het jurkje van Annemieke. Het is net of ze hem controleert en hem taxeert op zijn gezondheid. Daar is ze niet voor gekomen. Ze is hier niet als verpleegkundige of maatschappelijk werkster. En toch voelt ze zich weleens zo. Mensen tot steun zijn in hun zorgen en problemen geeft haar een ongekende voldoening. Misschien is er een mogelijkheid om zich wat te verdiepen in dat werk. Het is anders dan gezinsverzorgster, maar niet minder aantrekkelijk.

'Je had iets gevraagd,' hoort ze Harm door haar overpeinzingen heen zeggen. 'Sorry dat ik niet reageerde. Ik was diep in gedachten.'

'Dan zitten we in hetzelfde schuitje,' zegt ze op droge toon. 'Ik droomde ook weg. Ik vroeg of Marlies zich niet bedacht heeft en haar laatste levensperiode alsnog thuis wil doorbrengen.'

Harm schudt zijn hoofd. 'Nee. Ze vindt het te onrustig voor Annemieke. Er komt dan nog meer verpleging hier over de vloer.

Bovendien denkt Annemieke dan dat ze weer voorgoed thuis zal zijn. Marlies zei tegen me: 'Dat kan ik het kind niet aandoen. Ze zal al genoeg te verwerken krijgen in haar jonge leventje...'

De laatste woorden blijven in de kamer hangen. Met heftige bewegingen gaat het strijkijzer over de stof. Er is één gedachte die in Judiths hoofd blijft hangen: in al haar ellende denkt Marlies nog aan haar dochtertje.

'Marlies gaat hard achteruit, Judith...'

Judith heft haar hoofd op en kijkt Harm opnieuw aan. Ze begrijpt het.

'Haar vechtlust is verdwenen,' constateert ze.

Ondanks de warmte hier in de kamer, voelt ze de kou in zich omhoogkomen. Zou het gelijk zo snel gaan? Marlies, een vriendin in een korte periode van haar leven. Een bijzondere vriendin...

'Ja,' zegt Harm. 'Ze weet dat het geen zin meer heeft.'

Judith bijt op haar lip en kijkt strak naar de klok waar de wijzers de minuten wegtikken. De tijd verglijdt langzaam in de eeuwigheid... Heeft ze dat ergens gelezen of is dat zomaar een losse gedachte?

Judith schrikt op van een schroeilucht.

'O, wat dom van me.' Haastig grist ze de strijkbout van Annemiekes jurkje die ze ondoordacht heeft laten staan toen Harm die opmerking over Marlies maakte. Ja hoor, een gat erin gebrand. Ze slaat geschrokken een hand voor haar mond. Dan pakt ze het jurkje en houdt het omhoog, zodat Harm de schade kan zien.

'Ik... ik zal het vergoeden,' zegt ze.

Ondanks alles komt er een kleine glimlach om Harms mond.

'Vergoeden? Ach meid, het is maar een jurk...'

Judith begrijpt onmiddellijk de diepte van zijn woorden.

Harm is overeind gekomen.

'Een jurk is vervangbaar,' zegt hij schor. 'Marlies niet.'

Dan is hij plotseling uit de kamer verdwenen.

13

Enkele dagen later gaat bij Judith de telefoon. Het is Dorien.

'Dag Judith. Zou je binnenkort op kantoor kunnen komen voor een gesprek?'

'Ja, dat is goed. Zeg maar wanneer.'

Ze maken een afspraak voor de volgende dag aan het eind van de middag. Judith vraagt zich af wat Dorien van haar wil. Er is toch niets gebeurd waarvoor zij plotseling bij Dorien moet komen?

Ze voelt zich wat onrustig als ze aan het eind van de volgende dag het kantoor bij de leidinggevende binnenstapt. Dorien is hartelijk en zorgt voor een glas thee.

'Hoe gaat het met je?' vraagt ze belangstellend als ze tegenover Judith zit.

'Goed,' antwoordt Judith kort.

'Kun je het volhouden bij de familie Ravestein?'

Dorien kijkt haar ernstig aan en Judith begrijpt meteen dat dát de reden is waarom Dorien haar heeft laten komen. Ze kan dit waarderen.

'Het is moeilijk,' geeft ze eerlijk toe. 'Maar het geeft me tegelijkertijd voldoening dat ik iets voor dat gezinnetje mag betekenen.'

'Dat vind ik fijn om te horen,' zegt Dorien. 'Want het is pittig. Die man zal onwillekeurig erg op jou steunen en dan moet jij er voor hem zijn. Ik kan me voorstellen dat het de nodige wijsheid en kracht vereist.'

'Dat is ook zo,' knikt Judith. 'Ik voel me regelmatig tekortschieten. Ik probeer te doen wat ik kan.'

'Ben je bij mevrouw Ravestein in het ziekenhuis geweest?'

Judith knikt en begint te vertellen. Ze is blij dat ze het een en ander tegen Dorien kwijt kan. Door haar beroepsgeheim is ze belemmerd om zich in alles tegen een ander uit te spreken. Nu kan ze het delen met Dorien, bij haar vindt ze begrip en meeleven.

'Als het je te veel wordt, laat je het me dan weten?' vraagt Dorien.

'Dat zal ik doen,' belooft Judith. 'Maar ik hoop het vol te houden. Ik ben daar begonnen en wil niet zomaar afhaken.'

Dorien glimlacht. 'Ik ben blij met je inzet. Maar het mag niet ten koste gaan van jezelf. Daarom wil ik graag op de hoogte blijven hoe het met jou en met dat gezinnetje gaat. Ik zal je regelmatig bellen en ook zal ik meneer Ravestein deze week nog een bezoek brengen. Ik wens je heel veel sterkte, Judith.'

Als Judith weer buiten staat, merkt ze dat ze er weer tegen kan. Dorien steunt haar en bij haar kan ze terecht als het niet goed zou gaan. Dat geeft haar een prettig gevoel.

De zomer is definitief voorbij en de herfst is gekomen met zijn stormen en slagregens. Het groen van de bomen is langzamerhand verkleurd en algauw ligt er op de straten en trottoirs een dik tapijt van natte, afgewaaide bladeren.

Het is een sombere najaarsdag als Harm met de vraag komt of Judith nog een keer Marlies wil bezoeken.

'Ze heeft het gisteren dringend aan mij gevraagd,' vult hij aan.

Judith schrikt ervan. Wat moet ze tegen haar zeggen als ze bij haar bed staat? Ze heeft geen woorden. Aarzelend legt ze dit aan Harm voor.

'Je hoeft niets te zeggen,' zegt hij. 'Dat je er bent, is al genoeg voor Marlies. Ik denk dat ze afscheid van je wil nemen.'

Judith slikt moeilijk. Natuurlijk zal ze gaan. Hoe zou ze Marlies dit ooit kunnen weigeren? Maar wat een zware gang naar het ziekenhuis zal dat zijn.

'Ik zal gaan, Harm.'

'Ik ga met je mee,' belooft Harm. 'Mijn schoonouders zullen op Annemieke passen.'

Ze kan het niet helpen dat het haar oplucht dat ze niet alleen hoeft. Ze voelt zich er schuldig onder. Als ze onderweg zijn naar het ziekenhuis, probeert Judith haar gevoelens onder woorden te brengen.

'Je hoeft je niet schuldig te voelen,' zegt Harm rustig. 'Denk je dat Marlies jou niet begrijpen zal?'

'Ik voel me zo tekortschieten,' tobt Judith verder. 'Ik ben een hele tijd niet meer bij haar geweest. Maar ik had begrepen dat ze alleen jou en haar ouders en je vader bij haar bed wilde hebben.'

'Dat was ook zo. Zelfs haar broers en de mijne wilde ze niet zien. Ze had zoveel met zichzelf te stellen. Nu zijn zij ook geweest, al enkele keren zelfs. Het is verkeerd van je als je denkt dat je in iets tekortgeschoten bent, Judith. Als er één is die veel van onze schouders heeft genomen, ben jij het wel. Marlies en ik zijn heel blij met wat jij allemaal voor ons doet.'

'Het is mijn werk.'

'Ja, het is je werk. Maar jij doet het met gevoel. En dat kan niet van iedereen gezegd worden. Soms ben ik bang dat jij er te veel bij getrokken bent geraakt, Judith. Zozeer zelfs dat het jou ook iets kost.'

Judith slikt en kijkt opzij door het verregende raampje. Hij heeft nog gelijk ook, denkt ze.

'Het mag dan zo zijn, maar het heeft me ook iets goeds opgeleverd.' Harm kijkt verrast opzij. 'Zo?'

'Jawel. Ik ben onlangs tot de ontdekking gekomen dat Leon en wat hij me heeft aangedaan, ver op de achtergrond is geraakt. Mijn vriendin heeft me er zelf op geattendeerd dat ik hem ben gaan vergeten. En dat raakte me diep, omdat ik wist dat het wáár was.'

Het blijft een poosje stil in de kleine beslotenheid van de auto. Maar het vreemde is dat Judith het niet eens vervelend vindt.

'Bedankt voor je vertrouwen, Judith,' hoort ze Harm eindelijk zeggen.

Dan zijn ze bij het ziekenhuis en Judith voelt opnieuw de spanning in zich toenemen.

Zoals ze had verwacht, ligt Marlies alleen. Ze slaapt als ze binnenkomen. Judith schrikt van haar gezicht. Zo ingevallen en zo wit. Haar jukbeenderen steken ver naar voren en haar neus steekt wit en puntig af.

Stil gaat ze naast Marlies' bed zitten, Harm aan de andere kant.

Na enkele minuten wordt Marlies wakker. Haar ogen gaan van de ene kant naar de andere. Harm buigt zich naar zijn vrouw over en kust haar. Judith voelt zich op dit moment een beetje te veel. Maar dat gevoel wordt meteen weer van haar afgenomen als Marlies haar hoofd naar haar toe draait en met zwakke stem zegt: 'Judith… Wat fijn dat je er bent. Ik wil je bedanken, Judith. Ik wil je bedanken voor je warme vriendschap…'

Judith voelt iets proppen in haar keel. Als Marlies nog meer van zulke dingen gaat zeggen, gaat ze huilen. Dat weet ze zeker.

Ze voelt plotseling de magere hand van Marlies om de hare heen. 'Ik wil je bedanken voor alles wat je voor Harm en ons kleine meisje hebt gedaan… En nog doet…'

Weer een kleine stilte. 'En voor je bezoeken… Wat jij gezegd hebt… wat je voor me gelezen hebt… dat heeft zo veel voor mij betekend, Judith. Zo veel…'

Marlies is van deze enkele zinnen al vermoeid geraakt, maar nog is ze niet klaar. 'Vertel Annemieke over Jezus, Judith. Help Harm daarbij…'

Het raakt Judith diep dat Marlies dit van haar vraagt. En tegelijk voelt ze haar eigen machteloosheid. Want hoe kan ze dit waarmaken?

Harm is opgestaan en loopt in enkele stappen naar het raam. Judith kijkt naar zijn strakke rug. Wat zal er nu door hem heen gaan? Wil hij nog steeds niets van de Bijbel weten? Zegt het geloof hem nog steeds niets? Of loopt hij weg omdat hij geëmotioneerd raakt? Voelt hij net als zij dat dit een definitief afscheid is van Marlies?

Ze draait haar gezicht weer naar de jonge, zieke vrouw in bed. Marlies heeft haar ogen weer gesloten.

Judith denkt terug aan de gesprekken die ze in de achterliggende periode met haar heeft gehad. Gesprekken over geloof en bekering. Over strijd, maar ook over de overwinning van Christus over dood en graf. Hoe zal het nu zijn met Marlies? Heeft ze de Heere Jezus leren kennen? Heeft ze een Borg voor haar ziel gekregen?

Ze durft er niet openlijk naar te vragen. Bovendien ziet ze dat het korte gesprekje Marlies al uitgeput heeft. Judith weet dat het niet lang meer duren zal.

Na een poosje komt Harm er weer bij zitten en Marlies doet haar ogen open.

'Lezen… Judith. Wil je dat?' Haar ogen glijden van haar naar de Bijbel die op het kastje ligt. Judith knikt en met bevende handen pakt ze de Bijbel.

'Wat wil je dat ik lees?'

'Ik weet het niet,' zegt Marlies. 'De hele Bijbel… is het Woord van God. Dan spreekt… iedere tekst toch aan?'

Aarzelend bladert Judith door het Oude Testament, dan door het Nieuwe. Ze wil zo graag iets toepasselijks voor Marlies lezen. Een tekst, een hoofdstuk waar haar ziel naar snakt. Ze bladert terug en komt in de Psalmen. Dan weet ze het. 'Psalm 130,' zegt ze.

Opeens reikt er een hand over het bed.

'Laat mij lezen…'

Judith kijkt bevreemd op. Meent Harm het echt? Wil hij uit de Bijbel lezen? Ze weet niet anders te doen dan de Bijbel in Harms hand te schuiven. Dan ziet ze de ogen van Marlies verrast oplichten.

Onwennig begint Harm te lezen, maar dat doet aan het gretige gehoor van zijn vrouw geen afbreuk. Integendeel juist.

'Uit de diepten roep ik tot U…'

Wat kan Marlies' toestand beter verwoorden dan juist deze woorden?

'Zo Gij, Heere! de ongerechtigheden gadeslaat; Heere, wie zal bestaan?'

Een vraag die Marlies deze laatste weken zo gekweld heeft. Judith ziet dat ze luistert met gesloten ogen.

'Maar bij U is vergeving, opdat Gij gevreesd wordt.'

En dan leest Harm het slot van het hoofdstuk: 'Israël hope op den Heere; want bij den Heere is goedertierenheid, en bij Hem is veel verlossing. En Hij zal Israël verlossen van al zijn ongerechtigheden.'

Het is duidelijk zichtbaar dat dit bezoek Marlies uiterst vermoeid heeft. Er wordt niet veel meer gezegd en ze blijven niet lang meer zitten. Als Judith zich even later over Marlies heen buigt om afscheid te nemen, weet ze dat dit het laatste contact zal zijn dat ze met haar vriendin heeft.

'Dag Marlies,' zegt ze zo beheerst mogelijk. Ze kust de jonge vrouw op beide wangen en een moment kijken ze elkaar aan.

'Dag... lieve Judith. Nogmaals bedankt. Voor alles.' Even streelt de magere hand haar wang. Dan keert Judith zich om en ze loopt naar de gang. Ze heeft het gevoel dat ze geen kracht meer in haar benen heeft en snel gaat ze op een stoel zitten die in de gang staat.

Enkele minuten later staat Harm bij haar. Ongerust ziet hij op haar neer.

'Het is je te veel geworden,' constateert hij. 'Ik zal voor ons allebei koffie halen.'

Meteen de daad bij het woord voegend, loopt hij naar het gedeelte waar koffie te krijgen is. Even later komt hij terug met voor ieder een volle mok.

'Het spijt me zo...' zegt Judith met hese stem.

Harm gaat naast haar zitten en kijkt haar fronsend aan.

'Wat spijt je? Dat het je te veel geworden is? Daar is niets menselijks vreemds aan. Ik zie Marlies iedere dag. Ik heb haar onder mijn ogen achteruit zien gaan. Je moet wel van haar geschrokken zijn.'

Judith knikt. Kon ze al haar gedachten maar in woorden vatten. Ze is echter te ontdaan om te praten.

Harm lijkt het te begrijpen, want hij zegt verder niets meer. Pas als ze de koffie ophebben, vraagt hij: 'Gaat het weer een beetje?'

Judith knikt en staat op. Haar benen voelen nog een beetje slap, toch gaat het nu weer beter. Harm gooit de lege bekertjes weg en loopt dan naast haar de afdeling af en het ziekenhuis uit. Pas in de auto begint Judith weer te praten.

'Harm, ik schaam me zo.'

Harm kijkt verbaasd opzij, terwijl hij de wagen het grote parkeerterrein af rijdt.

'Schamen? Waarom?'

'Omdat ik zo zwak ben na het bezoek. In plaats dat ik jou tot steun ben, steun jij mij.'

'Nou, en wat zou dat? Mag ik voor jou ook eens iets betekenen, terwijl jij het dagelijks voor ons doet?'

'Daar wil ik het nu niet over hebben,' spreekt Judith hem onmiddellijk tegen. 'Het moet voor jou een zware gang zijn om iedere keer Marlies op te zoeken. En vanavond... ze nam duidelijk afscheid van mij. Om jou en haar wilde ik me beheersen, maar het doet me zo'n pijn.'

Nu komen de tranen alsnog.

'Kijk,' gaat ze huilend verder, 'dat bedoel ik nou. Ik ben bezig om het jou nog moeilijker te maken dan het al is. Alsof je al niet genoeg hebt uit te staan.'

Harm laveert de auto met een bocht opnieuw de parkeerplaats op en weet dichtbij een lege plek te bemachtigen. Meteen zet hij de motor af.

'Laat ik heel duidelijk tegen jou zijn, Judith. Jouw tranen laten mij zien hoeveel jij van Marlies bent gaan houden. En dat troost me op een vreemde manier. Je bent een vriendin voor haar geweest. Je hebt haar precies gegeven wat ze nodig had.'

Geweest... nodig had... Hij praat nu al in de verleden tijd.

Harm reikt haar een schone zakdoek en ze veegt haar ogen droog. De vraag van Marlies resoneert nog steeds door haar hoofd: 'Vertel Annemieke over Jezus, Judith. Help Harm daarbij...'

Ze zou het nu met Harm bespreekbaar willen maken. Hem willen vragen hoe hij daarover denkt. Ook hij zal Marlies nu niets kunnen weigeren. Hoewel dat natuurlijk niet de grondslag mag zijn. Hij moet het ook van zichzelf willen. En zij, Judith, kan het hem niet opdringen. Tijdens het bezoek heeft hij heel weinig gezegd. Er zal des te meer door zijn gedachten zijn gegaan. Dat weet ze zeker.

'Gaat het weer?' hoort ze hem naast zich vragen.

Ze knikt en hij start de motor opnieuw.

Wat is hij sterk, denkt ze verbaasd. Ze weet dat dit momenten zijn. Want ze heeft hem immers ook in zijn radeloosheid meegemaakt.

Ze zal haar best doen om wat Marlies haar heeft gevraagd, waar te maken.

Een grote, verantwoorde taak. Maar met Gods hulp zal het lukken.

Het duurt nog een week. Zeven dagen waarin Harm meer in het ziekenhuis is dan thuis. Hij ziet heel bleek en heeft kringen onder zijn ogen door gebrek aan slaap. Hij valt zichtbaar af en Judith ziet het met zorg aan.

Dit houdt hij niet lang meer vol, weet ze. Psychisch is dit zo intens zwaar.

Dagelijks bidt ze voor Marlies, Harm en Annemieke. En voor de ouders en de broers. Of zij de kracht mogen krijgen om dit te volbrengen.

Dan, op een middag, gaat de telefoon. Het is Harm.

'Judith, ik kom vanmiddag niet naar huis. Het is duidelijk dat Marlies… dat ze…' Stilte. Judith voelt hoe haar hart zwaar begint te bonzen. Ze hoort onderdrukte geluiden, dan komt Harms stem weer, zwaar van emotie.

'De dokter wil dat ik blijf. De familie is ook al gebeld en komt nu hierheen. Alleen… hoe moet het nu met Annemieke?'

'Maak je dáár geen zorgen over, Harm. Ik zorg voor haar.'

'Ik weet niet hoe laat ik terug ben. Het kan tot vannacht duren…'

'Ik haal straks voor alle zekerheid mijn spullen thuis die ik nodig zal hebben als ik hier moet blijven slapen. Met Annemieke komt het goed.'

'Gelukkig. Ik vertrouw haar jou toe. Dag Judith.'

'Dag Harm. Ik…' Wat moet ze hem nu zeggen? Wat voelt ze zich klein en machteloos. Een reactie wordt haar bespaard, want Harm heeft de telefoon al uitgedrukt.

Judith kijkt naar de klok. Tien voor twee. Annemieke is bij een vriendinnetje. Over een uurtje kan ze het meisje weer gaan halen. Vreemd is dat. Het leven gaat gewoon door, terwijl het voor haar gevoel volkomen stilstaat. Wat moet ze nu doen? Ze heeft nergens meer zin in. Lekker belangrijk om nu ramen te gaan zemen of boodschappen te gaan doen, terwijl Marlies… Ze durft niet verder te denken.

Judith doet het werk dat ze die dag moet doen. Ze fietst naar haar flat om spullen voor de nacht op te halen, haalt op de terugweg Annemieke op, gaat met haar om boodschappen en zorgt voor het eten. Ondertussen staat haar gehoor op scherp. Ze weet dat ze ieder uur van de dag opnieuw een telefoontje van Harm kan verwachten met het bericht dat Marlies is overleden. Een akelig woord als dat in verband wordt gebracht met Marlies. Een vriendin van wie ze is gaan houden.

Ze bijt op haar lip en snijdt bij het eten klaarmaken in haar vinger. Ook dat nog. Snel een pleister erop. Het doet gemeen pijn, maar dat is niet te vergelijken met de pijn die ze vanbinnen voelt.

Annemieke zit stil in een hoekje te spelen. Het is ongewoon dat ze zo lang achtereen haar mond weet te houden. Waarschijnlijk voelt ze de stemming haarscherp aan.

Judith weet niet wat ze tegen Annemieke over haar moeder moet zeggen. Met Harm heeft ze daar niets over afgesproken. Ze laat het maar even zo.

Annemieke is verrast als ze erachter komt dat Judith blijft eten. Maar er komt meteen een schaduw over haar gezichtje als blijkt dat ze zonder papa moet eten.

'Blijft papa vanavond bij mama?' vraagt ze. Haar grote, blauwe ogen kijken Judith vragend aan.

Judith knikt, terwijl ze het eten op Annemiekes bord schept. Voor het gemak heeft ze macaroni gemaakt, maar ze moet zichzelf bekennen dat ze helemaal geen trek heeft.

'Papa moet thuiskomen,' zegt Annemieke. 'Het is niks leuk zondel papa. En mama... wanneel komt mama nou?'

Judith schrikt van die vraag. Waarom moet Annemieke er uitgerekend nu over beginnen? Het snijdt door haar heen. Want wat moet ze tegen het kind zeggen? Ze wil haar geen verhaaltjes op de mouw spelden die niet waar zijn.

'Mama is heel erg ziek, Annemieke. En daarom is papa vanavond ook bij haar.'

Als ze klaar zijn met eten is het tijd om Annemieke naar bed te brengen. Het geeft ook Judith de nodige afleiding: tanden poetsen, voorlezen en zingen. Annemieke is het zingen niet gewend en gretig luistert ze naar wat Judith haar voorzingt: 'Ik ga slapen, ik ben moe. 'k Sluit mijn beide oogjes toe. Heere, houd ook deze nacht, over mij getrouw de wacht.'

In gedachten ziet Judith Harms ontstemde gezicht voor zich. Ze denkt aan het moment terug dat hij spontaan bij Marlies bed uit de Bijbel ging lezen. Zal hij nog steeds ontstemd zijn dat ze met Annemieke samen zingt en over de Heere Jezus vertelt? Zou zijn weerstand gebroken zijn? Ze hoort Marlies weer zeggen: 'Vertel Annemieke over Jezus, Judith. Help Harm daarbij...'

Ze zingt het kindergebedje nog eens voor en langzaam ziet ze Annemiekes ogen dichtgaan. Ze slaapt...

De avond is lang en stil. Regelmatig kijkt Judith naar de klok die langzaam de minuten wegtikt. Hoe zal het nu in het ziekenhuis zijn?

Haar mobiel gaat af. Ze schrikt ervan. Het blijkt Lieke te zijn en Judith voelt zich opgelucht dat ze zich bij haar vriendin uitspreken kan.

'En blijf je daar nu vannacht?' vraagt Lieke als Judith haar alles heeft verteld.

'Ik kan moeilijk het kind in de steek laten,' antwoordt Judith.

'Nee, dat begrijp ik. Maar je bent er al de hele dag geweest. Dit vergt veel te veel van je. Er is toch wel iemand anders...?'

'Ik waardeer je bezorgdheid, Liek,' valt Judith haar vriendin in de rede. 'Maar ik kan en ik wil niet anders. Mijn gevoel spreekt hier ook een woordje in mee.'

'Rustig maar, ik begrijp je wel,' sust Lieke. 'We hebben het hier al eerder over gehad. Als je maar niet over je eigen grenzen heen gaat. Wat zegt je leidinggevende hiervan?'

'Niets,' zegt Judith. 'Ze weet niet eens dat ik hier op zo'n ongewoon uur zit.'

'Misschien kun je dat beter verzwijgen voor haar, want ze zal het er vast niet mee eens zijn.'

'Er zijn wel belangrijker dingen dan me hier druk over maken,' vindt Judith. 'Als je het niet erg vindt ga ik nu weer hangen. Harm kan me ieder moment bellen.'

'Ik begrijp het. Als ik soms iets voor je doen kan?'

'Voorlopig niets. Ik ben blij dat ik met je heb kunnen praten.'

'Ik zal je morgenochtend weer bellen. Veel sterkte, Juut. Ik leef met je mee.'

Als het elf uur is geworden, besluit Judith om toch maar te gaan liggen. Ze blijft hier beneden op de bank liggen, dan merkt ze het als Harm thuiskomt.

Ze schrikt wakker als ze een sleutel in het slot hoort steken. Meteen zit ze recht overeind. Er klinken voetstappen in de gang, de kamerdeur gaat open en een lampje gaat aan. Judith moet knipperen tegen het felle licht. De klok slaat op dat moment vijf uur.

Ze kijkt naar Harm die daar staat in de deuropening. Zijn schouders gebogen, een smartelijke trek op zijn gezicht. Judith ziet het meteen. Hij hoeft niets meer te zeggen.

Ze staat op en kijkt hem met grote ogen aan.

'Marlies...?' Fluisterend komt de naam over haar lippen.

'Om halfvier is ze vredig ingeslapen, Judith,' zegt hij schor.

Judith kijkt hem aan. Wat moet ze zeggen? Ze heeft geen woorden voor dit grote verdriet.

Ze hoeft ook niets te zeggen, want Harm praat alweer verder. 'Gisterenavond om elf uur is ze in coma geraakt en dat heeft geduurd tot halfvier vannacht. Toen was het voorbij...'

De woorden blijven in de kamer hangen. Voorbij... Het klinkt zo akelig definitief.

Harm trekt zijn jas uit en loopt ermee naar de gang. Judith kijkt hem na. Ze is intens met hem begaan. Het moet verschrikkelijk zijn om je man of vrouw te verliezen van wie je zo veel gehouden hebt.

Zij heeft ook een verlies geleden, maar Leon leeft nog.

Harm komt weer binnen. Judith zou van alles willen weten. Hij heeft gezegd dat ze vredig is heengegaan. Vredig… Hoe moet ze dat opvatten? Hij heeft ook van Marlies' geestelijke strijd geweten. Hij stond er heel anders tegenover omdat hij, zoals hij zelf had gezegd, met God had afgedaan. Ze vindt het daarom moeilijk om hem daarover vragen te stellen. Maar wat zou ze het graag willen weten. In gedachten ziet ze opnieuw hoe Marlies worstelde met vragen en onzekerheden. Ze hoort opnieuw Marlies' stem tijdens een van haar bezoeken: 'De duivel plaagt me zo, Judith…'

En toen haar antwoord: 'Hij kan je niet zo fel en diep plagen, of God zal het toch van hem winnen. Want Hij is sterker dan de duivel.'

'Maar dit keer laat Hij hem wel winnen,' had Marlies onrustig gezegd: 'Ik heb het niet verdiend dat God het voor mij zal opnemen…'

Judith heeft er geen erg in dat er een stilte is gevallen tussen Harm en haar. Het hindert niet eens. Ze zijn beiden vol van één persoon: Marlies.

Haar blik gaat opnieuw naar Harm. Hij is gaan zitten, diep in elkaar gedoken alsof hij het koud heeft.

Ze slikt een brok in haar keel weg. Kon ze maar iets voor hem doen. Maar wat? Alles wat ze zou doen zou tekortschieten in het grote verdriet waarin hij weg lijkt te zinken.

Als hij steun zou zoeken bij God, zou het al iets verlichten. Ze heeft echter op dit moment geen idee hoe hij daar nu tegenover staat na alles wat er gebeurd is.

Dan begint hij opeens weer te praten.

'Gisterenavond was Marlies heel helder. Het was zo vreemd. Het was alsof alle verdrietige en pijnlijke trekken uit haar gezicht waren weggevaagd. Ze zag er zo vredig uit. En ik moest van haar nog iets tegen jou zeggen.'

'Ja?' Judith kijkt hem gespannen aan.

'Ja. Ik moest jou zeggen dat God het van de duivel gewonnen heeft…'

Hij verbergt zijn gezicht in zijn handen en droge snikken wringen zich los uit zijn borst.

'Dat zei ze nog,' herhaalt hij. 'Dat zei ze nog…'

14

Het wordt een vreemde, onwerkelijke week voor Judith. Als ze na die enerverende nacht in haar flat thuiskomt, heeft ze het gevoel dat ze in twee verschillende werelden leeft. De ene wereld is haar werk dat dit moment ook bij haar een dieptepunt heeft bereikt. De andere is haar privéleven waar alles doorgaat en die geen weet schijnt te hebben van diep verdriet. Ze voelt zich door en door moe.

Ze zal Dorien bellen om haar op de hoogte te brengen van het overlijden van Marlies. Ze moet er niet aan denken dat ze vandaag meteen in een ander gezin geplaatst zou worden.

Dorien blijkt inmiddels van het overlijden van Marlies op de hoogte te zijn gebracht. Ze is Judith net voor en vraagt haar naar kantoor te komen.

Als ze binnenkomt ziet ze Doriens ogen haar aandachtig opnemen.

'Ga zitten,' zegt ze. 'Je hebt zichtbaar boven je krachten gewerkt. Waarom heb je mij niet verteld dat het inmiddels een aflopende zaak was, Judith? Je bent de hele nacht bij de familie Ravestein in huis geweest. Dat was niet de afspraak. Wij hadden deze zorg aan iemand anders kunnen overlaten. Je kunt niet alles.'

Judith weet niet goed wat ze moet zeggen. Ze weet dat Dorien gelijk heeft. Maar ze kon niet anders.

'Wil je me erover vertellen?' vraagt Dorien.

Judith knikt. Ze is blij dat ze haar verhaal kwijt kan. Dorien stelt af en toe een vraag en laat Judith verder leeg praten. Dat doet haar goed.

Op de dag van de begrafenis houdt Dorien haar gezelschap. Judith is opgelucht dat ze niet alleen hoeft te gaan. Ze is begaan met Harm, die met gebogen hoofd achter de baar loopt.

Als ze rondom het geopende graf staan en de kist zakt, kan ze tussen de mensen door Harm net zien staan. Ze slikt en haar keel doet pijn van ingehouden tranen. De stem van Marlies klinkt zo duidelijk in haar oren. Haar gezicht staat op haar netvlies gebrand. Ze is blij dat er een dominee bij het graf staat die een ernstig, maar ook een troostvol woord tot de aanwezigen spreekt. Het was de laatste wens van Marlies om een dominee bij haar graf te hebben, dezelfde man die door haar ouders was gevraagd om haar in het laatste deel van haar leven bij te staan.

Psalm 130 wordt op het graf gezongen en dat grijpt Judith erg aan. Ze kan de laatste woorden niet meezingen, maar het bemoedigt

en troost haar.
Maar neen, daar is vergeving, altijd bij U geweest;
dies wordt Gij, Heer, met beving, recht kinderlijk gevreesd.

Diezelfde week heeft Judith opnieuw een gesprek met Dorien. Natuurlijk komt het onderwerp weer snel op het overlijden van Marlies. Judith kan erover blijven praten. Ze voelt de ogen van Dorien meelevend en tegelijk taxerend op zich gericht.

'Je hebt daar heel veel meegemaakt,' zegt ze uiteindelijk. 'Ik ben blij dat je het aankon, want het was niet altijd even gemakkelijk. Zeker niet als je zelf in de privésfeer ook het een en ander hebt meegemaakt. Ik zal je daar nog een poosje in dat gezin laten om het dan langzamerhand af te gaan bouwen.'

Judith maakt een schrikbeweging. 'Afbouwen? Die man kan toch niet zonder hulp? Hij heeft ook nog een dochtertje.'

'Dat weet ik. Toch kun je daar niet blijven, Judith. We bieden hulp aan gezinnen waar de moeder het niet aankan of door ziekte niet voor haar gezin kan zorgen. En daar is hier geen sprake meer van.'

Judith kijkt Dorien verbijsterd aan. 'Er is in dit gezin helemaal geen moeder meer.'

'In dat geval zullen ze het met familie moeten oplossen. Ik zie dat je het niet met me eens bent, maar zo zijn de regels hier. Er zijn zo veel hulpaanvragen dat er een wachtlijst is. De urgente gezinnen gaan voor.'

'Dit is een urgent gezin,' zegt Judith met klem.

'Je begrijpt me niet, Judith. Als er geen ziekte in het gezin is, zullen we het moeten overdragen aan de mantelzorg. Dat is niet anders en die zorg zullen ze ongetwijfeld krijgen.'

Judith schudt haar hoofd. Verontwaardiging borrelt in haar op. Dit is zo oneerlijk. Het zal vast allemaal met bezuinigingen te maken hebben. Het tekort aan geld moet ten koste gaan van de hulpvoorziening.

'Je bent je te veel aan dat gezin gaan hechten,' merkt Dorien op. 'Ik hoor hoe je begaan bent met de vader en het kind. Ik begrijp het heel goed. Toch moet je je gevoel niet de boventoon laten voeren, want er zijn meer mensen die net zo hard hulp nodig hebben. Er zijn zulke schrijnende gevallen onder.'

'Daar twijfel ik niet aan,' zegt Judith. 'Maar ik kan het niet over mijn hart verkrijgen om tegen Harm te zeggen dat hij naar andere hulp moet uitzien. Zijn vrouw is enkele dagen geleden overleden!'

'Dat hoef je ook niet te zeggen. Daar zullen wij zorg voor dragen. We zullen daarvoor een gepast moment afwachten. Natuurlijk niet

meteen. En je hoeft er niet gelijk weg. We bouwen het langzaam af.'
'Annemieke is zich aan mij gaan hechten.'
'En jij aan haar.'
'Ja, ik kan het ook niet helpen dat ik gevoel heb.' Het moet spottend
klinken, maar de verdrietige toon die erin ligt lijkt de ander te raken.
'Ik begrijp hoe lastig het is,' herhaalt Dorien. 'Nogmaals, Judith, ik
kan niet anders. Dat is de gevoelige kant van dit werk.'
Als Judith wat later weer naar huis fietst, voelt ze zich onbegrepen.
Maar vooral diepverontwaardigd en heel erg verdrietig.

De eerstvolgende weken lijken hetzelfde als die daaraan vooraf zijn
gegaan. Annemiekes vierde verjaardag wordt sober herdacht. Het meisje protesteert daar niet eens over, ze lijkt te begrijpen dat dit geen tijd
voor feestvieren is. Judith wast en strijkt, kookt en houdt alles schoon.
Ze brengt Annemieke naar de basisschool die ze sinds haar verjaardag
bezoekt en haalt haar ook weer op. Ze luistert naar de verhalen die ze
over school heeft en oefent met haar de versjes die ze leert. Ze troost
haar als ze is gevallen en zingt en speelt met haar. En toch… toch is het
anders.
Judith voelt de lege plaats van Marlies, al heeft ze haar nooit hier in
huis meegemaakt. Dat ze het werk hier af moet bouwen is iets waar ze
helemaal nog niet aan wil denken. Ze voelt dat ze hier nodig is.
Harm gaat stil zijn gang. Annemieke is wispelturig. Soms is ze vrolijk en speelt ze. En opeens kan ze veranderen in een driftig kind dat
alles op alles zet om haar zin te krijgen. Judith heeft haar niet eerder op
deze manier meegemaakt. Annemieke krijst, stampvoet en gooit met
spullen door de kamer. Wat Judith ook probeert, ze krijgt het kind niet
rustig. Op dat moment wenste ze een boekje te hebben waarin alles precies staat hoe ze hiermee om moet gaan. Helaas zal ze het op eigen
gevoel moeten doen. Dan toch maar uit laten razen?
Ze laat het kind in de woonkamer en doet de deur dicht. In de keuken heeft ze nog genoeg te doen.
Na tien minuten wordt het eindelijk stil. Judith houdt haar oren
gespitst. Ze wacht nog even af. Dan houdt ze het in de keuken niet
meer uit. Ze loopt naar de kamer en vindt Annemieke in een hoekje zielig zitten snikken. Judiths hart smelt.
Ze tilt het meisje op en loopt met haar naar de bank. Daar gaat ze
zitten met Annemieke op schoot. Ze voelt het lijfje trillen, het schokt
steeds op bij iedere snik. Judith streelt de blonde krullen en houdt het
kind dicht tegen zich aan. Eindelijk bedaart het meisje iets.

'Kun je mij vertellen wat er is, Annemieke?'

Het blijft nog even stil. Dan een smartelijke kreet: 'Mama moet terugkomen.'

Judith kan het niet helpen dat ook bij haar de tranen in de ogen schieten. Ze voelt zich machteloos. Hoe moet ze dit moederloze kind troosten? Nu begrijpt ze ook waarom Annemieke driftig werd. Het was duidelijk een uiting van onmacht en frustratie. Natuurlijk mist ze haar moeder. Ze weet dat Harm het kind alles eerlijk en open heeft verteld. Ze heeft zelfs haar moeder nog gezien.

'Ze slaapt nu, hè papa? Maar ze wordt weer wakker, hoor,' had ze gezegd. Hoe Harm daarop heeft gereageerd, weet Judith niet. Hij heeft haar niet alles verteld.

Zacht en kalmerend begint Judith te praten. Ze probeert uit te leggen dat haar mama bij de Heere in de hemel is. Dat ze daar weer wakker is geworden en heel blij is.

Ze hoopt dat Annemieke haar woorden een beetje zal begrijpen. Ze is inmiddels rustiger geworden en heeft haar duim in haar mond gestoken. Haar hoofdje leunt vertrouwelijk tegen Judiths schouder aan.

Zo vindt Harm hen. Zijn gezicht verraadt niets, maar Judith weet dat er des te meer in hem omgaat.

'Annemieke was verdrietig,' zegt ze. 'En ik heb haar getroost.' Meer niet.

Annemieke laat zich van Judiths schoot af glijden en rent naar haar vader. Harm tilt haar op en houdt haar dicht tegen zich aan.

Even later laat Annemieke zich weer uit haar vaders armen glijden en ze loopt terug naar de poppen waar ze mee speelde voordat het verdriet haar overmande.

Het duurt niet lang of Annemieke zingt voor haar pop. Het ontroert Judith meer dan ze zeggen kan. Zo is een kind, denkt ze. Het ene moment volslagen overstuur, om het volgende moment weer te zingen en te lachen.

'Ga maar slapen, hoor,' horen Judith en Harm haar zeggen. 'Ik zal goed op jullie passen. En als ik in slaap val, dan word ik weer wakker.'

Harm kijkt haar vragend aan. Dan vertelt Judith op fluistertoon wat er zojuist is gepasseerd. Ze ziet de pijn in zijn ogen komen. Had ze moeten zwijgen?

'Bedankt dat jij haar zo goed hebt opgevangen,' zegt hij na een lange stilte.

'Nou… goed opgevangen…' zegt ze aarzelend.

'Je was er voor haar,' houdt hij aan. 'En dat is het belangrijkste.'
Als ze wat later in de keuken bezig is, staat Harm ineens achter haar.
'Ik heb iets voor je,' zegt hij.
Ze draait zich om en ziet dat hij een map in zijn handen houdt. Ze herkent hem meteen. Het is de map waarin ze iedere dag een verslag van Annemieke heeft bijgevoegd. Voor Marlies.
'Voor Marlies heeft dit heel veel waarde gehad,' zegt hij. 'Ik wil graag de verslagen van Annemieke weer aan je teruggeven. Je hebt er recht op, want het is je eigen werk.'
Judith schudt haar hoofd.
'Nee Harm. Die map moet voor jou heel veel waarde hebben. Houd hem maar.'
'Je weet het zeker?'
Ze ziet verrassing in zijn ogen en ze weet dat het goed is dat zijzelf er afstand van doet.
'Heel zeker.'
'Je doet me er een groot plezier mee. Dank je wel, Judith.'

Het is ongeveer een maand later als Harm haar vertelt dat hij een bezoekje heeft gekregen van Dorien, de leidinggevende van de gezinszorg.
Judith voelt haar hart bonzen, want ze weet meteen wat dit bezoekje betekent. Alles binnen in haar verzet zich ertegen.
'Je wist het, hè?' vraagt Harm. 'Jij wist dat je hier weg moet.'
Judith knikt. 'Ik ben het absoluut niet met de gang van zaken eens. Daar heb ik bij de leidinggevende geen doekjes om gewonden. Nu Marlies er niet meer is, zou het betekenen dat de hulpvraag daarmee ook verdwenen is. Ze had het meteen over mantelzorg...'
'Ze hebben gelijk,' hoort ze Harm tot haar verbazing zeggen. 'Ik wil jou niet in je vrijheid beknotten, Judith. En dat gevoel krijg ik steeds meer.'
'Het is mijn werk!'
'Ja, het is jouw werk,' beaamt hij. 'Maar jij geeft je meer dan honderd procent. Begrijp me niet verkeerd, ik waardeer het bijzonder dat jij je zo hebt ingezet voor ons gezinnetje. Ik zou niet weten wat ik in de achterliggende tijd zonder jou had moeten beginnen. Je was er op alle tijden van de dag en zelfs 's nachts.'
'Dat brachten de omstandigheden met zich mee. Ik kon Annemieke toch niet in de steek laten? En Marlies was een vriendin voor me geworden.'

'Juist daaróm,' houdt Harm vol. 'Je bent zo intensief met ons gezinnetje bezig geweest, dat jij jezelf ervoor wegcijferde. Je hebt zelf ook een nare ervaring achter de rug en toen kwam je hier in al het verdriet. Wordt het dan niet eens tijd dat je aan jezelf gaat denken?' Judith kijkt naar de man tegenover haar. Wat is die man sterk! In al zijn verdriet en gemis denkt hij nu aan haar belangen. En tegelijk doet het haar pijn. Want ze wil hier niet weg.

'Ik moet toch werken,' zegt ze. 'En of ik nu hier blijf of in een ander gezin kom, dat is wat dat betreft om het even.'

'Het gaat erom dat jij je bakens moet verzetten.'

'Maar Annemieke dan?'

Annemieke...

Judith sluit een moment haar ogen. Ze kan dit alles niet missen en toch zal ze moeten. Ze weet het. Het is een groot zwak van haar om zich te veel aan mensen te hechten...

'Zullen we dit onderwerp voor dit moment verder laten rusten?' stelt Harm voor. 'Je bent nog niet weg en als het zover is, zullen we verder zien.'

Dan gaat hij naar de kamer om zich met zijn dochtertje bezig te houden.

En Judith... Zij voelt zich op een vreemde manier afgewezen.

De eerstvolgende weken verandert er nog niet veel. In Judith komt een stille hoop dat Dorien op haar besluit is teruggekomen en het voorlopig zo zal laten. De winter is inmiddels in het land en brengt heel veel sneeuw met zich mee. De slee wordt tevoorschijn gehaald. Judith is veel met Annemieke buiten en het kind geniet van deze winterpret. En Judith geniet op haar beurt weer van Annemieke.

De feestdagen komen met de nodige drukte en gezelligheid. Andere jaren kon ze ervan genieten. Nu merkt ze dat het anders is geworden. De betrekkelijkheid van het leven heeft een stempel op haar gedrukt. Er is dit jaar te veel gebeurd. Het heeft tijd nodig om dit alles een plekje te kunnen geven.

Judith merkt aan Harm dat hij steeds stiller wordt naarmate oud en nieuw dichterbij komen. Ze begrijpt het. De pijn en het gemis van Marlies zal des te sterker zijn als het nieuwe jaar zich in zal luiden. Alles zonder Marlies.

En zij zal zonder Leon het nieuwe jaar in moeten gaan. Het zou haar ook pijn moeten doen, maar behalve dat het haar spijt dat het zo gelopen is, voelt ze er verder niets meer bij. Het lucht haar enerzijds op.

Anderzijds vraagt ze zich af of dit normaal is. Ze heeft toch intens veel van hem gehouden? Is het mogelijk dat liefde volkomen verdwijnt? Het zou kunnen doordat haar vertrouwen in hem volledig geknakt is. Hij heeft haar intens pijn gedaan. En ze heeft hem al maandenlang niet meer gezien. Zou het anders zijn als ze Leon weer zou zien en spreken? Ze zou hem moeten bezoeken om zichzelf daarin te toetsen. Ze drukt die gedachte meteen weer weg. Ze wil er niet aan denken. Voor zichzelf heeft ze er een dikke streep onder gezet. Ze wil zich met andere dingen bezighouden.

Het geeft haar de nodige afleiding als Lieke bij haar in de flat trekt. Ze is sinds kort gediplomeerd en werkt nu in het ziekenhuis in een nabijgelegen stad. Judith vindt het gezellig en vooral ook heerlijk als ze 's avonds met iemand praten kan. Eigen schuld, verwijt ze meteen zichzelf. Er zijn mogelijkheden genoeg om iemand uit te nodigen of te bezoeken. Ze zou misschien wat vaker naar haar ouders moeten gaan. Hoewel, daar is ze vorige week nog geweest.

Nee, ze heeft er geen spijt van dat ze op zichzelf is gaan wonen. Maar dat ze nu niet langer meer alleen is, heeft toch iets extra's.

Het jaar is nog maar net enkele weken oud, als Judith opnieuw een gesprek heeft met Dorien. Haar stille hoop dat Dorien haar voorstel vergeten is, vervliegt daarmee totaal.

'Ik had al eerder aangegeven dat je in het gezin Ravestein moest gaan afbouwen,' opent ze meteen het gesprek. 'Het leek mij verstandig dat je daar nog zou blijven tot na de jaarwisseling. Met dit nieuwe jaar heb ik meteen een nieuwe planning gemaakt, Judith. Vanaf volgende week ga je drie hele dagen naar meneer Ravestein. De komende tijd zullen we daar van lieverlee een dagdeel van afhalen.'

Judith voelt vanbinnen iets steigeren. Dus toch. Ze wil daar niet weg, maar ze beseft dat ze hiertegen weinig in te brengen heeft.

'Meneer Ravestein is er inmiddels van op de hoogte,' hoort ze Dorien verdergaan. 'Ik heb hier nieuwe adressen voor je, waar je voortaan dinsdag en donderdag naartoe zult gaan.'

Even later loopt Judith weer naar buiten. Haar stemming is tot ver beneden het nulpunt gedaald.

Als ze de week daarop naar de twee andere adressen gaat, wordt haar meteen duidelijk dat het heel iets anders is dan ze tot nog toe gewend is. Op beide adressen wonen hoogbejaarde mensen die weinig huishoudelijk werk meer kunnen verrichten.

Judith mist de zorg voor een kind. Het heen en weer brengen van en naar school. Het koken, want dat wordt bij beide mensen door 'tafeltje-dek-je' bezorgd. De was wordt door de kinderen gedaan. Dus blijven alleen de schoonmaakwerkzaamheden over. Er is daardoor weinig variatie. Ze is blij dat deze dagen afgewisseld worden door haar werk bij de familie Ravestein. Voor zolang dat duurt.

Judith heeft inmiddels begrepen dat de moeder van Marlies op de dagen dat zij er niet is, alle voorkomende werkzaamheden doet. Het voordeel van Harms werk is, dat hij Annemieke steeds mee kan nemen naar school en weer terug naar huis. Al moet ze regelmatig wachten omdat Harm nog het een en ander te doen heeft na kwart over drie. Soms wordt ze door haar oma opgehaald.

De weken glijden in elkaar over tot maanden. Van tijd tot tijd wordt er een dagdeel afgenomen en Judith wil niet aan het moment denken dat ze helemaal niet meer hoeft te komen.

Annemieke heeft inmiddels ook begrepen dat 'tante Judith' weggaat en heeft hete tranen gehuild. Het kostte Judith de nodige zelfbeheersing om zich goed te houden. Het liefst had ze met het kind meegedaan.

Het voorjaar breekt aan en Judith komt met een schok tot het besef dat het een jaar geleden is dat ze met Leon zou trouwen. Een jaar geleden alweer! Wat is de tijd snel gegaan. En wat is er ondertussen veel gebeurd.

Judith houdt van het voorjaar. Na de koude winter is het een periode vol van beloften in de natuur. Alles komt weer tot leven. Zou dat bij haar ook zo zijn? Een dikke streep onder Leon. Een dikke streep onder de familie Ravestein. En zij moet verder. Zouden er voor haar ook nieuwe kansen zijn? Haar taak hier is bijna klaar.

Haar gedachten gaan naar Marlies. Een vriendin voor een zeer korte periode in haar leven, maar niet weg te wissen. Ze heeft een diepe indruk bij Judith nagelaten.

Met een schok komt Judith overeind. Ineens herinnert ze zich iets. En het maakt haar meteen diepbeschaamd.

Ze hoort het Marlies opnieuw vragen: 'Vertel Annemieke over Jezus, Judith. Help Harm daarbij…'

Ze heeft Annemieke veel geleerd over de Bijbel. Ze heeft versjes met haar gezongen en voorgelezen uit de kinderbijbel. Alles onder het toeziend oog van Harm. Maar hoe denkt hij er verder over? Ze heeft hem na de dood van Marlies nooit goed kunnen peilen. Hij was over deze zaken zo gesloten als een oester.

Heeft ze werkelijk waargemaakt wat Marlies haar had gevraagd?

Ze voelt zich er flink in tekortgeschoten. En nu gaat ze hier weg. Hoe zal ze haar belofte aan Marlies in de toekomst waar kunnen maken?

Judith gaat verder met haar bezigheden. Ondertussen houden deze laatste gedachten haar de rest van de dag bezig.

15

Een enorme bos bloemen, een tekening van Annemieke en een boe-
kenbon. Dat zijn de afscheidcadeaus die Judith op de laatste dag bij de
familie Ravestein in ontvangst mag nemen. Het is haar vreemd te
moede. De plek hier is haar vertrouwd geworden. Nu moet ze er
afstand van nemen.

'Je gaat toch nog niet direct weg?' vraagt Harm als zij in de deuropening staat met haar jas over haar arm. 'Eerst nog koffie. Ik ben
zojuist naar de bakker geweest en je zult toch echt moeten helpen om
het op te maken.'

Judith glimlacht. Haar jas gaat weer aan de kapstok en ze loopt al
naar de keuken om voor de koffie te zorgen. Maar dat is tegen Harms
zin. Met zachte dwang duwt hij haar terug naar de kamer.

'Nu laat jij je maar eens bedienen,' zegt hij.

Ze hoort hem daarna rommelen in de keuken. Annemieke is dicht bij
haar komen zitten. Ze heeft het zichtbaar moeilijk met het afscheid.
Dat maakt het voor Judith er niet gemakkelijker op.

Even later komt Harm terug met twee mokken koffie, een bekertje
drinken voor Annemieke en voor ieder een slagroomgebakje.

Er komt voor het eerst een waterig lachje op Annemiekes gezichtje.

'Het lijkt wel feest,' zegt ze.

Judith voelt zich verre van feestelijk, maar houdt deze gedachte wij-
selijk voor zich. Ze geniet, ondanks alles, toch wel van het heerlijke
gebakje, dat Harm met zorg bij de bakker heeft uitgezocht. Annemiekes
gezicht komt helemaal onder de slagroom te zitten, maar dat mag de
pret niet drukken.

Wat zal ik dit missen, denkt Judith. Wat zal ik dit ontzettend missen.

'Volgende week is het voorjaarsvakantie en dan ga ik met Annemieke
een weekje ertussenuit,' hoort ze Harm ineens zeggen. 'Ik wil graag
even afstand nemen van alles. Onze vakantiebestemming is Ameland.
Daar ben ik met Marlies ook enkele keren naartoe geweest.'

Judith knikt. Haar gedachten staan ondertussen niet stil. Zou hij op
dat eiland iets van Marlies terug willen vinden? En dan samen met
Annemieke… Hij zal een week lang niet van gedachten kunnen wisselen met iemand van zijn eigen leeftijd. Juist dát zal hij zo nodig hebben.

Ze past er echter voor om deze gedachten uit te spreken.

'Ik hoop er tot rust te kunnen komen en na te kunnen denken,' licht hij haar verder toe. 'Misschien kom ik met een illusie armer thuis. Misschien zal ik daar plannen kunnen maken hoe ik het verder aan moet gaan pakken in de toekomst.'

Annemieke heeft haar gebakje inmiddels op en staat op. 'Ik ga nog even schommelen. U blijft toch nog wel even, tante Judith? U mag niet zomaar weggaan.'

Judith glimlacht. Sinds Annemieke op de basisschool zit, is ze opmerkelijk goed gaan praten. Ze stelt het kind gerust en Annemieke haast zich naar buiten naar haar schommel. Judith kijkt haar na.

Dan hoort ze Harm vragen: 'Je laat ons toch niet helemaal in de steek, hè?'

Verward kijkt ze hem aan. 'Hoe bedoel je dat?'

'Heel eenvoudig: dat je af en toe eens aankomt. Even je gezicht laten zien. Annemieke heeft het er moeilijk mee dat je weggaat.'

'Ik ook,' laat ze zich ontvallen.

Het blijft een ogenblik stil in de kamer.

'Misschien is het voor alles beter,' zegt Harm dan zacht.

'Ik begrijp je niet.'

'We hebben het er al eens eerder over gehad, Judith. Het is goed dat jij je bakens eens verzet. Ik vind het ook jammer, daar zal ik eerlijk in zijn. Maar jij moet ook weer nieuwe kansen krijgen.'

Judith denkt aan de andere adressen waar ze inmiddels alweer een poosje werkt. Adressen die haar weinig uitdaging bieden. Stiller, minder variatie en geen zorg voor kinderen.

Nieuwe kansen... Harm weet niet wat hij zegt.

'Denk je genoeg hulp te hebben, als je na de vakantie weer terug bent?' vraagt ze.

'Mijn schoonmoeder zal vaker komen. En ik zal verder zien hoe het zal gaan lopen. Het scheelt dat Annemieke hele dagen naar school gaat, behalve de woensdag- en de eerste jaren de vrijdagmiddag. Vrijdagmiddags mag ze naar mijn schoonmoeder, en de woensdagmiddag ben ik zelf altijd thuis.'

Judith knikt. Ze redden het wel zonder haar. Het doet pijn, ze kan het niet helpen.

Even later neemt ze met een stevige handdruk afscheid van Harm. Met de belofte dat ze nog regelmatig langskomt, gaat ze de keukendeur door naar buiten. Ze ziet zichzelf voor het eerst hier weer staan. Marlies' moeder bij het aanrecht, Annemieke met haar duplo in de keuken. Voorbij...

Dan komt het moment dat Judith ook van Annemieke afscheid moet nemen. Het meisje is van haar schommel af gegleden en klemt zich aan Judith vast.

'Ik wil niet dat u weggaat, tante Judith,' huilt ze. 'Waarom gaan jullie toch allemaal bij mij weg?'

Het snijdt door Judith heen en ze heeft het gevoel alsof zij degene is die dit afscheid geregeld heeft.

'Je gaat met papa bijna op vakantie,' zegt ze. 'En als je terugkomt, dan mag jij een keer bij mij komen. Dan gaan we samen pannenkoeken bakken. Afgesproken?'

Er breekt meteen een glimlach door op het betraande gezichtje. 'Ja, dat is leuk. En mag papa dan ook meekomen?'

Over het hoofdje van het meisje heen kijkt ze naar de vader. 'Als papa dat ook wil?'

'Papa neemt de uitnodiging met plezier aan,' reageert Harm meteen.

En dat maakt het afscheid van Judith voor alle drie opeens heel licht.

Het wordt vreemd stil rond Judith, nu ze definitief bij Harm weg is. Ze ervaart het als een leegte. Met Lieke kan ze hier gelukkig goed over praten.

Ze probeert het plezier van haar werk terug te krijgen in de adressen die ze nu dagelijks aandoet. Het valt haar tegen. De voldoening die ze bij de familie Ravestein voelde, heeft ze nu in veel mindere mate. Haar huidige werk prikkelt tot meer. Ze vindt het jammer dat ze geen nieuw gezin erbij gekregen heeft. Als ze er Dorien ernaar vraagt, zegt deze dat zij het niet helpen kan.

'Er is veel vraag voor hulp bij bejaarden,' legt ze uit. 'Dat komt door de vergrijzing en de lange wachtlijsten voor verzorgingshuizen. Gezinnen zijn ver in de minderheid. Maar zodra ik iets voor je heb, ben jij de eerste die daarnaartoe mag.'

Judith stelt zich tevreden met dit antwoord. De dagen vloeien in elkaar over tot eenzelfde rij van werkzaamheden, afgewisseld door avonden waarop ze met Lieke gezellige dingen kan doen.

Dan wordt opeens de sleur van alledag verbroken. Want tot haar verrassing staat onverwachts Roelien voor haar deur.

'Mag ik even binnenkomen?' vraagt ze.

'Natuurlijk.' Judith doet de deur uitnodigend verder open.

Even later zitten ze tegenover elkaar en tasten elkaars gezicht af. Judith herinnert zich het moment waarop Roelien met schaamte heeft toegegeven dat ze samen met haar moeder te veel de hand boven Leons hoofd heeft gehouden. Dat was toen ze voor de ingang van de gevangenis stonden. Dat afschuwelijke moment vergeet Judith nooit meer. En later is Roelien nog eens bij haar op de flat geweest. Toen had ze allerlei vragen gesteld die, zo bleek al snel, door haar broer waren ingegeven. Zou ze opnieuw door Leon gestuurd zijn?

'Hoe gaat het met je?' hoort ze Roelien vragen.

'Goed,' antwoord Judith kort. 'En met jou?'

Op de een of andere manier komt het gesprek niet goed op gang en Judith vraagt zich af met welk doel Roelien hierheen gekomen is. Want dat ze niet zomaar op de koffie komt, gelooft ze niet.

Na een stilte komt eindelijk de aap uit de mouw.

'Mijn moeder en ik zijn gisteren bij Leon op bezoek geweest,' begint Roelien. 'Hij heeft jou een tijdje terug terug een brief geschreven...'

Judith zet met een harde klap haar lege mok terug op de tafel. Ze betrapt zichzelf erop dat die brief op de achtergrond van haar gedachten is geraakt. Ze was te veel betrokken geweest bij de zorgen van de familie Ravestein. Bovendien heeft ze kortgeleden een dikke streep getrokken onder de geschiedenis Leon.

'Ja, ik herinner het me...' geeft ze ongewild toe.

'Leon vroeg zich af of jij die brief hebt ontvangen en zo ja, waarom hij geen antwoord heeft gekregen.'

Er volgt een stilte. Judiths gedachten buitelen over elkaar heen. Zoals Roelien het zegt, is het alsof Leon nog ergens recht op heeft. Dat heeft hij inmiddels verspeeld. De dag voordat ze zouden trouwen.

Voordat Judith kan reageren, merkt Roelien verder op: 'Hij maakt zich ongerust.'

'Ongerust?' herhaalt Judith. 'Wat voor reden heeft hij om zich over het uitblijven van mijn antwoord ongerust te maken? Ik dacht dat het voor hem wel duidelijk was dat het over en uit is.'

'Hij heeft nog hoop.'

'Waar baseert hij dat op? En waarom stuurt hij jou eropuit?'

Roelien haalt haar schouders op. 'Hij kan immers niet anders. Hij heeft gedaan wat hij kon. Een brief schrijven. En omdat jij niet reageerde heeft hij aan mij gevraagd jou eens te polsen.'

Judith kijkt Roelien met iets van medelijden aan. Om zo aan de leiband van je broer te moeten lopen. Het is alsof het allemaal steeds helderder voor haar wordt. Leon is niet de geschikte man voor haar. En nu kan ze alleen maar opgelucht zijn dat ze op tijd de dans is ontsprongen.

'Hij heeft graag dat jij hem een keer opzoekt.'

'In de gevangenis?'

'Ja, waar anders?'

Judith geeft niet direct antwoord. Ze denkt terug aan het moment dat ze heeft overwogen hem nog een keer te zien en te spreken. Om haar gevoelens voor hem te toetsen. Doordat ze diep in hem teleurgesteld is, is haar liefde voor hem flink bekoeld. Voor haar gevoel is het voorbij. Maar ze weet het pas echt zeker als ze hem zal zien en spreken.

'Ik zal hem een keer bezoeken,' zegt ze dan ineens vastberaden.

Ze ziet de verrassing over Roeliens gezicht glijden. Het is duidelijk dat ze dit niet van Judith heeft verwacht.

Als ze er die avond met Lieke over spreekt, is deze van mening dat het misschien goed is om een confrontatie met Leon aan te gaan.

'Dan ben je er vrijwel zeker van dat het voorbij is,' zegt ze. 'En kun je definitief alles met Leon afsluiten. Zal ik met je meegaan?'

Judith schudt haar hoofd. 'Nee, ik moet dit alleen doen.'

'Ik ben niet van plan om je gezelschap te houden tijdens het bezoek,' zegt Lieke. 'Alleen ernaartoe en weer terug. Als een soort morele steun, begrijp je?'

'Ik begrijp het en ik waardeer het bijzonder van je. Toch ga ik alleen.'

Lieke knikt. 'Ik vind je heel dapper. En ik hoop dat het wat voor je oplevert.'

'Ik ook,' zegt Judith kort.

Als het eenmaal zover is, is Judith heel zenuwachtig. Toch zet ze door. Ze laveert de auto die ze kortgeleden aangeschaft heeft door het drukke verkeer en doet haar uiterste best om zich niet door haar gedachten af te laten leiden.

Voordat ze de gevangenis binnenkomt, wordt ze gefouilleerd en gecontroleerd op papieren. Ze moet zich legitimeren. Het is een heel ritueel en het maakt Judith nog meer gespannen dan ze al is. Ze mag niets van metaal bij zich hebben en haar sleutels en tas moet ze achterlaten bij de portier. Ook al heeft ze hier begrip voor, ze vindt het een heel gedoe.

Een bewaker loopt met haar mee en ze voelt haar hart in haar keel bonzen. Een heel jaar heeft ze Leon niet meer gezien. Naar haar gevoel is dat jaar omgevlogen. Maar als ze eraan denkt dat er tussen de laatste ontmoeting en dit moment een jaar zit, lijkt het haar weer heel lang.

Ze had vorig jaar eens moeten weten waar hun volgende ontmoeting plaats zou vinden. Dit is zo bizar!

Dan komt ze in een ruimte waar enkele tafels en stoelen staan. Voor het eerst na een jaar ziet ze Leon. Haastig schiet hij overeind als hij haar in het oog krijgt en hij snelt op haar toe. Onwennig staan ze tegenover elkaar. Judith ziet hoe hij is afgevallen en hij lijkt jaren ouder geworden. Zijn haar is in korte stekeltjes geknipt en ze ziet aan het knipperen van zijn ogen dat hij net zo gespannen is als zij.

Even lijkt hij te aarzelen wat hij zal doen, maar dan steekt hij zijn hand uit. Judith weet niet anders te doen dan de hare in de zijne te leggen. Het is alsof ze vreemden voor elkaar geworden zijn.

Leon gaat haar voor naar een lege tafel en schuift een stoel voor haar aan. Het valt Judith op dat de bewaker in de buurt blijft, al is het op gepaste afstand. Dat het zo ver moet komen!

De eerste minuten tasten ze elkaars gezicht af en weten beiden niet goed hoe ze een gesprek op gang moeten brengen.

Leon begint. 'Ik ben zo blij dat je toch gekomen bent. Ik had dit niet meer durven hopen.'

Judith knikt. 'Ik was het eerst niet van plan.'

'Je bent er toch.'

'Ja.'

Er valt een stilte. De eerste zinnen lopen stroef en Judith vraagt zich wanhopig af hoe dit kwartier zich verder opvullen zal. De klik is weg tussen hen. Ze voelt het.

Is dit de Leon op wie ze ooit verliefd is geworden? Met wie ze zelfs getrouwd zou zijn geweest, als dit afschuwelijke er niet tussen gekomen was?

Het enige wat ze nog voelt is een vaag medelijden. Verder niet.

'Waarom ben je dan toch gekomen?' hoort ze hem vragen.

'Omdat jij het me had gevraagd. En omdat ik zekerheid wilde hebben,' antwoordt ze.

'Zekerheid?'

'Ja. Hoe het verder zal gaan tussen ons. Ik was volslagen kapot. Het vertrouwen was weg. En de liefde verdween ook naarmate de tijd verstreek.'

'Dat kwam omdat wij elkaar niet meer zagen, Judith. Er is te veel gebeurd. Maar het kan weer terugkomen.'

'Nee.'

'Niet?'

'Hoe zal ik jou ooit weer kunnen vertrouwen? Je hebt er geen idee van wat er door me heen ging toen ik van jou die brief kreeg vlak voor onze trouwdag. Alles was geregeld. Ik dacht met jou een prachtige toekomst te beginnen. En dan gebeurt er zoiets. Ik zat tussen de brokstukken.'

'Ik ook, Judith. Ik ook. Wat jij voelde, voelde ik ook. Met dit verschil dat het mijn eigen, stomme schuld was. Jij kon er niets aan doen. Jou overkwam het. Ik begrijp dat je vertrouwen verdwenen is. Toch zou ik zo graag zien dat we opnieuw iets op zouden kunnen bouwen.'

Judith schudt haar hoofd. Moet ze hier nog langer blijven zitten? Voor haar is het inmiddels helemaal duidelijk: ook nu ze Leon gezien en gesproken heeft, verandert er in haar mening niets. De dikke streep die ze onder dit alles heeft gezet, zal niet verdwijnen. Het is echt voorbij.

Als ze dit aan Leon duidelijk probeert te maken, ziet ze de teleurstelling over zijn gezicht glijden.

'Het heeft tijd nodig, Judith,' gaat hij ertegenin. 'We zijn allebei door de gebeurtenissen beschadigd. Dat is niet in enkele maanden opgelost. Voorlopig zit ik hier nog. Al die tijd krijg jij de gelegenheid om je eigen balans op te maken. En als het eenmaal zover is dat ik hieruit ben, kunnen we nieuwe plannen maken.'

Judith kijkt Leon verbaasd aan. 'Meen je dat nou echt? Nieuwe plannen maken? Ik denk er niet over. Ik heb geen spijt dat ik je ben komen bezoeken, Leon. Maar vanaf nu gaan onze wegen definitief uit elkaar.'

'Er is te veel gebeurd,' herhaalt Leon. 'En daarom ben je wat in de war. Maar het komt goed.'

Judith komt overeind van haar stoel. Ze merkt dat ze over haar hele lichaam trilt. Het lijkt erop dat Leon de realiteit niet onder ogen wil zien. Ziet hij, wat hij gedaan heeft, als een bagatel? Iets wat weggewist kan worden uit hun leven, om dan vervolgens met een schone lei opnieuw te beginnen?

Het lijkt erop.

'Ik denk dat het tijd wordt dat ik vertrek. Nogmaals, Leon, tussen ons is het voorbij. Je hebt zelf scheiding tussen ons gemaakt. Vlak voor onze trouwdag, weet je nog wel? En zo zal het blijven. Het ga je goed. Dag.'

Ze draait zich om en loopt weg. Ze hoort de stoel waarop Leon zat, omvallen en een geschrokken stem: 'Nee, ga nu niet weg!'

De bewaker snelt toe en ze kan later niet meer navertellen hoe ze weer buiten is gekomen. Ze ademt diep de frisse lucht in. Haar hart bonst en ze is blij als ze in haar autootje kan gaan zitten.

Leon moet gek geworden zijn, constateert ze. Hij bleef er zich hardnekkig in vastbijten dat ze samen opnieuw konden beginnen. En hij leek niet te begrijpen dat zij er heel anders over dacht.

Toch is ze blij dat ze bij hem op bezoek geweest is.

Vanaf nu kan ze dit alles achter zich laten. Het geeft haar ongekende rust.

Dan start ze de motor. En zonder nog om te kijken, rijdt ze de straat uit.

16

Met een verhit gezicht giet Judith de pan met aardappels af. Een blik op de keukenklok vertelt haar dat Lieke laat is. Om vijf uur zou ze thuis zijn, maar het is nu al kwart voor zes. Ze heeft zo lang mogelijk gewacht, maar kan het eten niet langer op het gas laten staan. Ze heeft geen zin om het te laten verpieteren. Hè, waar blijft ze toch?

Net als ze aan tafel gaat zitten om in haar eentje vast te beginnen, hoort ze de sleutel in het slot steken. Daar is ze eindelijk.

Even later staat Lieke in de kamer.

'Sorry dat ik wat later ben. Was je al begonnen? Gelijk heb je.' Ze valt tegenover haar op een stoel. 'Heerlijk, ik rammel. Wat een luxe om het zo voor je neus te krijgen. Eigenlijk was het mijn beurt om te koken.'

'Je had even kunnen bellen,' kan Judith het niet nalaten op te merken. 'Ik heb nu ook wel trek. Zullen we eerst beginnen?'

Als ze daarna het eten opschept, kijkt Judith haar vriendin opmerkzaam aan. Het valt haar nu pas op dat ze straalt.

'Vertel op. Want ondertussen knap ik van nieuwsgierigheid. Wat is er gebeurd dat je zo laat bent? Het moet vast een bijzondere reden hebben. Je straalt.'

'Valt het zo op?' vraagt Lieke verbaasd.

Judith lacht. 'Een kind kan nog wel zien dat er iets bijzonders met je is. Bovendien ben je een mens van de klok…'

'Ik heb een vriend,' vertelt Lieke dan maar ineens.

'Echt? Wat leuk. Ken ik hem?'

'Nee, je kent hem niet. Hij werkt bij ons in het ziekenhuis. Hij is fysiotherapeut.'

'Zo?'

'Ja, af en toe zagen we elkaar. Ik vond hem algauw leuk. Ik had er geen idee dat het wederzijds was. Vanmiddag was het ineens voor elkaar. Hij heet Aart-Jan van der Sluys.'

Judith steekt een stukje vlees in haar mond, kauwt er bedachtzaam op en zegt dan: 'Nee, die naam zegt me niets.'

'Ik zal hem snel aan je voor komen stellen. Goed?'

'Dat is je geraden ook. Ik ben reuzebenieuwd. Hoe ziet hij eruit?'

'Blond haar, blauwe ogen, knap gezicht…'

Judith lacht. 'Knap… ja, dat vindt iedereen van degene van wie men houdt.'

'Maar het is echt zo. Ik heb een foto. Vanmiddag meteen gekregen.'

Nieuwsgierig buigt Judith zich over de pasfoto die Lieke haar toeschuift. Ze kijkt er lang naar.

'Ik ken hem echt niet,' zegt ze ten slotte. 'En je hebt gelijk, hij heeft een knap gezicht.'

Lieke schuift de pasfoto weer terug in haar portemonnee. 'Nou, al was hij niet knap… hij is gewoon een schat.'

'Poeh, heb jij het even te pakken!'

'Wacht maar tot jij zover bent.'

Judith heeft juist haar mond vol, zodat ze niet meteen kan reageren. Daarom schudt ze heftig haar hoofd.

'Je kunt wel heftig met je hoofd schudden,' zegt Lieke met gefronste wenkbrauwen, 'maar niemand kan in de toekomst kijken.'

Judith slikt en zegt dan heftig: 'Nee Lieke. Vergeet het maar. Voor mij komt er nooit meer een man in mijn leven. Dat is voorbij.'

'Gekke dwaas,' gaat Lieke hier meteen tegenin. En met de nodige spot gaat ze verder: 'Je gelooft er zelf nog in ook.'

'Zo zeker als tweemaal twee vier is. Nooit meer.'

'We spreken elkaar wel nader,' houdt Lieke vol. 'Misschien ben jij wel eerder getrouwd dan ik.'

'Nee. Ik vertrouw geen enkele man meer.'

Lieke buigt zich over de tafel heen en kijkt Judith strak aan. 'Jij denkt dat iedere man hetzelfde is. Ze heten niet allemaal Leon Slagman.'

Judith herinnert zich dat haar moeder ook iets dergelijks gezegd heeft.

'Al zou ik het willen, dan zou ik het niet meer durven,' zegt ze zacht.

Lieke kijkt met iets van medelijden naar haar vriendin. 'Ik wilde dat ik je het vertrouwen weer terug kon geven. Helaas kan ik dat niet. Je zult zelf moeten ondervinden dat er nog lieve, betrouwbare mannen op deze aardbol leven. Je bent beschadigd, Juut…'

'Misschien wel.'

In stilzwijgen vervolgen ze hun maaltijd.

'Tante Judith… tante Júúúdith…'

Het is markt en Judith staat bij een boekenkraam. Haar aandacht voor de tweedehandsboeken is meteen verdwenen als ze haar naam hoort roepen. Ze kijkt om zich heen maar ziet vooreerst niets. Het is een drukte van belang. Vooral voor deze kraam is heel veel belangstelling.

'Tante Judith... hier...'

Tussen enkele mensen door ziet Judith dan plotseling een meisje tevoorschijn komen.

'Annemieke!' zegt ze verrast. 'Ben je hier alleen?'

'Nee, oma is er ook.'

Achter haar verschijnt inderdaad Marlies' moeder.

'Je moet bij me blijven, Annemieke,' zegt ze bestraffend. 'Ik wil je niet kwijtraken.'

'Tante Judith is hier,' antwoordt het meisje alsof dat alles moet verklaren.

De oudere vrouw kijkt naar Judith en steekt spontaan haar hand uit.

'Dag Judith. Dat is lang geleden. Hoe gaat het met je?'

'Heel goed. En met u?'

Ze staan midden tussen het gedrang van mensen.

'Laten we uit de drukte gaan en een rustiger plek opzoeken,' stelt mevrouw Koppelaar voor. Even later staan ze bezijden de markt. Annemieke heeft Judiths hand gepakt alsof ze bang is dat ze zomaar weg zal lopen.

'Wanneer mag ik pannenkoeken bij u komen eten?' vraagt ze.

'Annemieke!' Mevrouw Koppelaar kijkt van het kind naar Judith en wil zich verontschuldigen voor de vrijpostigheid van haar kleindochter.

Judith wuift dit meteen weg.

'Annemieke heeft gelijk,' zegt ze. 'Ik heb het haar beloofd en ben het nog niet nagekomen.'

Hoelang is het geleden dat ze afscheid had genomen? Harm en Annemieke zijn die week daarna op vakantie geweest. Ze had een kaart van hen gekregen waarin Annemieke met onbeholpen letters haar naam had opgeschreven. Ze heeft hem nog. Daarna is ze opgegaan in de drukte van alledag. Ze had zich voorgenomen nog eens te bellen of langs te gaan. Tot nog toe was er niets van gekomen. Vergeten was ze hen echter niet. Hoe zou ze ook?

Ze kijkt naar het opgeheven gezichtje van Annemieke. Het kind is zichtbaar blij dat ze haar zomaar onverwachts heeft ontmoet. Het doet Judith ongekend goed dat het kind haar nog lang niet vergeten is.

'Hoe is het met Harm?' vraagt ze aan mevrouw Koppelaar.

Ze kijkt de oudere vrouw opmerkzaam aan. In korte tijd is ze zoveel ouder geworden. Het verdriet over haar jonggestorven dochter heeft duidelijk zijn sporen op haar gezicht nagelaten. Judith heeft met haar te doen.

'Wat zal ik ervan zeggen?' zegt mevrouw Koppelaar aarzelend. 'Het gaat. Daarmee is alles gezegd. We moeten door, hè? Ook voor Annemieke.'

Ze kijken naar het meisje dat een speeltuintje op de hoek van de straat heeft ontdekt. Een schommel, een klimhuisje en een glijbaan. Voor een kind al genoeg om zich een poosje te vermaken. Als bij afspraak gaat Judith met mevrouw Koppelaar op het bankje zitten dat bij het speeltuintje hoort.

'Harm heeft zijn werk weer opgepakt, maar het plezier dat hij er daarvoor in had, is weg. Thuis is hij erg stil. Annemieke komt aandacht tekort.'

Judith hoort er geen verwijt in doorklinken. Het is meer een constateren van een feit. Een soort van berusting.

'Hoe gaat het nu verder in huis?' vraagt Judith.

'Ik probeer er zo veel mogelijk te zijn,' antwoordt mevrouw Koppelaar. 'Onder ons gezegd: het gaat me steeds zwaarder wegen. Thuis heb ik nog twee jongens en daar gaat ook alles door. Daarbij ben ik ook de jongste niet meer. Ik zeg dit niet om te klagen, hoor,' vult ze er haastig achteraan.

Judith schudt haar hoofd. 'Dat weet ik immers wel? Het is niet meer dan logisch dat het u wat te veel wordt. U heb zo veel te verwerken en dan ook nog eens twee gezinnen en huishoudens... Is er geen andere oplossing?'

Mevrouw Koppelaar schudt haar hoofd. 'Harm heeft enkele weken een meisje in huis gehad dat wat bij wilde verdienen naast haar studie. Het was net zelf een kind. Ze speelde met Annemieke en dacht dat ze alleen voor de leuke dingen aanwezig was. De was, de strijk en alle andere werkzaamheden liet ze liggen voor Harm. Toen ben ik het weer over gaan nemen.'

Judith kijkt naar het gezicht naast haar. De ogen staan moe. Hoe kan het ook anders? Deze vrouw heeft te veel hooi op haar vork genomen. Kon zij het maar weer overnemen. Ze zou het met het grootste plezier doen. Waarom moest zij daar ook weg? Als ze erover nadenkt kan ze er weer boos over worden. Maar dat helpt niets. Zij kan het bovendien niet oplossen voor Harm en zijn dochter. En ook niet voor mevrouw Koppelaar.

Ik ben tekortgeschoten, denkt ze dan. Ik had beloofd om af en toe eens langs te komen. Ik zou Annemieke halen en leuke dingen met haar doen. Waarom heb ik dat niet gedaan?

Kwam het doordat ze te veel in beslag werd genomen door dat gedoe met Leon? Is dat überhaupt wel een verontschuldiging?

Waarom had ze het er moeilijk mee toen ze afscheid ging nemen om daarna op te gaan in haar eigen leventje? Was ze hen werkelijk vergeten? Nee, dat zeker niet. Regelmatig dacht ze nog aan hen. En ze was vast van plan om Annemieke een keer te halen. Tot nog toe was het er nog niet van gekomen. Maar daar zal verandering in komen. Ze zal haar belofte nakomen. Eerst maar die afspraak van dat pannenkoeken eten. Annemieke was het nog niet vergeten.

'Jij kunt er ook niets aan doen,' hoort ze mevrouw Koppelaar naast zich zeggen. 'Jij hebt zo veel voor Harm en Marlies gedaan.'

Die woorden blijven in de lucht hangen. Zo veel gedaan. Ze had misschien meer kunnen doen.

De stem van Marlies resoneert opnieuw in haar gedachten: 'Vertel Annemieke van Jezus, Judith. Help Harm daarbij.'

Voordat ze er erg in heeft spreekt ze haar gedachten hardop uit. Met een schokje kijkt mevrouw Koppelaar op.

'Ik had meer moeten doen,' gaat Judith verder. 'Ik ben tekortgeschoten.'

'Ach meid, zeg zoiets niet.' Mevrouw Koppelaar schudt bedroefd haar hoofd. 'Jij tekortgeschoten? Jij hebt alles gedaan wat in je vermogen lag.'

'Ik heb niet aan Marlies' laatste wens voldaan,' antwoordt ze zacht.

Maar daar is de oudere vrouw het niet mee eens. Met klem zegt ze: 'O, zeker wel. Jij hebt Annemieke uit de kinderbijbel voorgelezen en samen met haar gebeden. Ja, ik weet het allemaal wel. Ze heeft het me zelf verteld. Mijn man en ik hebben hetzelfde gedaan met haar. Het verschil was echter dat we er niet met Harm en Marlies over moesten praten, want dan kregen we woorden.' Bitter klinkt haar stem. 'Bij jou liet Harm het toe. Waarom? Dat weten mijn man en ik niet. Misschien omdat hij van jou in veel dingen afhankelijk was?'

'Nee, dat is het niet,' weet Judith. 'U moest eens weten hoe hij mij ook steeds een hak zette en de spot ermee dreef. Uiteindelijk heeft hij het toegelaten omdat hij merkte dat het Marlies in het ziekenhuis rust gaf.'

'Voor Marlies had hij alles over,' zegt mevrouw Koppelaar. 'Zijn liefde voor haar was diep en oprecht.'

'Dat weet ik. Ik heb ook fijne gesprekken met Harm gehad. We konden alles tegen elkaar zeggen. Ik weet nog hoe boos hij op me was toen ik mijn Bijbeltje aan Marlies gegeven had.'

'Ja, nu leest hij er zelf in.'

Judith kijkt verrast opzij. 'Dat meent u niet.'

'Zeker wel. Mijn man en ik kunnen er alleen geen hoogte van krijgen hoe het vanbinnen bij hem leeft. Want daar uit hij zich niet over.'

'Dat hoeft ook niet. Als hij er maar in leest. De rest kunnen we aan God overlaten.'

'Precies,' zegt mevrouw Koppelaar. 'En dat is ook het antwoord op jouw twijfel dat je tekortgeschoten zou zijn tegenover Harm en Annemieke.'

'Ik begrijp u niet.'

'Jij hebt aan die persoonlijk vraag van Marlies honderd procent willen voldoen,' gaat mevrouw Koppelaar rustig verder. 'Je was echter één ding vergeten.'

'En dat is?'

'Wat jij zelf zojuist al aangaf. Dat je uiteindelijk alles aan Hem mag overlaten. Hij is de grote Landman Die het zaad dat jij gestrooid hebt, bij Harm en Annemieke Zelf ontkiemen doet.'

In een nadenkende stemming gaat Judith even later naar huis. Ze heeft geen zin meer om terug te gaan naar de markt. Ze heeft Annemieke beloofd om haar diezelfde zaterdag op te komen halen, als haar vader dat goed zou vinden. Ze zal nog bellen.

Het gesprek met mevrouw Koppelaar laat haar niet los. Ze is blij dat ze er die avond met Lieke over praten kan.

'Zaterdag komt Aart-Jan hierheen. Dan kun jij meteen kennis met hem maken. Kun je dan?'

'Wat mij betreft wel. Ik ga wel Annemieke ophalen. Ik zou met haar pannenkoeken bakken.' Ze vertelt haar vriendin van de ontmoeting op de markt.

'Toch ben je aan hen niets verplicht, Juut. Je bent daar als gezinsverzorgster in huis gekomen en nu werk je bij andere adressen. Ja, stil maar, ik begrijp je wel. Je hebt in dat gezin te veel meegemaakt om er afstand van te nemen. Toch moet je het proberen. Je kunt niet alle zorgen van anderen op je nek nemen, want dan ga je er zelf aan onderdoor. Als ik het werk in het ziekenhuis niet los zou kunnen laten, dan zou ik waarschijnlijk overspannen raken. En wat hebben de patiënten daaraan?'

Judith denkt over de woorden van haar vriendin na en ze kan niet anders dan toegeven dat Lieke gelijk heeft. Maar ze kan haar gevoel nu eenmaal niet uitschakelen. Was ze maar zo nuchter als Lieke... Dat zou voor haarzelf veel beter zijn.

Als Aart-Jan die zaterdag komt kennismaken, mag Judith hem meteen. Hij is spontaan, heeft een joviale lach en uit alles blijkt dat hij gek is op Lieke. En dat is duidelijk wederzijds.

'Ik hoop niet dat je het erg vindt dat ik jou alleen laat vandaag,' begint Lieke verontschuldigend.

Judith schiet in de lach. 'Je huilt er nog net niet bij,' plaagt ze. 'Joh, ik zou het juist vreemd vinden als jullie de hele dag hier rond bleven hangen. Je weet trouwens dat ik vandaag mijn eigen plannen heb. Dus schiet maar op...'

Ze zwaait de twee lachend na als ze in de auto stappen. Ze gunt het haar vriendin van harte.

Dan draait ze zich om en besluit om meteen naar Annemieke te gaan. Ze heeft Harm heel kort aan de telefoon gehad. Hij stond juist op het punt om weg te gaan toen ze belde. Hij vond het prima dat ze zijn dochter kwam halen.

'Maar waarom blijf je niet gewoon hier?' had hij meteen gevraagd. 'Ik vind het ook gezellig en bovendien...'

'Lust je ook pannenkoeken,' had Judith plagend aangevuld.

Harm liet zich niet op de kast jagen. 'Precies,' had hij meteen grif toegegeven. 'Dus kom zaterdag gewoon hierheen.'

Het is heerlijk zonnig weer en Judith besluit op de fiets te gaan.

Als ze de straat van Harms woning in rijdt, komt Annemieke haar al tegemoet.

'Ik was bang dat u niet komen zou,' zegt ze.

Judith remt af en springt naast haar fiets. Daarna regelt ze haar passen naar die van Annemieke.

'Niet komen zou?' herhaalt ze vragend. 'Ik had het toch beloofd?'

Ze ziet het blonde hoofdje aarzelend knikken en Judith begrijpt. Annemieke voelde zich verlaten door haar moeder. Daarna ging zijzelf weg. Dan is het toch logisch dat het kind de grotemensenwereld niet meer vertrouwt? Ze heeft, zo jong als ze is, schok na schok te verwerken gekregen. Het is bijzonder dat ze nog zo opgeruimd en vrolijk is.

Eenmaal binnen vindt ze Harm achter het aanrecht, waar hij manhaftig zijn best doet om orde op zaken te krijgen.

'Judith?'

Ze kijkt naar de man die haar bijna schuldbewust aankijkt. Zijn handen vol met sop, een stapelhoge vaat, een theedoek over zijn schouder...

Ze pakt meteen de theedoek aan een punt en wil aan de slag. Dat is echter tegen Harms zin.

'Echt niet,' begint hij. 'Jij gaat zitten en je laat je eerst maar eens bedienen met koffie. Het lijkt er warempel op dat jij hier alleen bent om je handen uit de mouwen te steken.'

'Dat doet tante Judith ook,' horen ze Annemieke zeggen die achter haar langs naar binnen is gekomen. 'Ze komt pannenkoeken bakken.'

Een beetje hulpeloos kijkt Harm naar Judith.

'Excuus voor de puinhoop hier,' zegt hij. 'Die is zo meteen helemaal weggewerkt zodat jij je gang kunt gaan. Hoewel... wat zeg ik nu?'

Hij raakt in zijn eigen woorden verstrikt en Judith kan het niet helpen dat ze in de lach schiet.

'Ik hoefde niets te doen,' plaagt ze, 'en vervolgens wil je me toch mijn gang laten gaan.'

Harm haalt in een hulpeloos gebaar zijn halfnatte handen door zijn haardos, zodat die meteen alle kanten uit staat.

'Kom op, Harm. Wees niet zo eigenwijs. Ik ben hier toch om voor het eten te zorgen? Dat heb ik beloofd, dus dit karwei klaar ik ook wel.'

Harm laat zich echter niet van de wijs brengen. 'Jij gaat zitten. Ik zet koffie en daarna komt de rest. Hier, Annemieke, jij een beker limonade.'

Even later zet hij haar een mok koffie voor op de kleine keukentafel.

'Een koekje kan ik je niet aanbieden,' zegt hij spijtig. 'Ik moet nog boodschappen doen.'

Het is voor Judith ondertussen duidelijk dat de situatie hem boven het hoofd is gegroeid. En niet alleen hem, maar ook zijn schoonmoeder. Het is hun beiden te veel geworden. En het kind laveert ertussendoor en mist de nodige aandacht.

Judith voelt deernis voor dit moederloze gezinnetje en voor de familie van Marlies die uiteindelijk ook niet alles kan.

'Zullen we straks met z'n drieën die boodschappen doen?' stelt Judith dan voor. 'Ik wil alles voor de pannenkoeken halen. En als we toch bezig zijn, kan ik samen met Annemieke ook koekjes bakken.'

Er klinkt een juichkreet van Annemieke vanuit haar hoekje waar ze met haar poppen speelt.

'Ja, koekjes bakken, tante Judith. En cake en appeltaart en... en...' Ze doet haar best om nog meer lekkernijen te verzinnen, maar daar steekt haar vader snel een stokje voor.

'Zeg, wat denk je wel, ukkepuk! Tante Judith komt hier niet om hard te werken, hoor.'

Annemieke knikt geestdriftig van wel. 'Tante Judith heeft zelf gezegd dat ze boodschappen gaat doen en bakken. En ikke ben geen ukkepuk.' Judith kijkt over de rand van haar mok Harm aan. Haar ogen lachen. 'Wat wordt ze bijdehand, hè?' zegt ze zachtjes. Harm maakt een gebaar. Er glimmen eveneens lichtjes in zijn ogen. Lichtjes die ze nog maar weinig bij hem heeft gezien. 'Houd op. Sinds ze op de basisschool zit, weet ze alles beter. En haar woordenschat is steeds verder uitgebreid. Af en toe moet je echt lachen om haar opmerkingen.'

De koffie is op en ze maken gezamenlijk een lijstje van wat ze nodig hebben. Ze pakken de tassen en laten even de boel voor wat die is. Dat komt straks wel.

Het is Judith vreemd te moede als ze even later met vader en dochter door de supermarkt loopt. Ze lijken wel een gezinnetje zo.

De kar wordt al voller en voller. Als vader Harm er geen stokje voor zou steken, zou Annemieke ervoor zorgen dat er veel meer lekkers in de kar kwam te liggen dan noodzakelijk zou zijn.

Terwijl Harm afrekent, zorgt Judith samen met Annemieke dat alles in de tassen komt. Harm pakt even later de volle tassen en loopt naar de uitgang. Judith wil hem al nalopen als ze door de caissière wordt teruggeroepen.

'Mevrouw, uw man vergeet de bon en een pakje boter. Ja, de boter is afgerekend, maar was achter de band blijven haken.'

'Dank je wel,' stamelt Judith met een hoogrode kleur en ze haast zich dan met bon en boter achter Harm aan. Haar man... Is zij even blij dat Harm buiten gehoorafstand was.

Thuis helpt ze Harm met het opruimen van de boodschappen. De spullen die ze nodig heeft voor het bakken laat ze zolang in de tas.

'Misschien was het toch handiger geweest als we de keuken hadden opgeruimd voordat we boodschappen gingen doen,' zegt Harm peinzend.

'Och kom, het is zo allemaal opgeruimd. Annemieke, ga jij nog maar even spelen. Als ik je nodig heb, roep ik je wel.'

Als ik je nodig heb... Ze ziet dat het meisje van deze opmerking groeit. Ze is nodig, dus ze telt mee. Judith glimlacht als ze het opgetogen gezichtje ziet. Daarna gaat het meisje zonder tegenwerpingen naar de woonkamer om zich daar met haar poppen bezig te houden.

In een oogwenk heeft Judith samen met Harm alles afgewassen en opgeruimd. Aanrecht en gasfornuis zijn blinkend schoon. Judith kan met Annemieke aan de slag.

17

Annemieke geniet van het deeg kneden en vormpjes uitsteken in het platte deeg om vervolgens een volle bakplaat in de oven te schuiven. En Judith geniet mee.

Af en toe komt Harm om een hoekje kijken. Hij snoept van het deeg onder fel protest van zijn dochter en verdwijnt vervolgens weer naar buiten. Judith heeft de keukendeur opengegooid. Het is heerlijk zomerweer en daarvoor heeft Harm deze gelegenheid benut om de achtertuin onkruidvrij te maken en nieuwe plantjes te poten. Af en toe blikt Judith naar buiten, naar Harm, om zich vervolgens met Annemieke en met het bakken bezig te houden.

In tijden heeft ze zich niet zo heerlijk ontspannen gevoeld. Waar het aan ligt? Ze weet het niet. Het gevoel is er gewoon en ze weet dat dit in haar herinnering voor de rest van haar leven meegaat.

Het bakken van de pannenkoeken is een feest. Annemieke mag af en toe met een pollepel wat beslag in de pan laten glijden zodat ze het gevoel heeft dat ze echt zelf bakt. Papa mag de eerste pannenkoek proeven. Zorgzaam doet Annemieke er een beetje suiker op en rolt de pannenkoek dan wat onbeholpen op. Daarmee loopt ze naar buiten waar Harm juist met zijn handen in de aarde zit te wroeten.

'Is de eerste voor mij?' vraagt hij verrast. Hij komt vanuit zijn gebogen houding overeind en kijkt dan naar zijn zwarte handen.

'Ik kan hem niet aanpakken,' zegt hij hulpeloos, 'kijk eens...'

Hij houdt zijn vuile handen vlak voor Annemiekes gezichtje, die snel een stap achteruit doet.

'Néé papa, da's vies. Doe uw mond maar open. Dan stop ik hem erin.'

Onder grote pret van Annemieke wordt de pannenkoek hapje voor hapje in papa's mond gestopt.

Een halfuurtje later is de tafel gedekt. Harm snuift behaaglijk de geuren op, terwijl hij in de keuken zijn handen wast. Aan tafel wacht Judith met Annemieke. Judith ziet hoe zijn gezicht een moment vertrekt en ze kan wel raden wat hij denkt. Marlies had op haar plaats moeten zitten.

Waarom moet er altijd een schaduw liggen over de mooie momenten die er in het leven ook zijn? Haar blik gaat naar de mooie, ingelijste foto aan de muur waar Marlies haar tegenlacht.

Harm lijkt zich weer te herstellen en komt tegenover haar zitten.

'Wil jij bidden?' Vragend kijkt hij haar aan.

Judith denkt onwillekeurig terug aan het moment dat dit voor het eerst ter sprake kwam tussen hen. Toen had Harm zich geërgerd en dat niet onder stoelen of banken gestoken. Hij had haar uitgedaagd zodat ze wel iets moest zeggen over wat het geloof voor haar betekende.

Nu is er geen ergernis en geen uitdaging in zijn stem. Hij kijkt haar ernstig aan. Ze vraagt zich af hoe hij onder dit alles is. Is er toch iets veranderd binnen in hem? Of bestookt hij de hemel nog steeds met vragen en heft hij zijn vuist op tegen God omdat Hij hem Marlies heeft afgenomen?

Ze weet het niet, maar voelt zich op dit moment weer erg verlegen. Ze willigt zijn wens in en gaat hardop voor in gebed.

Ze laten zich de maaltijd goed smaken en natuurlijk krijgt Annemieke de complimenten alsof zij voor dit alles heeft gezorgd. Ze straalt.

Na de maaltijd staat Harm op en pakt een Bijbel. Judith kijkt. Háár Bijbeltje.

Harm kijkt haar verontschuldigend aan. 'Het ligt nog altijd hier,' zegt hij. 'Maar het is jouw eigendom. Ik zal er eerst een stukje uit lezen en daarna krijg je hem terug.'

Judith weet niet goed wat ze moet zeggen. Het verrast haar dat hij er zelf uit zal lezen. Hij is veranderd. Zijn vijandschap moet gebroken zijn. Is dat gekomen door het sterven van Marlies?

Hij bladert erin en begint dan te lezen.

'Ik ben gevonden van hen, die naar Mij niet vraagden; Ik ben gevonden van degenen, die Mij niet zochten; tot het volk, dat naar Mijn Naam niet genoemd was, heb Ik gezegd: Ziet, hier ben Ik, ziet, hier ben Ik. Ik heb Mijn handen uitgebreid, den gansen dag tot een wederstrevig volk, die wandelen op een weg, die niet goed is, naar hun eigen gedachten.'

Judith houdt haar adem in. Dit heeft ze gelezen voor Marlies toen deze in grote geestelijke nood zat. Het kropt ergens in haar keel. De herinnering wordt haar te machtig. En nu leest Harm hetzelfde. Harm, die niets dan vijandelijkheden had als het over de Bijbel ging. Ze kan het niet helpen dat er een stille traan over haar wang glijdt.

Harm eindigt met gebed. Ook al zoiets wonderlijks. Zodra hij amen heeft gezegd, hoort ze Annemieke zeggen: 'Tante Judith, u huilt.'

Haastig veegt ze met de rug van haar hand de tranen weg en ze komt overeind van haar stoel.

'Soms moeten grote mensen ook weleens een beetje huilen, Annemieke,' zegt ze geruststellend. 'Maar het is alweer over. Kom op, we gaan de tafel afruimen en dan mag jij me weer verder in de keuken helpen, hè?'

Dat is niet tegen dovemansoren gezegd. Annemieke laat zich van haar stoel glijden en legt spontaan haar armen om Judiths nek.

'U bent lief,' zegt ze alsof ze haar wil troosten.

'Jij ook, meisje. Jij ook.'

Harm is van de tafel opgestaan en haast zich de kamer uit. Wat heeft die?

Pas later komt hij bij haar in de keuken. 'Sorry dat ik je niet even geholpen heb met de tafel afruimen.'

'Ach, schei toch uit met je te verontschuldigen,' zegt Judith. 'Er zijn wel ergere dingen.'

Ja, die zijn er zeker, denkt ze. Een moederloos kind. Een man die niet weet hoe het hier verder moet en die zijn vrouw ontzettend mist.

Ze zucht diep. Waar was dat gelukkige, ontspannen gevoel gebleven dat ze enkele uren geleden nog had?

De koektrommel is gevuld. De cake geurt in de oven en Judith wast de vuile vaat weg. Annemieke is inmiddels naar buiten gegaan en speelt met een buurmeisje. Harm is nog steeds in de tuin bezig, maar komt al snel binnen.

'Ik denk dat ik precies op tijd klaar ben,' zegt hij voldaan. 'Kijk eens naar de lucht. De zon verdwijnt en er komen donkere wolken aan.'

Ja, Harm kon weleens gelijk hebben.

'Wat ruikt het hier lekker,' hoort ze Harm dan zeggen. Hij wast zijn handen en ondertussen ruimt Judith nog wat spullen op. Even later staat ze in de kamer en om nog wat bezigheid te hebben geeft ze de planten water.

'Je stopt er nu mee, hoor,' waarschuwt Harm haar. 'Je bent de hele dag al bezig geweest.'

'Ik ben geen mens om stil te zitten,' zegt Judith. 'Er staat bovendien nog een cake in de oven. Dus ik ben nog niet klaar.'

'Maar wel om even koffie te drinken.'

'Dat kan altijd.'

Even later zitten ze tegenover elkaar. Judith kijkt rond. Ze ziet dat er een vrouwenhand hier in huis ontbreekt. Enkele planten staan weg te kwijnen in de vensterbank en een gezellig bloemetje op tafel zou ook niet misstaan.

'Waar denk je aan?'

Judith kijkt betrapt op.

'Nergens aan.'

'Ik geloof je niet. Vertel op, Judith. Voor mij kun je niets verbergen. Wat is er?'

Judith wijst. 'Een paar nieuwe, frisse planten zouden gezellig staan in het raam. Wat er nu staat is niet veel meer. En een gezellig bakje of bloemetje op tafel...' Ze hapert en kijkt hem onzeker aan. 'Ik wil me nergens mee bemoeien, hoor, maar het valt me gewoon op.'

'Ik vraag er toch zelf om,' zegt Harm rustig. 'En ik ben blij dat jij het opmerkt. Als man zie ik zulke dingen niet.' Hij kijkt op zijn horloge. 'De winkels zijn nog open. Zullen we nog even?'

'Er staat nog een cake in de oven. Over een kwartier kan hij eruit.'

Heerlijk eigenlijk om over zulke simpele dingen te praten als een plant en een cake die in de oven gaar staat te worden. Ze glimlacht. Het geluk kan soms in simpele, kleine dingen liggen.

Harm praat door haar overleggingen heen. 'Dan wachten we nog een kwartier. Of jij moet nu graag naar huis willen?'

Judith schudt haar hoofd. 'Welnee. Er is niemand die thuis op me wacht. Lieke is de hele dag met haar vriend weg. Het kan best nog even.'

Een kwartier later ligt er een goudgele cake te dampen op het aanrecht.

'Hij ziet er prachtig uit,' complimenteert Harm haar. 'En hij ruikt zo lekker. Wat heb ik dit lang gemist...'

De woorden blijven in de keuken hangen. Judith hoort de melancholiek in zijn stem doorklinken. Een soort van heimwee naar de tijd toen Marlies er nog was. Zelfs deze gewone dingen moeten bij hem schrijnen als een gemis.

Annemieke komt binnen en wil meteen een hapje proeven.

'Nee meid, dat kan niet,' zegt Judith. 'De cake is net uit de oven. Je zou je tong verbranden.'

'Vanavond dan?' bedelt ze. 'Voordat ik naar bed ga?'

Harm kan daar geen weerstand aan bieden.

'Blijft tante Judith nog?'

'Dat moet je aan tante Judith zelf vragen,' zegt Harm.

'Tante Judith?'

Judith ziet de vragende kinderogen. 'Voorlopig ben ik nog niet weg,' zegt ze. 'Want ik heb net met papa afgesproken dat we nog even naar de winkel gaan om planten en bloemen te kopen.'

'Leuk, leuk,' juicht Annemieke en het ontroert Judith dat het kind blij is met kleine dingen. Ze heeft ook zo ontzettend veel gemist.

Met een doos vol planten en bloemen komen ze een uurtje later weer terug. Harm maakt de vensterbanken leeg en Judith zorgt dat ze weer vol komen te staan met frisse, groene planten. Ze sorteert de bossen bloemen in een vaas en zet deze vervolgens op de tafel in de kamer. Tevreden kijkt ze rond. Het is meteen anders, veel gezelliger.

Harm is achter haar komen staan.

'Wat heb jij het gezellig weten te maken,' complimenteert hij haar.

'Jij hebt er toch ook aan meegeholpen,' zegt ze bescheiden.

Harm schudt zijn hoofd. 'Het was jouw initiatief en jij had er hele-maal de leiding in. Ik ben zo blij dat jij vandaag gekomen bent. Het was een fijne dag. Ook voor Annemieke.'

Het is voor Annemieke een feest als Judith nog wat langer blijft en haar die avond op bed legt.

'Komt u gauw weer? Heel gauw?'

Ze heeft haar armen om Judiths nek gelegd en kijkt haar bedelend aan. Het snijdt door Judith heen dat dit kind het zonder moeder moet doen. Wat zou ze meer voor haar willen betekenen. Maar ze kan de moeder niet vervangen. Bovendien heeft ze haar eigen leven.

'Ik kom je snel een keer halen. Dat beloof ik.'

'Wanneer?'

Het kind wil vastigheid. Een dag weten waar ze naar uitkijken kan.

'Ik zal het met papa afspreken. Maar ik zal het je snel laten weten. Afgesproken?'

Annemieke knikt, half tevreden, en laat zich gewillig toedekken door Judith.

Vanaf die dag komt Judith iedere week wel een keer naar Harm en Annemieke. Af en toe neemt ze het kind mee naar haar flat en laat haar bij zich eten. Ze gaat met haar naar een dierentuin, een speeltuin of een zwembad. Lieke gaat ook een enkele keer mee. Het gebeurt regelmatig dat zij net vrij is als Aart-Jan moet werken.

'Dat is nu eenmaal zo in de zorg,' zegt ze dan berustend. 'We moe-ten onze agenda's naast elkaar leggen om afspraken samen te kunnen maken. Hoewel de werktijden van Aart-Jan regelmatiger zijn dan die van mij.'

'Ga een nieuwe studie beginnen,' plaagt Judith. 'Fysiotherapie bij-voorbeeld.'

'Nee, laat ik maar verpleegkundige blijven,' werpt Lieke meteen tegen. 'Dat is me net zo vertrouwd en dat hoop ik nog jaren te kunnen blijven doen.'

Als ze na een dagje strand Annemieke thuisgebracht hebben, zegt Lieke: 'Je bent een beetje een moeder voor Annemieke geworden. Het lijkt erop dat ze jou zo is gaan zien. Ze hangt echt aan je.'

'Ik voel me ook een beetje haar moeder,' geeft Judith toe. 'Al zal ik Marlies nooit kunnen vervangen.'

'Zo veel herinneringen heeft ze aan haar eigen moeder niet,' zegt Lieke. 'Hoe oud was ze toen Marlies overleed?'

'Bijna vier jaar.'

'En toen lag Marlies al een poos in het ziekenhuis. Logisch dat ze jou als haar eigen moeder gaat zien.'

'Je overdrijft.'

Judith denkt terug aan het moment dat ze samen met Annemieke naar Lieke stond te kijken die juist door een golf heen dook. Ineens had Annemieke gezegd: 'Ik wil een keer met papa en u samen naar het strand. Dan is het net of ik een papa en mama heb.' En na een kort poosje vulde ze er schuldbewust aan toe: 'Ik vind tante Lieke ook heel lief, hoor.'

Lieke, die geen idee had waar ze met haar gedachten zat, praat er dwars doorheen. 'Ik overdrijf niet, Juut, het is zo. Het kind hangt aan je. Dat merk je aan alles. En jij vindt het heerlijk. Nee, ik bedoel dit niet als kritiek. Maar schep bij dat kind niet te veel verwachtingen. Als Harm nog eens hertrouwt geeft dat misschien problemen. Dan wil ze alleen jou als moeder.'

'Onzin. Zo ver heb ik nog niet eens gedacht.'

'Ik wel. Ik bekijk het van een afstandje, daardoor zie ik dingen scherper. Als Harm nog eens trouwt, raak jij Annemieke ook kwijt.'

'Natuurlijk niet,' protesteert Judith. 'Ik kan haar evengoed weleens halen. Trouwens, waar praten we over? Harm denkt niet eens aan hertrouwen. Hij is nog helemaal vervuld van Marlies.'

'Hoelang is het nu geleden?' vraagt Lieke.

Judith kijkt peinzend voor zich uit. Ja, hoelang was het alweer geleden? De weken verglijden zo snel in maanden. Annemieke zat net nog niet op de basisschool, toen haar moeder overleed.

Is het echt alweer langer dan een halfjaar geleden? Ze rekent en komt tot de slotsom dat het inderdaad zo is.

'Ze zeggen dat het slijt, maar het wordt steeds moeilijker...' Dat heeft Harm haar kortgeleden nog toevertrouwd. Wat doet tijd er ook toe? Marlies leeft in zijn hart en gedachten voort en dat verandert niet.

In de weken die volgen wordt het in de situatie van Harm er niet beter op. Mevrouw Koppelaar klaagde al enige tijd over pijn in haar rug. Inmiddels heeft ze een bezoek aan de huisarts gebracht en ligt ze nu voor onbepaalde tijd met een hernia op bed. Met rust moet het genezen en zo niet, dan moet er alsnog een operatie op volgen.

Harm is ten einde raad. Hij zet een advertentie in de krant waarin hij hulp vraagt voor alle voorkomende werkzaamheden en zorg voor zijn dochtertje. Judith moet dit met lede ogen aanzien. Het liefst zou ze haar baan opzeggen en zich bij Harm in huis willen inzetten. Maar kan ze dat risico nemen? De banen liggen niet voor het oprapen en ze is blij met wat ze heeft. In haar vrije uren wil ze Harm zo veel mogelijk helpen, maar ze begrijpt dat dat ook niet toereikend is.

Aukje komt. Een meisje dat graag wil werken, maar niet aan een baan kan komen. Het loopt op een fiasco uit. In de korte tijd dat ze bij Harm in huis is, breekt ze een kapitaal aan glazen en kopjes, geeft ze te veel geld aan overbodige boodschappen uit, en ze kan beslist niet koken. Harm kan niet anders doen dan haar ontslaan.

'Dan nog liever zonder hulp,' heeft hij tegen Judith gezegd.

Het stemt Judith bitter. Ze werkt hele dagen bij bejaarde mensen en gezinnen, terwijl Harm het zonder moet doen. Het is zo oneerlijk.

Martine komt. Een leuke, vlotte jonge vrouw. Harm haalt opgelucht adem als blijkt dat ze inzicht heeft in het werk en aandacht heeft voor Annemieke. Helaas blijkt die aandacht niet alleen voor het kind te zijn. Het is haar er namelijk niet alleen om te doen om de jonge weduwnaar te helpen, maar het gaat haar vooral om hemzelf.

Het begint hem al snel te benauwen. Ze zit hem te dicht op de huid en ook Martine kan gaan.

'Ik heb geen huwelijksadvertentie geplaatst,' hoorde Judith hem mopperen toen ze op een middag binnenstapte. 'Dat kind kan meteen vertrekken.'

En zo tobt Harm voort. Hij piekert en peinst hoe hij het best hulp kan vinden, waar zowel hij als zijn dochter zich prettig bij voelt.

Hij komt er niet uit.

18

De zomervakantie breekt aan. Judith gaat met Lieke twee weken naar de Belgische Ardennen. Aart-Jan gaat met een vriend twee weken naar Frankrijk. Dat was een halfjaar geleden al besproken. De vakanties overlappen elkaar, zodat ze elkaar drie weken niet zullen zien.

'Kunnen jullie wel zo lang zonder elkaar?' Judith kan het niet laten haar vriendin een beetje te plagen.

Lieke trekt een gezicht. 'Ik zal het wel overleven. We zullen het met onze mobieltjes moeten doen.'

Judith lacht en Lieke gaat verder: 'Wacht maar tot jij zover bent. Dan spreken we elkaar nog weleens.'

'Ik kom zover niet meer.'

Lieke steekt haar handen in haar zij en kijkt met een frons naar Judith. 'Zoiets heb ik je al vaker horen zeggen. We zullen zien...'

Diezelfde week gaat Judith bij Harm en Annemieke langs. Ook zij zullen enkele weken weg zijn.

'We gaan niet ver,' vertelt Harm. 'We gaan naar mijn familie in het hoge noorden. Friesland.'

'Gezellig,' reageert Judith en geduldig hoort ze het ratelstemmetje aan van Annemieke die het geweldig vindt om met haar neefjes en nichtjes daar op te trekken.

'Voor haar is het goed dat we dit doen,' zegt Harm wat later als Annemieke naar buiten is gegaan. 'Het is jammer dat we zo ver uit elkaar wonen. Soms denk ik erover om ook die kant op te verhuizen.'

Judith kan het niet helpen dat ze hiervan schrikt. Ze moet er niet aan denken Harm en Annemieke ver weg te weten. Misschien is het zomaar een losse gedachte van hem. Hier herinnert hem alles aan Marlies. Zou hem dat niet tegenhouden?

Nee, de gedachte dat vader en dochter zouden gaan verhuizen staat haar helemaal niet aan. Met een gemengd gevoel neemt ze afscheid van die twee. Eenmaal thuis pakt ze samen met Lieke de koffers in.

Het is een stralende dag als ze in de auto van Lieke naar België rijden. Judith heeft het gevoel er eens even helemaal uit te zijn. Even de druk van haar schouders af en alleen maar leuke, ontspannen dingen doen.

En dat doen ze ook. Kanoën in een wild golvend riviertje. Bergwandelingen maken met verrassende uitzichtpunten. Winkelen in gezellige dorpjes. Zwemmen in een meer dat omringd wordt door prachtige, groene heuvels. En als ze bij het huisje zijn: de barbecue aan.

'Annemieke zou dit eens moeten zien. Wat zou dat kind genieten.'

Lieke kijkt haar vriendin opmerkzaam aan. 'Ik denk dat ze nu ook niets tekortkomt. Je bent veel met hen bezig, hè?'

Ze zitten samen voor het huisje van het uitzicht te genieten. Hiervandaan kijken ze naar een waterval die van boven uit de berg komt. Een uitgezocht plekje, vinden ze allebei.

Judith haalt haar schouders op. 'Ik kan het niet helpen. Misschien komt het wel omdat ik van heel dichtbij hun wanhoop en verdriet heb meegemaakt. In de korte periode dat ik Marlies heb leren kennen heeft ze diepe indruk op me achtergelaten. Ik zal dat nooit kunnen vergeten.'

'Door die intensieve periode ben je erachter gekomen dat het leven soms heel ver de diepte in gaat, hè?' zegt Lieke begrijpend.

'Ja. Ik zie het nog vaak voor me: die wanhopige ogen in dat witte gezicht. Ze was zo bang om te sterven, Lieke. Ze had God vaarwel gezegd toen ze met Harm trouwde. En toen ze wist dat ze niet meer beter kon worden, dacht ze dat God háár vaarwel had gezegd.'

'En dat was niet zo,' antwoordt Lieke zacht.

'Nee, want Hij kwam met Zijn opzoekende genade bij haar. Dat heeft zo'n diepe indruk bij me achtergelaten. En ik denk dat het ook iets met Harm heeft gedaan.'

Ze vertelt dat Harm ook in de Bijbel is gaan lezen. 'Eerst liet Harm niets los van wat hem bezighield. Pas later heeft hij me verteld dat hij zich verdiepte in de Bijbel. Hij zit nog vol met vragen. En hij denkt dat ik overal een antwoord op weet. De gesprekken die we hebben gehad zijn zo kostbaar. Ik zou dat niet meer willen missen.'

'Harm is een goede vriend van je geworden, hè?'

'Ja, dat is hij. Ik ben blij dat ik hen alle drie heb leren kennen.'

'En Leon?'

'Leon is een afgesloten hoofdstuk.'

'Heb je er nu helemaal vrede mee?'

'Ja. Het spijt me dat het zo moest gaan. Maar ik houd me aan de gedachte vast dat niets zomaar gebeurt. Ook al zie ik er de zin niet direct van in. Uiteindelijk bleef ik met de brokstukken zitten. Vanbinnen is er iets kapot geknepen. Het vertrouwen dat ik had in iemand van wie ik hield, is vernietigd. En dat komt nooit meer terug.'

'Het heeft tijd nodig, Juut. Ik geloof er persoonlijk in dat het wel terugkomt.'

Judith glimlacht. 'We zullen zien wie van ons tweeën gelijk krijgt.'

Het blijft stil. Judith geniet van de intense rust die ze hier voelt. Alsof ze er nieuwe kracht door krijgt.

'Ik wil het niet meer over Leon hebben,' zegt ze dan resoluut. 'Zullen we nog even naar de waterval lopen?'

Zwijgend lopen ze ernaartoe. Judith geniet van dit mooie natuurverschijnsel. Op enkele meters van de waterval verwijderd blijft ze staan. Ze heft haar hoofd genietend omhoog en voelt de fijne druppeltjes. Een intens gevoel van rust en vrede voelt ze door haar lichaam stromen. Zo ontspannen heeft ze zich in lange tijd niet gevoeld.

Lieke trekt haar weg. 'Je wordt helemaal nat, Juut.'

Judith schudt haar hoofd. 'Het valt wel mee.'

'Ik dacht het niet. Kijk dan eens...'

Het blijkt dat Lieke gelijk heeft. Ze heeft te dicht op de waterval gestaan. Haar shirt en haar rok hebben zichtbaar natte plekken.

Judith lacht. 'Niks erg. Het is nog steeds heel warm, al is het avond. Het frist heerlijk op. Moet jij ook doen, Liek.'

'Nee, dank je. Ik blijf liever droog.'

Langzaam lopen ze weer terug naar het huisje. Binnen zoekt Judith een kladblok en een pen. Daarmee gaat ze buiten aan de tafel zitten. Een brief voor thuis. Het is niet moeilijk om die vol te schrijven.

Het is hier zo heerlijk. We hebben van ons terras uitzicht op de waterval. Terwijl ik hier aan tafel naar jullie zit te schrijven, zit ik onderwijl op te drogen...

Loom, maar voldaan komen ze na twee weken weer thuis. Ze hebben veel geluierd, maar zijn ook vaak actief geweest. Judith is blij dat ze nog niet gelijk hoeft te werken. Ze heeft nog een week vrij. Met haar zusje gaat ze nog een dag uit.

Lieke heeft er ook nog een week vakantie aan vastgeplakt. Die wil ze zo veel mogelijk met Aart-Jan doorbrengen. Gelijk heeft ze. Ze hebben elkaar drie weken niet gezien! Wat zullen ze elkaar veel te vertellen hebben...

Judith ziet hoe Anke van hun dagje samen uit geniet en ze beseft dat ze te weinig contact met haar zusje heeft onderhouden. Misschien heeft het te maken met het te grote leeftijdsverschil. En dat ze op zichzelf is gaan wonen. Ze begrijpt nu dat het voor Anke wel heel stil geworden is nadat ze het huis is uit gegaan. Ze neemt zich voor om wat meer tijd voor haar zusje vrij te maken.

Voor haar ouders trekt ze ook een dag uit. Het is heerlijk om zich een beetje de zorg van haar moeder te laten aanleunen.

De laatste dagen van de vakantie vliegen om. Als Judith weer aan de slag moet, voelt ze nieuwe energie door haar lichaam stromen. De vakantie heeft haar goedgedaan en ze kan er weer tegen.

Dorien heeft twee gezinnen voor haar ingepland. Judith is erdoor verrast. Ze gaat naar een echtpaar met een baby, waarvan de moeder bekkeninstabiliteit heeft en niet mag tillen. En een gezin met twee kinderen die, zo blijkt al snel, onhandelbaar zijn. Judith heeft haar handen eraan vol.

Ze moet zichzelf bekennen dat ze van de zorg in de gezinnen zich veel meer heeft voorgesteld. Het kost haar veel energie om de twee kinderen goed op te vangen. Ze zijn brutaal en proberen bij haar hun grenzen te verleggen. De ouders laten veel te veel toe en Judith ergert zich keer op keer. Het echtpaar met de baby is wel een prettig adres. Ze vindt het heerlijk dat ze het jongetje mag verzorgen. Verder mag ze daar alle voorkomende werkzaamheden doen. Judith wilde dat ze meer van deze adresjes had.

Als de zomervakantie alweer enkele weken voorbij is, vindt ze het hoog tijd worden om Harm en Annemieke weer eens te bezoeken. Het is inmiddels een maand geleden dat ze elkaar gezien en gesproken hebben. De laatste dag van de vakantie zijn ze uit Friesland teruggekomen. Ze is benieuwd wat ze allemaal te vertellen hebben.

Als ze op een woensdagmiddag naar vader en dochter toe gaat, ziet ze al aan het begin van de straat dat Harm druk bezig is zijn auto schoon te maken. Hij is zo ijverig met de spons in de weer, dat hij haar niet meteen ontdekt.

'Tjonge,' plaagt Judith. 'Wat een ijver. Kun je mijn auto ook niet gelijk een beurt geven?'

'Judith!' Harm kijkt haar verrast aan en laat meteen de spons in de emmer met sop vallen. Hij veegt zijn handen droog aan zijn broek en steekt dan zijn hand uit. 'Hoe is het met je? Je bent bruin geworden.'

'Ja, jij ook. Fijne vakantie gehad?'

Harm knikt. 'Kom mee naar binnen. Die auto komt wel…'

'Welnee, ik wil je niet storen. Maak gerust even je karweitje af. Zal ik helpen?'

Harm lacht. 'Het mag wel. Het hoeft niet.'

'Heb je nog een spons? Of een doek?'

'Hier is een doek. Als jij alles droog wilt wrijven? Dan kun je me ondertussen vertellen hoe je vakantie is geweest.'

Judith vertelt en ze vindt het prettig om ondertussen samen bezig te zijn.

'En jij? Hoe heb jij het gehad?' vraagt ze als ze uitverteld is.

'We hebben het prettig gehad,' antwoordt hij. 'Het is fijn om het contact met de familie weer eens wat aan te halen. We wonen te ver van elkaar vandaan om zomaar even een uurtje op de koffie te komen. En Annemieke heeft genoten met haar neefjes en nichtjes. Soms maak ik me weleens zorgen om haar. Bij mij is ze zo alleen.'

Judith begrijpt meteen wat hij bedoelt. Het kind heeft geen broertjes en zusjes. En geen moeder. Dat gemis moet nu des te schrijnender geweest zijn nu ze een poosje in de nabijheid van de familie zijn geweest.

'Gelukkig heeft ze op school iedere dag haar vriendjes en vriendinnetjes,' merkt Judith bedachtzaam op. 'Waar is ze eigenlijk?'

'Bij een buurmeisje. Hier een eindje verderop. Wat denk je ervan, Judith? Zullen we ermee stoppen? De auto glimt weer als nieuw.'

Tevreden kijkt hij naar de glanzende lak en de glimmende ramen.

'Moet je de auto niet uitzuigen?' vraagt Judith.

'Ja, maar dat kan vanavond ook nog. Het is nog lekker lang licht.'

'Ja, al kun je merken dat het toch al eerder donker wordt. We zitten alweer in het begin van september.'

Harm knikt en zegt: 'Kom mee. Ik heb trek in koffie.' Hij pakt de emmer en leegt hem langs de kant van de weg. Voor haar uit gaat hij het huis binnen.

Hij ruimt de spullen op en zet het koffiezetapparaat aan. Het aanrecht is netjes opgeruimd en alles glimt haar tegen. Judith vraagt zich af of hij weer hulp heeft. In de gang ziet ze een wasmand staan met gestreken wasgoed. Het doet haar meteen denken aan mevrouw Koppelaar die met een hernia op bed lag. Zou ze weer beter zijn?

Ze kijkt naar Harm die met zijn rug naar haar toe staat. Het is duidelijk zichtbaar dat hij alles hier onder controle heeft, ondanks dat hij alleen is. Zou hij hulp hebben van anderen? Misschien toch weer van mevrouw Koppelaar? Of zou hij het alleen doen?

'Hoe is het met je schoonmoeder?' vraagt Judith dan.

Harm draait zich half naar haar om. 'Slecht. De pijn in haar rug is, ondanks de bedrust, niet minder geworden. Ze zal geopereerd moeten worden.'

'Toch?' Judith schrikt ervan. 'Wat moet dat een tegenvaller voor haar zijn. Wanneer gaat het gebeuren?'

Harm pakt twee mokken uit de kast en schenkt die vol. 'Over twee weken al. Ze ziet er heel erg tegen op. Aan de andere kant is ze blij dat er wat aan gedaan wordt. Zo kon het ook niet langer.'

'Ik begrijp het.'

Harm zet de twee mokken op een blaadje, zet een kannetje melk en suiker erbij en geeft het dan aan Judith. 'Wil je dit aanpakken? Dan pak ik de koektrommel.'

Voor hem uit loopt ze naar de woonkamer. Ondertussen werpt ze een blik op de volle wasmand.

'Ik zie dat je hulp hebt gehad. Je hebt dus toch nog iemand gevonden die hier alles draaiende houdt?'

Harm zet de koektrommel op tafel en kijkt haar dan met een brede lach aan.

'Helemaal geen hulp,' zegt hij triomfantelijk. 'Ik heb de laatste weken, nadat we terugkwamen van vakantie, alles zelf gedaan.'

'Je meent het! En dat gestreken wasgoed in de gang dan?'

'Heb ik ook zelf gedaan.'

Judith kijkt hem ongelovig aan. 'Je hebt je eigen overhemden gestreken?'

Ze staan midden in de kamer. Judith houdt nog steeds het blaadje met de mokken koffie in haar handen. Ze vergeet het neer te zetten.

'Ja, waarom niet? Als je wilt, kun je alles leren. Zelfs strijken.'

'En het is je gelukt.'

Harm grinnikt. 'Ja. En ik ben er nog trots op ook. Ik zal je er maar niet bij vertellen hoelang ik erover heb gedaan.'

'Dat moet je me wel vertellen. Je maakt me nieuwsgierig.'

'Drie uur.'

'Wat? Heb je drie uur achter de strijkplank gestaan?'

'Judith! Lach me niet uit. Ik vond het van mezelf een hele prestatie.'

Eindelijk zet Judith het blad met de mokken op tafel. Haar ogen glimmen.

'Ik vind het bijzonder dat je het doet. Ja echt, Harm. Ik meen het. Nu heb je zeker gelijk de smaak te pakken?'

'Houd op, zeg. Ik weet me wel leukere karweitjes te bedenken.'

'De auto wassen zeker?'

'Nee, dat behoort ook niet tot mijn favoriete bezigheden. Maar het scheelt dat jij me hielp. Dat maakt zo'n karweitje zelfs leuk. Maar strijken… nee, het is een noodzakelijk kwaad. Maar liever dat ik het zelf doe, dan dat ik weer zo'n juffie over de vloer krijg met alle gevolgen van dien.'

'Niet zo minderwaardig over de dames, Harm. Jij hebt het gewoon slecht getroffen. En wat die strijk betreft: hoe vaker je het zult doen, hoe handiger je erin wordt.'

Harm trekt een gezicht. 'Je mag het gerust weten, Judith. Ik heb echt zitten tobben. Ik wist niet eens hoe ik die overhemden op moest vouwen. Ik heb het naar mijn beste weten gedaan, maar volgens mij deed ik het helemaal verkeerd.'

Judith loopt al naar de gang en neemt de mand met inhoud weer mee naar de kamer. Het vouwwerk laat inderdaad te wensen over. Ze legt Harm meteen de kunst van het vouwen uit.

'Kijk niet zo wanhopig, Harm. Het is echt niet moeilijk, maar alles moet je nu eenmaal leren. Ik zal je de volgende keer wel helpen met de strijk. Dan kun jij ondertussen schriften nakijken. Je hebt veel te veel te doen en niemand zou het jou kwalijk nemen als het je te veel zou worden.'

'Tante Judith… Bent u er weer?' Annemieke komt onverwachts binnen. Ze heeft een kleur en haar ogen schitteren. Ze is zichtbaar verrast. 'U bleef heel lang weg…'

Ze rent op Judith toe en legt spontaan haar armpjes om Judiths nek. Judith staat op en lacht. Ze draait het meisje speels in de rondte.

'Maar nu ben ik er weer,' zegt ze. 'Hebben jullie het leuk gehad in Friesland?'

Meteen begint Annemieke een heel verhaal af te draaien over opa en de ooms en tantes. Een hond die Lobbes heet en die zij heel vaak mocht uitlaten.

'Hij is zo lief. Ik wil ook een hond. Als ik vijf word.'

Over Annemiekes hoofd heen kijkt ze naar Harm die bezig is de computer op te starten zodat hij foto's van de vakantie kan laten zien. Hij schudt zijn hoofd.

'Een hond… Zet dat maar uit je hoofd, Annemieke. Zo'n beest moet je een paar keer per dag uitlaten.'

'Dat kan ik best.'

Harm grinnikt. 'Prachtige voornemens. Maar daar komt niets van terecht. Bovendien ben je nog een beetje te klein om met zo'n grote hond te lopen.'

'Ik ben niet te klein. Ik ben al bijna vijf.'

Harm gaat er niet op in, maar hij wenkt Judith. 'Kom je de foto's bekijken?'

'Ik wil toch een hond voor mijn verjaardag,' zeurt Annemieke verder.

Harm doet net of hij zijn dochter niet hoort en Judith verbijt een lach. Ze komt naast Harm zitten en kijkt met hem mee. Het is leuk om op deze manier zijn familie wat beter te leren kennen. Harm wijst en vertelt. Als de fotopresentatie klaar is, zit Judith zich af te vragen wat ze toch aan Harm ziet. Er is iets aan hem. Maar wat?

Hij sluit ondertussen de computer af en gaat nog een keer voor koffie zorgen. Annemieke pruilt nog steeds na in een hoekje.

'Kom eens bij me zitten, Annemieke. Ik heb iets voor je meegenomen uit België.'

Dat hoeft Judith geen twee keer te zeggen. Het kind rent op haar af. Haar boosheid is ineens vergeten.

'Wat dan? Een cadeautje?'

Judith haalt een klein doosje uit haar tas. 'Kijk eens. Echte Belgische chocola.'

'Lekker. Mag ik een stukje?'

'Dat moet je maar aan papa vragen.'

Annemieke rent al naar de keuken. 'Papa…'

Even later komen ze samen weer terug. 'Je verwent dat kind veel te erg,' zegt hij.

'Met jou erbij,' plaagt Judith. 'De chocola is voor jullie allebei bestemd. Echte Belgische.'

'Dan help jij mee om het op te maken,' zegt Harm. 'En spreek me niet tegen. Het is voor ons alle drie.'

'Af en toe ben jij een grote baas,' vindt Judith.

Harm grinnikt. 'Gezag moet er zijn.'

'Hoor dat,' spot Judith. 'Wat een verbeelding.'

Harm trekt Annemieke naar zich toe en fluistert haar iets in het oor. Het kind knikt en huppelt de kamer uit. Even later komt ze terug en stopt Judith iets in haar handen.

'Voor u,' zegt ze.

'Wat is dat?' vraagt Judith verrast.

Ze maakt het open en er komt een suikerbrood tevoorschijn.

'Echt Fries,' lacht Harm. 'Ik kon het niet laten om er voor jou ook een te kopen. Ik heb hem thuis meteen in de vriezer gestopt. Dus het is niet oudbakken.'

'Dank je wel. Wat lekker. Dan zullen wij dit ook maar onder ons drieën verdelen.'

'Echt niet,' zegt Harm vastberaden. 'Ik had er twee gekocht. En uit ondervinding kunnen Annemieke en ik je vertellen dat het heerlijk suikerbrood is.'

Als Judith later op de middag weer naar huis fietst, het suikerbrood zorgzaam in een zijtas gedaan, peinst ze er opnieuw over wat ze toch aan Harm heeft gezien.

En dan opeens weet ze het.

Hij heeft zijn trouwring afgedaan!

19

Het is inmiddels oktober. De herfst heeft zijn intocht gedaan.
Judith trekt het raam huiverend dicht. Nee, 't is niks gedaan. Echt
weer om de verwarming aan te draaien en een kaarsje op tafel te zetten.
Lieke heeft vandaag late dienst. De hele avond heeft Judith voor
zichzelf alleen. Ze peinst erover of ze lekker thuis zal blijven of dat ze
iets zal ondernemen. Voordat ze echter tot plannen maken toekomt,
onderbreekt de telefoon de stilte.

'Met Annemieke,' klinkt het, nog voordat Judith iets gezegd heeft.
'Ik ben al heel gauw jarig. Nog zeven nachtjes slapen. Komt u ook?'

Judith lacht en plaagt: 'Dat wist ik nog niet. Daar zal ik eerst eens een
poosje over nadenken.'

Al weken heeft Annemieke het over haar verjaardag. Harm wordt er
dol van. 'Ik ben blij als het weer voorbij is,' had hij gezegd. 'Ze slaapt er
bijna niet van en praat nergens anders meer over.'

'Nadenken?' vraagt het meisje ongerust. 'U komt toch echt wel?'

'Wat vindt papa daarvan?'

'Papa vindt het goed. En ik ook. Ik wil het zo graag.'

'Natuurlijk kom ik,' zegt Judith meteen om het kind gerust te stellen. 'Hoe zou ik jouw verjaardag kunnen vergeten? Heb je een verlanglijstje?'

'Ja. Er staat heel veel op.'

'Dan is het vast niet moeilijk om iets te kiezen,' meent Judith met een
glimlach.

'Nee hoor, helemaal niet. Ik wil een hond. Een step, skeelers en een
poppenhuis. En nog veel meer… Het liefst een hond…'

Judith schiet in de lach. Ook iets waar ze Harm dol mee maakt. 'Dat
hondenbeest van mijn broer heeft het kind stapelgek gemaakt.'

'Geef haar een speelgoedhondje dat kan blaffen en lopen,' had Judith
hem geadviseerd.

'Ha, dat is een briljant idee,' had hij verrast gereageerd. 'Ik had daar
zelf nog niet eens aan gedacht. Bedankt, Judith!'

'Papa wil met u praten,' zegt Annemieke dan. Zonder verdere reactie van Judith af te wachten geeft ze de telefoon aan haar vader.

'Met Harm,' klinkt zijn donkere stem in Judiths oor. 'Je hebt de uitnodiging van mijn dochter ontvangen?'

'Ja.' Judith slikt een lach in. 'Over zeven nachtjes slapen verwacht ze me. En voor alle zekerheid heeft ze er ook meteen bij verteld wat ze graag wil hebben. Ik zal eens kijken wat ik nog op mijn spaarrekening heb staan.'

Harm grinnikt. 'Dat kind kijkt niet naar prijzen. Ze noemt alleen op wat ze mooi vindt. Als je met een doosje playmobil van enkele euro's komt, is ze er net zo blij mee.'

'Het klonk wel grappig. Maar wat die uitnodiging van de kleine meid betreft: vindt de vader het ook goed dat ik kom?'

'Er moet wel iets tegenover staan.'

'En dat is?'

'Dat jij me komt helpen met slingers ophangen. En dan moet er ook nog zoiets als een feestje gegeven worden. Ze wil de hele klas vragen.'

Judith moet lachen om de sombere toon waarop hij het zegt. 'Ach, arme jij. Je zegt het alsof jij je een slachtoffer voelt. Ik denk dat het voor jou geen probleem hoeft te zijn. Je staat zelf voor de klas.'

'Ja,' bromt Harm. 'Om les te geven. Niet om kinderen te vermaken met spelletjes.'

'Wanneer gaat het gebeuren?'

'Dat feestje? Op een woensdagmiddag, denk ik. Daar moet nog een datum voor geprikt worden.'

'Misschien meteen de woensdag na haar verjaardag? Dan ben je er gelijk vanaf.'

'Als jij komt helpen, voel ik me al kilo's lichter. Je laat me toch niet in de steek?'

'Welnee, joh. Natuurlijk niet. Ik zal kijken of ik vrij kan krijgen.'

'Meen je dat?' Harms stem klinkt gelijk opgewekter. 'Ik zou het geweldig vinden als je kwam. Om als vader alleen zulke dingen te verzorgen, is niks gedaan.'

Als Judith even later de telefoon heeft neergelegd, blijft ze nog een poosje voor zich uit staren. Het valt voor Harm warempel niet mee om alles in z'n eentje te moeten doen.

Vorige week was het een jaar geleden dat Marlies overleed. Een jaar alweer. Wat is de tijd omgevlogen. Het viel haar op dat Harm erg stil en in zichzelf gekeerd was. Ze kon er slechts naar gissen wat er in hem omging. Ze had zo intens met hem te doen.

Ze is opgelucht dat hij aan de telefoon weer helemaal zichzelf was. Ze hoopt van harte dat hij het allemaal goed kan verwerken. Wat is nu een jaar? Niets.

Haar sombere gedachten worden alweer verdrongen door de opgetogenheid van Annemieke. Wat kan een kind vol zijn van kleine dingen.

Het zal haar tweede verjaardag worden zonder haar moeder. Judith heeft uiteraard geen idee wat er in dat kinderhoofdje omgaat. Zal ze ook aan haar moeder denken?

Het regent als Judith de avond voor Annemiekes verjaardag naar de Weteringstraat rijdt. Als ze voor het huis van Harm parkeert, staat Annemieke haar al ongeduldig op te wachten. 'Ik ben morgen jarig, tante Judith. Ik word vijf jaar.' Ze steekt vijf vingers in de lucht.

Een koude windvlaag strijkt langs Judiths gezicht als ze binnenstapt. Snel doet ze de deur achter zich dicht. Precies op dat moment komt Harm de gang in.

'Ha Judith. Fijn dat je er bent.'

Ze zien beiden Annemieke rillen. 'Je hebt het koud,' constateert Judith. 'Ik denk dat je eerst in een lekker warm bad moet voordat je onder je dekbed kruipt. Zal ik je helpen?'

Over het kind heen kijkt ze met een vragende blik naar Harm. Hij knikt.

'Als jij klaar bent, zal ik zorgen dat ik koffie heb.'

'Lekker,' zegt Judith waarderend. Ze gaat achter het meisje aan naar boven.

Het wordt dikke pret. Judith laat het bad vollopen en zorgt voor heel veel badschuim.

Samen met Annemieke verzint ze allerlei spelletjes. Het duurt wel drie kwartier voordat ze schoongewassen weer uit bad stapt en Judith haar afdrogen en aankleden kan. Daarna laat ze het bad leeglopen en ruimt alles in de badkamer op.

'Kom, dan gaan we beneden nog even iets drinken en daarna papa welterusten zeggen.'

'Brengt u mij dan ook naar bed?' vraagt Annemieke.

Judith knikt. Ze kan het kind moeilijk iets weigeren.

Beneden rent Annemieke naar haar vader toe en ze roept spontaan: 'Ruik es, papa. Nee zo, met uw neus in mijn haren... Ik ruik zo lekker.'

Judith verbergt een lach achter haar hand. Harm pakt zijn dochter op en stopt zijn neus in haar nog vochtige haartjes.

'Heerlijk,' zegt hij dan. 'Je bent weer helemaal schoon. Zeg, je hebt tante Judith toch niet nat gespetterd, hè?'

Zijn ogen glijden over Judith en ze schudt lachend van nee.

'Je dochter heeft zich keurig gedragen.'

Annemieke giechelt en maakt zich los uit haar vaders armen.

'Krijg ik nog drinken, papa? En iets lekkers? En o ja, tante Judith legt me straks in bed.'

Harm en Judith kijken elkaar aan en moeten allebei om het kind lachen. Klein bijdehandje!

Het naar bed brengen kost ook het nodige ritueel. Het tanden poetsen is een compleet pretfestijn. Daarna moet er nog een verhaaltje worden voorgelezen en uiteindelijk wil Annemieke nog zingen.

'Ik ga slapen, ik ben moe…' Het verrast Judith dat Annemieke dat op eigen initiatief doet. Ze kende de eerste twee versjes al. Die had zijzelf Annemieke geleerd. Maar omdat Harm en Marlies er geen gewoonte van hadden gemaakt om dat met haar 's avonds te zingen, gebeurde dat na haar vertrek vast nooit.

Nu heeft Annemieke er blijkbaar zelf een gewoonte van gemaakt. Hoe zou dat gekomen zijn? Misschien toch door Harm? Judith kijkt nergens meer vreemd van op.

Als Annemieke uitgezongen is, vult ze zelf nog aan: 'Wilt U voor papa zorgen en voor oma. Zij heeft een erg zere rug. En wilt U ervoor zorgen dat ik niet meer zo verdrietig ben omdat ik geen mama meer heb?'

Daarna kruipt ze diep weg onder het dekbed en zegt tegen Judith: 'Nou moet u mij heel goed instoppen.'

Judith doet wat het meisje vraagt, zonder verder iets te zeggen. Het kinderlijke gebed dat Annemieke zelf aanvulde, heeft haar diep ontroerd.

Dan slaat Annemieke haar armpjes om Judiths nek. 'U bent een beetje mijn mama. Dag mama…'

Een kusje belandt ergens bij haar oor en Judith kust haar terug. 'Dag mijn lieve, kleine meisje. Slaap lekker.'

Dan gaat ze naar beneden.

De geur van koffie komt haar op de trap al tegemoet. Harm is in de keuken bezig, zoals hij beloofd had. Hij hoort haar komen en zegt: 'Nu eerst koffie, Judith. Vanaf het moment dat je hier binnenstapte ben je alleen maar bezig geweest.'

Even later zitten ze tegenover elkaar achter een dampende mok koffie. Het gesprek komt niet goed op gang. Judith weet dat het niet aan Harm ligt, maar aan haar. Ze is met haar gedachten bij Annemieke. Het laat haar niet los wat het kind heeft gezegd.

'Je bent stil,' hoort ze Harm ineens zeggen. 'Is er iets?'

Hij kijkt haar onderzoekend aan. Ze weet dat zij hem niet met een smoesje om de tuin kan leiden. Zo goed kent ze hem inmiddels al.

Open en eerlijk vertelt ze wat zijn dochter in haar gebedje heeft gezegd. 'Wilt U ervoor zorgen dat ik niet meer zo verdrietig ben omdat ik geen mama meer heb?' En daarna tegen haar: 'U bent een beetje mijn mama. Dag mama...'

Er valt een diepe stilte als Judith uitgesproken is. Ze ziet hoe Harm met zijn kaken werkt. Even overvalt haar de twijfel. Had ze dit wel tegen hem moeten zeggen?

Dan kijkt Harm haar recht aan. 'Ik ben blij dat je dit niet voor mij verzwijgt, Judith. Alles wil ik weten. Ik kan Annemieke niet altijd peilen. Tegen mij begint ze nooit over Marlies. En ik heb me dikwijls afgevraagd hoe ze zich moet voelen tegenover haar klasgenootjes die allemaal wel een moeder hebben.'

Judith weet niet wat ze hierop moet zeggen. Dit onderwerp ligt zo gevoelig dat elke opmerking te veel kan zijn. Ze laat Harm liever praten. Een luisterend oor is soms beter dan argumenten ertegen inbrengen.

Het is al later op de avond als ze de slingers op gaan hangen. Harm gaat op de trap staan, Judith geeft slingers en punaises aan. Het zo samen bezig zijn breekt de spanning die onmiskenbaar tijdens het gesprek bij de koffie aanwezig was.

Als het karweitje klaar is, ligt er nog een aantal ballonnen die opgeblazen moeten worden.

'Het kind is gek op ballonnen,' zegt Harm verontschuldigend. 'Ik kan het niet maken om haar een ballonvrije verjaardag te geven.'

Judith schiet in de lach. 'Een nieuwe uitdrukking: een ballonvrije verjaardag. Nou, kom maar op. Ik blaas die dingen wel leven in.'

Ze voelt zich niet veel ouder dan Annemieke als ze de ballonnen samen met Harm opblaast. Het geeft een bepaald sfeertje om op deze manier samen bezig te zijn.

Met veel geduld worden er knopen in de ballonnen gelegd en daarna worden ze aan touwtjes opgehangen. Samen bekijken ze het resultaat.

'Ik zou haar gezicht morgenochtend wel willen zien,' zegt Judith.

'Dan kom je toch? Om zeven uur zal ze beneden zijn.'

Judith kijkt een tikkeltje benauwd. 'Dat is wel heel erg vroeg. Ik hoor van jou wel hoe ze gereageerd heeft. Heb je dat hondje nog gekocht?'

'Ja, bij de speelgoedzaak hier in het centrum hadden ze veel soorten. Ik vond het moeilijk om te kiezen.'

Judith lacht. 'Waren ze in verschillende rassen en kleuren te verkrijgen?'

Harm haalt hulpeloos zijn schouders op en knikt. 'Ja, en de hond waar het om ging hadden ze net niet.'

'Die hond uit Friesland?'

'Precies. Ik heb er een genomen die er veel op lijkt. Ik heb mijn best gedaan. Ze wilde ook nog een pop die 'mama' kan zeggen.'

Judith schrikt op. 'Waarom juist dat?'

Harm haalt zijn schouders op. 'Misschien juist omdat zijzelf een moeder mist.'

'Maar… dat moet voor jou toch een kwelling zijn?'

Een beetje hulpeloos kijkt Harm haar aan. 'Ik kan dat kind moeilijk iets weigeren.'

Judith gaat zitten en kijkt naar Harm die midden in de kamer is blijven staan.

'Weet je, Judith, ik heb de laatste tijd zo veel nagedacht. De situatie hier is onhoudbaar geworden. Je weet er inmiddels alles van. Ik moet er niet aan denken dat ik weer aan een nieuw meisje moet beginnen. Ik heb inmiddels drie keer flink mijn neus gestoten. Op mijn schoonmoeder hoef ik voorlopig niet te rekenen. Bovendien hebben zij en mijn schoonvader al meer gedaan dan in hun vermogen lag. Annemieke mist een moeder. Dat is me vanavond des te meer duidelijker geworden. Er rest mij maar één ding.'

'En dat is?'

'Opnieuw te trouwen.'

Er valt een stilte. Judith houdt haar adem in en zit als een strak gespannen snaar in haar stoel. Hoe komt Harm hier opeens bij? Hij redt zich de laatste tijd toch prima? Of is het alleen om Annemieke een moeder te geven? Ze kan het niet helpen dat ze schrikt van zijn plannen. Trouwen betekent opnieuw vastigheid in zijn leven, maar dan met een vrouw van wie hij niet houdt. Zijn hart behoort immers nog altijd Marlies toe?

'Voor trouwen moet je wel met zijn tweeën zijn,' merkt ze nuchter op.

'Goed opgemerkt,' zegt Harm met een kleine glimlach. 'Ik heb al een vrouw op het oog.'

'Ken ik haar?'

'Ja.'

'Wie is het?'

'Jij.'

Als er een bom ontploft was midden in de kamer had Judith niet geschokter kunnen kijken. Ze is een moment met stomheid geslagen. Het blijft even heel stil.

'Je bent stapelgek,' laat ze zich dan ontvallen.

'Luister, Judith,' haast Harm zich te zeggen. 'Ik weet dat ik jou hier erg mee overval. Ik had er misschien wat langer mee moeten wachten. Maar ik loop al een tijd met deze gedachte rond. Ik mag je graag. Annemieke heeft een moeder nodig. De situatie hier is onhoudbaar.'

'Het lijkt wel een optelsom van één plus één is twee,' zegt Judith met een vreemde, schorre stem.

'Nee, zo bedoel ik het niet. Begrijp me niet verkeerd, Judith. Als jij me totaal onverschillig liet, zou ik hier nooit tegen jou over begonnen zijn. Je houdt toch van Annemieke? En Annemieke is stapeldol op jou. Denk er op zijn minst eens over na.'

'Harm, daar hoef ik niet over na te denken. Ja, ik ben gek op dat kind. Dat heb je goed begrepen. En zij wil mij graag als haar mama zien. Maar dat wil daarom niet zeggen dat wij dan maar samen in het huwelijksbootje moeten stappen. Dat is een ingrijpend besluit. Bovendien weet jij dat ik door die ellendige ervaring met Leon nooit meer wil trouwen.'

'We zijn allebei beschadigd door gebeurtenissen in ons leven, Judith. Wat dat betreft kunnen we elkaar juist goed begrijpen.'

Judith schudt verdwaasd haar hoofd. 'Denk nou eens goed na, Harm. Jij kunt alle nuchtere feiten wel op een rij zetten en tot de slotsom komen dat dit een prachtige oplossing is. Maar er is geen liefde tussen ons. Jouw hart is nog volop bij Marlies. En ik kan ook niet meer van een man houden zoals ik van Leon heb gedaan.'

'We moeten dit de tijd geven. Zeg nog niet radicaal nee, Judith?'

Harm is inmiddels gaan zitten en kijkt haar ernstig en indringend aan.

Ze begrijpt de nood waarin hij verkeert. Wat moet hij het moeilijk hebben. Een heel lang jaar zonder vrouw. Maar kan zij zich hiervoor opofferen? Als ze zou toestemmen komt er alleen maar ellende van.

'Je hebt me hier geweldig mee overvallen,' zegt ze. 'En ik kan geen ja zeggen, Harm. We zouden elkaar diepongelukkig maken. Dat weet ik zeker.'

Het blijft stil na haar woorden. Judith kijkt naar hem en ze kan het niet helpen dat het haar pijn doet om hem. Maar ze kan niet anders.

Harm kijkt haar bedachtzaam aan. 'Luister, Judith. Ik ken je inmiddels wel zo goed, dat ik weet dat je bij je besluit blijft. Ik hoop niet dat je vanaf vanavond mijn deur gaat ontlopen. Je vriendschap is ook heel kostbaar voor mij en dat wil ik niet graag missen.'

'Je hoeft me ook niet te missen,' antwoordt Judith. 'En je hoeft niet bang te zijn dat je met dit onderwerp mij gelijk kopschuw hebt gemaakt. Ik wil het graag voortzetten zoals het was. Maar meer kan ik niet opbrengen, Harm. Echt niet.'

Als ze later naar huis rijdt, voelt ze een zeurderige hoofdpijn opkomen. Ze weet dat dát het gevolg is van de verwikkelingen deze avond. Waarom is Harm over zoiets als trouwen begonnen? Nee, hij zal haar vriendschap niet verliezen. Maar vergeten zal ze zijn voorstel ook niet. Het is alsof het een lichte smet heeft geworpen op de warme vriendschap die ze al die tijd voor hem heeft gevoeld. Ze wil het zo graag zuiver houden tussen hen.

Hij had er niet over moeten beginnen. Nu kan ze het niet meer van zich afzetten.

Als ze haar flat binnenstapt, zit Lieke nog op.

'Ik ga naar bed. Ik heb hoofdpijn,' zegt Judith.

'Ook goedenavond,' zegt Lieke laconiek en ze kijkt haar vriendin opmerkzaam aan. 'Is er iets?'

'Nee.'

'Volgens mij heb jij een humeur om op te schieten. Ruzie gehad of zo?'

'Bemoei je met je eigen zaken.'

'Nou breekt mijn klomp. Wat heb ik gedaan dat je mij zo afsnauwt? Kun je mij niet vertellen wat er is? Twee weten meer dan een.'

'Ik praat er liever niet over.'

'Zie je wel? Er is iets. Heb je ruzie gehad?'

'Nee.'

'Wat dan?'

'O, wat kun jij doordrammen. Je zou een goede zijn voor een rechtszaak. De duimschroeven aan om de waarheid eruit te krijgen.'

Lieke lacht. 'Ja, een idee. Wie weet wat ik nog eens ga doen. Kom zitten, meid. En vertel.'

Judith laat zich op een stoel vallen en zucht. 'Ik ben vanavond ten huwelijk gevraagd.'

Liekes mond valt open. 'Je bent ten huwelijk gevraagd?' herhaalt ze verbaasd. 'En dat zeg je op een graftoon. Kind, het moet je in een staat van verrukking brengen.'

'Ja, als er liefde aan te pas komt. Maar dat is er niet bij mij en net zomin bij hem.'

'Hoe komt hij er dan op om erover te beginnen?'

'Het zou een prachtige oplossing zijn voor heel veel moeilijkheden.'

Het blijft even stil. Dan kijkt Lieke haar opmerkzaam aan. 'Wie is het?'

'Harm.'

'Harm? Die jonge weduwnaar?'

Judith knikt.

Opnieuw blijft het even stil. Dan zegt Lieke zacht: 'Ik begrijp het van hem.'

'Ik ook,' zegt Judith. 'Maar als er geen liefde aan te pas komt, dan is het bij voorbaat al gedoemd te mislukken.'

'En nu voel jij je schuldig.'

'Ja, snap jij dat nou?'

'Ja,' knikt Lieke. 'Dat snap ik. Je hebt een fijn contact met die man opgebouwd. Je houdt van zijn dochtertje en als het daarom gaat zou je niets liever dan een moeder voor dat kind willen zijn. Wat zie ik nou? Tranen?'

'Ik kan het niet helpen.' Hulpeloos schudt Judith haar hoofd. 'Als je wist wat Annemieke vanavond allemaal tegen me zei.'

Ze herhaalt wat er tijdens het moment dat ze Annemieke op bed ging leggen, voorgevallen was.

'Ze wil me echt als haar moeder zien en dat kan ik niet voor haar zijn. En als ik zie hoe Harm tobt... Hij zit zonder hulp en toch probeert hij zich er manmoedig doorheen te slaan. Maar hij moet alles alleen doen. En dan ten einde raad doet hij mij het voorstel om te trouwen en dan moet ik nee zeggen. Maar ik kon niet anders, Lieke.'

Lieke is naast haar vriendin gaan zitten en legt een arm om haar schouders.

'Ik begrijp het wel. Je verstand strijdt tegen je gevoel. Je hebt medelijden met Annemieke, maar ook met Harm. Je zou hen graag willen helpen, maar tegelijk weet je dat jij dat niet kunt. Je hoeft je nergens schuldig over te voelen. Ik weet zeker dat Harm het van jou begrijpt.'

'Hij was bang dat hij mijn vriendschap na zijn vraag ook zou verliezen. Maar ik zou hem en Annemieke nooit in de steek kunnen laten. En dat heb ik hem ook gezegd.'

'Maar dan is het toch goed? Probeer alles wat te laten bezinken. Morgen ziet het er vast weer anders uit.'

'Je praat er toch met niemand over?'

Lieke kijkt verontwaardigd. 'Zeg, wat denk je wel van me? Natuurlijk zwijg ik. Ik ben juist blij dat je alles tegen me hebt gezegd. Al kan ik je niet helpen, ik wil altijd naar je luisteren.'

'Je bent een vriendin uit duizend.'

'Kom op, meid, we gaan slapen.'

Ze zoeken beiden hun bed op. Judith is door al die ongewone emoties zo uitgeput, dat ze heel snel in slaap valt.

20

Als Judith de volgende dag naar Harm en Annemieke gaat, houdt de onverwachte vraag van Harm haar nog steeds bezig. Ze wil er niet aan denken. Ze moet doen alsof die vraag haar nooit gesteld is.

Eenmaal binnen ziet ze dat er al veel verjaardagsbezoek is.

'Tante Judith...' Blij verrast kijkt Annemieke op als Judith binnenkomt.

'Kom jij eens hier, jarige jet, en laat me je feliciteren.'

Ze knuffelt het kind en geeft haar het cadeautje dat ze die dag daarvoor heeft gekocht. Annemieke is opgetogen: kleertjes voor haar pop, een flesje en allerlei spullen die het poppenkind nodig heeft.

Judith feliciteert Harm en loopt dan naar de andere aanwezigen. Ze maakt kennis met Harms vader, broers en schoonzussen. Het verrast haar dat zij ook hier zijn en een lange reis ervoor over hebben gehad. Dat zal Harm zeker waarderen. Daarna schudt ze de twee broers van Marlies een hand, maakt kennis met hun vriendinnen en als laatste feliciteert ze meneer en mevrouw Koppelaar.

'Wat fijn dat u er ook bent,' reageert Judith spontaan. 'Ik heb van Harm gehoord dat u geopereerd moet worden?'

Mevrouw Koppelaar knikt. 'Dat is inmiddels gebeurd.'

'O ja? Zover was ik nog niet ingelicht. Heeft de operatie u van de pijn afgeholpen?'

'Ja,' antwoordt mevrouw Koppelaar. 'Het is heerlijk om na zo'n lange periode geen pijn meer te hebben. Voorlopig moet ik nog wel fysiotherapie volgen om mezelf een goede houding aan te wennen. Maar ik kan verder alles weer doen.'

Judith gaat op de lege stoel naast mevrouw Koppelaar zitten. Ze wordt inmiddels voorzien van koffie met gebak. Even later komt Annemieke bij haar op schoot zitten.

'Wat zie je er mooi uit,' zegt Judith bewonderend. Het meisje heeft nieuwe kleren aan en een leuke haarband in haar blonde krullen.

Annemieke schuift weer van haar schoot en komt alle cadeaus een voor een aan oma en Judith laten zien. Ze is vooral trots op haar nieuwe pop. Hij kan lachen, huilen en papa en mama zeggen. Mevrouw Koppelaar en Judith kijken elkaar aan als Annemieke het aan iedereen laat horen.

'Het is gelukkig maar een pop,' fluistert mevrouw Koppelaar haar toe als het mama telkens klinkt.

Annemieke gaat de pop omkleden en ondertussen hoort Judith het meisje tegen haar poppenkind praten.

'Ik laat jou nooit alleen, hoor. Nooit. Ik zal altijd bij je blijven.'

Judith vangt ineens de blik van Harm. Snel kijkt ze van hem weg en ze hoort mevrouw Koppelaar naast zich getroffen zeggen: 'Ze voelt zich door Marlies in de steek gelaten...'

Judith weet niet goed wat ze moet zeggen. Ze merkt dat het de oudere vrouw veel pijn doet. Hoe zullen ze ooit de psyche van een kind kunnen doorgronden?

Als Judith later in de keuken bezig is met de vaat, staat onverwachts mevrouw Koppelaar bij haar.

'Ik moet weer gaan,' zegt ze met iets van spijt in haar stem. 'Ik mag mijn rug nog niet te veel belasten. Maar ik wilde toch graag even naar Annemieke toe.'

'Ik begrijp het wel,' zegt Judith. 'Nu Marlies er niet meer is, wilt juist u nu niet op haar verjaardag ontbreken.'

De oudere vrouw knikt en kijkt peinzend voor zich uit. Dan zegt ze plotseling: 'Soms denk ik eraan dat het misschien beter is dat Harm zal hertrouwen. Het zou een oplossing zijn voor heel veel problemen. Maar als ik eraan denk dat een andere vrouw Marlies' plaats in zou nemen, dan komt alles in mij in opstand. Begrijp jij daar iets van?'

Judith kijkt naar Marlies' moeder. Haar ogen staan zo moe en zorgelijk. Ze heeft met deze vrouw te doen.

'Het is soms moeilijk om iets van jezelf te begrijpen,' antwoordt ze bedachtzaam. 'Je verstand zegt het één en je gevoel druist er dwars tegenin. En dat geeft strijd vanbinnen.'

'Ja, zo is het precies,' knikt mevrouw Koppelaar.

'Ik denk dat u het maar gewoon aan Harm moet overlaten,' zegt Judith dan rustig. 'Hij weet zelf ook wel dat het zo niet langer kan. Maar je kunt zoiets niet dwingen. Zijn hart is nog altijd bij Marlies.'

'Ja, zo is dat. Ik denk dat een man één keer in zijn leven echt van een vrouw houden kan. Hij zal Marlies altijd trouw blijven.'

Judith denkt daarover na. Heeft mevrouw Koppelaar gelijk? Of wil ze het juist zo graag zien omdat het haar dochter is die nooit door een andere vrouw vervangen mag worden? Is het haar gevoel dat spreekt en wil ze de realiteit hierin niet toelaten? Hoe vaak gebeurt het niet dat een weduwe of weduwnaar een tweede start maakt en opnieuw trouwt? En dat ze dan toch weer opnieuw gelukkig worden?

'Ik ben zo blij dat jij af en toe hier wilt helpen,' hoort ze dan de oudere vrouw verder praten. 'Mijn man en ik waarderen je. Dat mag je best weten.'

'Dank u,' zegt Judith.

'En Harm vindt het ook fijn dat je zo vaak helpt. Je betekent veel voor Annemieke. Ik hoop alleen dat je je geen illusies zult maken.'

Judith kijkt vragend op, recht in de vaste blik van mevrouw Koppelaar.

'Nou ja... ik bedoel... Het gaat erom dat je niet zou gaan denken dat jij...' Ze komt niet goed uit haar woorden, maar Judith begrijpt haar helemaal.

'Dat ik de gedachte zou hebben om Marlies' plaats in te nemen,' concludeert Judith rustig. 'Maakt u zich niet ongerust, want ik had niet de minste plannen in die richting.'

'Zullen we gaan?' Meneer Koppelaar vindt het tijd worden om te vertrekken. 'Je bent al veel te lang geweest. Straks moet je het weer met extra pijn bekopen.'

Judith hoort de bezorgde klank in zijn stem. Het lucht haar vreemd genoeg op als die twee even later weg zijn. Het gesprek tussen mevrouw Koppelaar en haar ging te veel de verkeerde kant op. Heeft ze iets gemerkt? Of heeft Harm haar iets verteld? Nee, dat gelooft ze niet. Harm zou zoiets nooit doen. Het is een zaak die hem aangaat en niet zijn schoonouders.

Judith gaat op tijd weer naar huis. Dit onder protest van Annemieke. Maar Judith houdt voet bij stuk. Harms familie blijft eten en zij voelt zich niet op haar plaats om dan ook te blijven. Tenslotte hoort zij niet bij de familie. Een andere keer, belooft ze het meisje.

Ze heeft Harm bijna niet gesproken. En dat is wel zo rustig voor haar. Ze kan het niet helpen dat er een bepaalde spanning tussen hen gekomen is. En ze zou zo graag willen dat de vriendschap tussen hen op dezelfde manier doorgaat zoals die altijd geweest is.

Als ze bij de deur staat, komt onverwachts Harm de gang in.

'Bedankt voor je hulp, Judith,' zegt hij.

'Daar hoef je me toch niet voor te bedanken?'

Ze kijken elkaar aan en Judith voelt haar hart opeens zwaar bonzen. Dit heeft ze niet eerder in zijn bijzijn gehad en ze weet zeker dat het komt door zijn huwelijksaanzoek van gisteravond. Had hij het maar nooit gevraagd.

Er valt een stilte tussen hen en Judith voelt zich verre van gemakkelijk. Het is een vreemde gewaarwording voor haar, want ze heeft zich in het bijzijn van Harm altijd ontspannen gevoeld.

'Ik moet weer naar binnen,' zegt hij verontschuldigend.

'Ga maar,' knikt ze. Ze heeft de deurklink al in haar hand. Waarom blijft hij dan toch staan? Het is alsof hij iets zeggen wil, maar niet goed weet hoe hij het moet zeggen.

Zijn naam wordt geroepen vanuit de kamer.

'Ze roepen je. Ga maar gauw.'

'Ja. Dag Judith.'

'Dag.'

Onderweg naar huis piekert ze erover waar die spanning vandaan komt die ze opeens in Harms nabijheid voelt. En als ze haar eigen flat binnenstapt, weet ze het opeens.

Ze is haar onbevangenheid tegenover Harm kwijt.

'Wanneer is dat feestje van Annemieke?' Lieke kijkt Judith vragend aan.

'Woensdagmiddag,' antwoordt Judith. 'Gelijk om halfeen uit school.'

'Zal ik ook meekomen om te helpen? Het lijkt me wel leuk.'

Judith kijkt haar vriendin verrast aan. 'Je meent het? Wat mij betreft is het goed. Maar ik kan hier niet alleen in beslissen. Ik zal het er met Harm over hebben.'

Harm blijkt daar niet de minste moeite mee te hebben.

'Hoe meer hulp, hoe prettiger het me is,' zegt hij. 'Het is voor het eerst dat Annemieke een feestje geeft en ik zou niet weten hoe ik me door zo'n middag heen moet worstelen.'

Hij zet er zo'n moeilijk gezicht bij dat Judith in de lach schiet.

'Ach, arme jongen,' plaagt ze. 'Je geeft ze een gezellig knutselwerkje en je hoort ze de hele middag niet.'

'Ik help het je hopen. Die kinderen verwachten heel veel van zo'n feestje en ze zijn niet snel tevreden.'

'Je denkt veel te negatief. Zijn ze bij jou in de klas zo? Ik geloof er niets van. Trouwens, het groepje dat bij Annemieke komt maakt waarschijnlijk allemaal voor het eerst een feestje mee en het zijn nog zulke ukken. Je hoeft het maar heel simpel te houden. Let maar op: ze genieten er allemaal van.'

Judith krijgt gelijk. Samen met Lieke maken ze er een leuk prinsessenfeestje van. Ze prutsen een prinsessenhoed in elkaar, maken taartjes van cake, slagroom en snoepjes, leren een liedje over een prinses dat Judith zelf heeft verzonnen en daarna mogen ze buiten naar een schatkist zoeken. En daarin zit uiteindelijk voor iedereen een klein prijsje.

Ze ziet de kinderen genieten en over de hoofdjes heen vangt ze de tevreden blik van Harm op. Hij geeft haar een knipoog en steekt zijn duim omhoog.

De middag vliegt om en voor ze er erg in hebben is het tijd dat de kinderen naar huis gebracht worden. Ze passen met z'n allen maar net in Harms auto.

'Jullie blijven toch nog wel even?' Harm kijkt hen vragend aan.

Lieke kan het niet nalaten hem een beetje op stang te jagen. 'Natuurlijk niet. We laten de rommel voor jou liggen. We hebben vanmiddag wel genoeg gedaan.'

Judith trekt haar vriendin naar de keuken. 'Plaag die arme man niet zo. Je verdient het dat jij alleen voor al die rommel opdraait.'

Harm grijnst. 'Ha, zo mag ik het horen. Judith, je bent een vrouw naar mijn hart.' Dan is hij verdwenen.

Judith doet alsof ze het laatste niet gehoord heeft en negeert de lach van Lieke. Waarom zegt hij nu zoiets? Hij kan het luchtig bedoelen, maar na zijn huwelijksaanzoek klinken zulke woorden in haar oren heel beladen. Of is zij er nu zo gevoelig voor geworden?

Lieke is ondertussen al het afval in een vuilniszak aan het proppen. Judith pakt de stofzuiger en gaat in de kamer aan de slag. Als ze even later de stofzuiger weer uitzet, klinkt er een ongeduldig gebons op het raam. Judith kijkt verschrikt op en ziet Aart-Jan staan.

'Lieke!' roept ze.

Maar Lieke heeft hem ook al gezien en haast zich om de deur te openen.

'Of je nooit open zou doen,' hoort Judith hem brommen. 'Ik heb wel tien keer gebeld.'

'Ik was even naar buiten om een volle vuilniszak weg te gooien,' zegt Lieke. 'En Judith was aan het stofzuigen. Daardoor hoorde zij ook niets.'

'Ben je al klaar?'

'Nee, nog niet. Kom verder.'

Even later zit Aart-Jan op de bank alsof het nooit anders geweest is.

'Je bent mooi op tijd,' prijst Lieke. 'Harm is de kinderen thuisbrengen en wij zijn hier ook bijna klaar.'

Ze is naast Aart-Jan op de bank gekropen en Judith kijkt haar misprijzend aan.

'Bijna, ja. Maar nog niet helemaal. Moet ik het verder alleen doen?'

Haar ogen plagen, maar Lieke hapt meteen.

'Sorry, sorry. Als Aart-Jan er is vergeet ik alles.'

'Het staat je netjes,' zegt Judith hoofdschuddend. 'Het is dat je hoofd vastzit, anders zou je dat ook nog verliezen. Doe als ik. Blijf vrijgezel.'

Lieke schiet in de lach en Aart-Jan grijnst mee.

'Hoort dat,' spot Lieke. 'Degenen die dat zeggen zijn het eerst getrouwd.'

'Ik dacht het niet.'

'Dat klinkt niet erg overtuigd,' vindt Aart-Jan.

'Ik ben er voor honderd procent zeker van,' houdt Judith vast. 'Kom op, luitjes. Ik ga de laatste rommel in de keuken wegwerken.'

Lieke komt overeind om Judith te helpen en Aart-Jan is zo goed niet of hij wil ook zijn steentje bijdragen. Maar drie in de keuken is wel erg veel en dus stuurt Judith het stel weer snel naar de kamer.

'Ik heb jullie niet eens nodig. Dit laatste kan ik wel alleen. Ik verwacht trouwens Harm ook weer snel thuis.'

Even later stappen vader en dochter binnen. Annemieke loopt meteen door naar de woonkamer.

'Zo, het hele spul is afgeleverd,' zegt Harm voldaan. 'Hoe is het hier?'

Judith maakt een armzwaai in de rondte. 'Kijk maar eens. Alles is opgeruimd en schoon.'

'Geweldig. Ik weet niet hoe ik je moet bedanken, Judith.'

'Lieke en ik hebben het graag gedaan en…'

'Graag of niet, jullie hebben mij voortreffelijk geholpen. En als ik eerlijk ben voel ik me vooral naar jou toe bezwaard.'

Judith kijkt Harm verbaasd aan. 'Dat moet je me dan eerst eens uitleggen.'

Maar voordat Harm zijn mond open kan doen, komt zijn dochter de keuken in.

'Papa, er zit een vreemde meneer in de kamer.'

Harm trekt zijn wenkbrauwen verbaasd op en zijn blik gaat vragend naar Judith.

'Dat is Aart-Jan,' maakt ze meteen duidelijk.

'Zooo,' klinkt het langgerekt uit Harms mond. 'Je vriend?'

Judith schudt haar hoofd. 'Nee, de vriend van Lieke. Hij kwam haar halen.'

Ze kijkt naar hem. Ziet ze nu opluchting op zijn gezicht? Of denkt ze zich nu alles in te beelden?

O bah, ze baalt ervan. Alles lijkt nu wat Harm betreft in een ander licht te komen staan. Ze wordt achterdochtig bij alles wat hij zegt en hoe hij kijkt. Waarom heeft hij haar dan ook die vraag gesteld? Het legt over het fijne contact dat ze samen hadden, steeds opnieuw een schaduw.

'Dan gaan we snel kennismaken,' zegt Harm.

De twee mannen drukken elkaar stevig de hand. Aart-Jan kijkt Harm opmerkzaam aan en zegt: 'Ik heb de indruk dat ik jou vaker gezien heb. Maar ik weet niet waar.'

Harm schudt zijn hoofd. 'Jou ken ik niet. Of misschien…' Hij aarzelt opeens.

'Hebben jullie elkaar soms in het ziekenhuis gezien?' vraagt Lieke. 'Aart-Jan is daar fysiotherapeut.'

Het blijkt dat Lieke in de roos geschoten heeft. Want meteen weten beide mannen het weer.

'Ik heb je bij je vrouw regelmatig gezien,' weet Aart-Jan opeens.

'Ja,' zegt Harm, terwijl hij tegenover hen gaat zitten. 'Dat klopt. Toen ze nog maar kort in het ziekenhuis lag, wilde ze graag oefenen om haar spieren soepel te houden. Maar toen het langer ging duren, wilde ze op den duur niet meer. Het had geen zin, zei ze. Toen wist ze al dat ze niet beter zou worden.'

Er valt een stilte. Judith ziet hoe Aart-Jans blik naar de foto van Marlies glijdt. Onwillekeurig kijkt ze er ook naar.

Annemieke doorbreekt de stilte door bij haar vader op de knie te schuiven en te zeggen dat ze het feestje heel leuk had gevonden.

'Daar ben ik blij mee.' Harm klemt zijn dochter stevig tegen zich aan. 'Ik denk dat je dat vooral tegen tante Judith en tante Lieke moet zeggen.'

Tot groot vermaak van de volwassenen herhaalt ze eerst tegen Judith, daarna tegen Lieke wat ze zojuist tegen haar vader heeft gezegd.

'Annemiek, hoor eens…' Harm trekt haar naar zich toe en fluistert iets in haar oor. Judith ziet hoe Annemieke heftig knikt en zich meteen weer van haar vaders knieën laat glijden. Ze gaat de kamer uit en komt even later weer terug met twee kleine pakjes.

'Wat moet ik ook alweer zeggen, papa?'

Harm glimlacht en helpt haar op weg. 'Bedankt…'

'Bedankt voor het helpen bij mijn feestje,' zegt ze dan het geleerde lesje op en ze geeft vervolgens Lieke en Judith ieder een klein cadeautje.

Verrast pakken de twee vriendinnen het uit. Er komt voor ieder een mok tevoorschijn met hun eigen naam erop.

'Heb ik zelf uitgezocht,' zegt Annemieke trots.

Judith trekt haar naar zich toe. 'Kom hier, daar krijg je een dikke knuffel voor.'

Ook Lieke laat zich niet onbetuigd. Spontaan zegt ze: 'Ik ga daar iedere dag uit drinken en zo kan ik iedere dag aan je denken.'

'Papa moet ook een kusje hebben, hoor,' komt de kleine meid dan, 'want papa heeft het betaald.'

'Annemieke!' klinkt Harms stem waarschuwend.

Ze kijkt verbaasd en geschrokken op, niet wetend wat voor verkeerds ze heeft gezegd.

'Je hebt helemaal gelijk, Annemieke,' zegt Judith zo laconiek mogelijk. Ze wil zich niet laten kennen. 'Bedankt, Harm.'

Ze staat op en geeft Harm een snelle zoen op zijn wang. Haar blik glijdt dan naar de klok. Het is inmiddels halfvijf.

Harm heeft haar blik gevolgd. 'Willen jullie nog koffie? Of hebben jullie haast?'

Aart-Jan en Lieke kijken elkaar aan. 'Eigenlijk niet,' zegt Aart-Jan dan. 'We wilden samen een stuk gaan rijden en ergens gaan eten. Maar dat kan over een halfuur ook nog wel.'

Judith wil al naar de keuken lopen, maar wordt meteen door Harm in een stoel geduwd.

'Zitten jij. Je hebt vanmiddag al genoeg gedaan. Voor de koffie zorg ik.'

Het wordt nog een gezellig uur met z'n vieren. De beide mannen blijken het goed met elkaar te kunnen vinden. Ze hebben gezamenlijke interesses en het is dan ook al laat als Aart-Jan en Lieke aanstalten maken om te vertrekken.

'We kunnen met z'n vieren ook weleens iets leuks doen,' stelt Aart-Jan enthousiast voor. 'Of jullie moeten er niet voor voelen?' Hij kijkt eerst naar Harm en dan naar Judith.

'Het lijkt mij wel leuk,' zegt Harm. 'Maar ik heb een dochter...'

'Die nemen we gewoon mee,' vindt Aart-Jan.

Harm glimlacht. 'Aardig dat je dat zonder te bedenken zegt, maar in dat geval is het toch beter als ik oppas vraag. Voor zo'n kind is het niet aantrekkelijk om met vier volwassenen op stap te gaan.'

Ze kijken allemaal naar Annemieke, die opgekruld in een stoel zit. Een duim in haar mond, een beer tegen haar aan. Ze slaapt.

'Wat een schat,' zegt Lieke spontaan. 'Wat is een kind een kostbaar bezit.'

'Kostbaar en kwetsbaar,' geeft Harm toe.

Met de belofte snel een keer af te spreken, gaan Aart-Jan en Lieke weg, nagezwaaid door Harm en Judith.

'Een leuk stel,' zegt Harm waarderend.

'Ja, hè?' knikt Judith. 'Ik heb aan Lieke een fijne vriendin en Aart-Jan heeft er iets extra's aan toegevoegd.'

'Ik begrijp het. Zeg Judith...'

'Ja?'

'Ik vind het best leuk om met ons vieren uit te gaan, maar met ons tweeën lijkt me ook wel aantrekkelijk. Heb je zin om een keer samen met mij uit eten te gaan?'

Judiths hart begint te bonzen bij die onverwachte vraag.

Harm staat achter haar en zegt: 'Draai je eens om, Judith, en kijk me eens aan.'

Judith voelt zich verre van gemakkelijk, maar doet toch wat hij zegt. Ze probeert de blik in zijn grijze ogen vast te houden. Toch kijkt ze al snel van hem weg.

'Je hoeft niet bang te zijn dat ik je vragen ga stellen die jij liever niet wilt horen,' gaat hij rustig verder. 'Ik wil alleen maar met je praten. Alles op vriendschappelijke basis. Judith?' Opnieuw zoeken zijn ogen de hare en een moment houdt hij haar blik gevangen.

Ze knikt, weet verder niet wat ze zeggen moet. Het hoeft ook niet, want Harm is nog niet klaar.

'Ik wil je bij dezen nog eens hartelijk bedanken voor alles wat je voor mij en Annemieke doet. Die mok die jij en Lieke hebben gekregen, was een aardigheidje. Maar je hebt veel meer verdiend dan dat. Ja, stil maar. Ik weet dat je er niets voor wilt hebben. Toch wil ik dat je weet hoe geweldig ik het waardeer wat jij voor ons doet.'

'Het is geen opoffering voor me,' zegt ze zacht. 'Ik heb hier met veel plezier geholpen en ik wil dat blijven doen zolang jullie me nodig hebben.'

'Papa...'

Ze draaien zich gelijktijdig om en zien dat Annemieke wakker is geworden.

'Ik heb geslaapt... en ik wil eten...'

'Ach, kleine prul...' Harm loopt naar zijn dochter en tilt haar op in zijn sterke armen.

'We zullen maar meteen aan jouw wens voldoen. Het is al halfzes. Eet jij gelijk mee, Judith?'

Judith schudt haar hoofd. 'Ik wil nu graag naar huis. Ik heb mijn ouders beloofd vanavond te komen.'

Harm zet Annemieke weer op haar voeten. 'Nogmaals bedankt voor alles, Judith. En over dat etentje maken we snel een afspraak.'

Judith knikt en trekt haar jas aan. Annemieke loopt naar haar toe en legt haar armpjes aanhalig om Judiths nek. 'Komt u weer heel snel, tante Judith?'

Judith belooft het en trekt de deur open. Een koude windvlaag komt naar binnen en Harm zegt bezorgd: 'Doe je jas goed dicht, het is koud.'

'Komt in orde,' reageert Judith. 'Dag, tot gauw.'

Als ze de deur achter haar sluit, heeft ze het gevoel dat ze letterlijk en figuurlijk de warmte achter zich laat.

21

'Vertel eens wat meer over die Harm. Wat is hij voor een man?'

Mevrouw Bakker is ronduit nieuwsgierig, maar Judith aarzelt. Wat vertelt ze wel en wat niet?

'Hij is aardig,' begint ze, toch met iets van tegenzin. Want wat wil haar moeder nu eigenlijk echt weten? Haar vader zit er zwijgend bij. Hij maakt zich niet zo snel ergens druk om. En al helemaal niet om een alleenstaande man met een dochtertje die zij weleens gaat helpen.

'Hij heeft veel verdriet gehad om het verlies van zijn vrouw,' gaat Judith verder. 'En nog steeds mist hij haar erg. Hij probeert zich er goed doorheen te slaan, maar het is niet altijd even gemakkelijk.'

Ze vertelt van het feestje dat ze deze middag met Lieke voor Annemieke heeft georganiseerd. Anke hangt meteen aan haar lippen.

'Waarom heb je dat niet tegen mij gezegd?' vraagt ze verontwaardigd. 'Ik had het leuk gevonden om te helpen.'

'Dat was niet nodig, Lieke was er ook al. Misschien neem ik Annemieke weleens mee, als haar vader dat goedvindt. Ja?'

'Leuk. Hoe oud is dat meisje? Vijf?' En als Judith knikt: 'Een kleuter nog. Het lijkt me heel grappig.' Anke steekt haar enthousiasme niet onder stoelen of banken.

'Vijf jaar,' herhaalt moeder. 'En dan al zonder moeder...'

'Het is tragisch,' beaamt vader.

'Dan is het juist fijn dat jij er vaak gaat helpen,' vindt Anke. 'Mag ik een keer mee?'

'Dat kan ik niet beloven, Ank,' probeert Judith haar zusjes enthousiasme wat te temperen. 'Ik kan niet iedereen zomaar meenemen. Harm ziet me al aankomen.'

'Ik ben toch niet iedereen?' houdt Anke aan.

Judith glimlacht. 'Voor mij niet. Voor Harm en Annemieke wel.'

Als Judith wat later op de avond met haar moeder alleen is, kan deze haar bezorgdheid tegenover haar dochter niet verbergen.

'Verwacht die weduwnaar niet te veel van jou, Judith?'

Judith kijkt verbaasd op. 'Hoe bedoelt u?'

'Precies zoals ik het zeg. Zo naïef ben je toch niet? Hoelang is hij al zonder zijn vrouw? Schep jij nu niet bepaalde verwachtingen bij hem?'

'Ma...! Hoe kunt u dat nu denken? Wij gaan op een fijne, vriendschappelijke manier met elkaar om. Verder niets.'

'Maar hij is een man alleen.'

'Nou, én? Wat zou dat? Wil dat zeggen dat ik hem maar moet laten zitten? Dat gaat dwars tegen mijn gevoel in.'

'Zo bedoel ik dat niet. Maar jij bent nog jong. Hij heeft al een huwelijk achter de rug en bovendien een dochter.'

'Ja...?'

'Je begrijpt me toch wel? Het zou kunnen dat hij van jouw hulp misbruik maakt. En...'

'Hoe durft u dat te zeggen? Het bewijst wel dat u hem niet kent. Hij is juist heel bescheiden. Het zou niet in zijn hoofd opkomen om misbruik te maken van mij of van wie dan ook.'

Judiths ogen vlammen van verontwaardiging. Ze kan niet hebben dat er ook maar iets ten nadele van Harm gezegd wordt.

'Zo bedoelde ik het niet,' haast moeder zich te zeggen. 'Ik zeg het uit bezorgdheid om jou.'

'Om mij hoeft u zich niet bezorgd te maken. Ik ben heel goed in staat om mijn eigen boontjes te doppen.'

Ze heeft er spijt van dat ze over Harm en Annemieke begonnen is. Natuurlijk wisten haar ouders hier wel iets van. Ze is geen type om dingen achter te houden. En waarom zou ze ook?

Waarom komt ma nu met haar verdachtmakingen?

Ze moest eens weten van dat huwelijksaanzoek. Zeker weten dat ze dan gelijk triomferend zou zeggen dat ze gelijk heeft. Maar dat vertelt ze haar moeder nooit.

Moeder praat ondertussen alweer verder. 'Je neemt het wel heel fel voor hem op. Hij staat je heel na. Dat begrijp ik ondertussen wel. Het verbaast me niets als je zelfs liefde voor hem zou hebben opgevat.'

Liefde opgevat... Echt een uitdrukking voor haar moeder. Toch zet het Judith aan het denken.

Liefde. Nee, na Leon is het voorbij. Nooit meer. Dat heeft ze zichzelf altijd voorgehouden. Ze vertrouwt geen enkele man meer.

Ook Harm niet? Haar hart begint te bonzen. Ze hoort opnieuw Lieke zeggen: 'Jij denkt dat iedere man hetzelfde is. Ze heten niet allemaal Leon Slagman.'

'Judith, houd je van die man?'

De stem van haar moeder klinkt zacht. Maar de vraag dringt diep tot Judith door. Houdt ze van Harm? Natuurlijk niet!

'Ik vind hem aardig. Meer niet.'

Als ze later op bed ligt, kan ze de slaap niet vatten. Langzaam maar zeker dringt het tot haar door dat Harm een steeds grotere plaats in haar leven is gaan innemen. Ze probeert zich voor te stellen dat ze er nooit meer komen zou. Het zou een enorme leegte in haar leven betekenen.

Nee, het is niet alleen Annemieke van wie ze is gaan houden. Harm heeft ook langzaam maar zeker haar hart veroverd. Ze weet het opeens heel zeker.

Haar verstand heeft steeds gezegd dat ze nooit meer van een man zou gaan houden. Maar ze heeft buiten haar gevoel gerekend. Zonder dat ze het merkte is haar liefde vanuit de kiem uitgegroeid tot iets groots.

Het is haar moeder die haar eraan moest ontdekken.

'Ik vind hem aardig', heeft ze gezegd. En op dat moment heeft ze het nog gemeend ook. Wat is ze dom en kortzichtig geweest.

Wanneer was het begonnen? Was er al iets ontstaan toen ze hem als een hoopje ellende aan tafel zag zitten, huilend na de vreselijke tijding over Marlies?

Was er al iets in al die keren dat hij zich bezorgd over zijn dochtertje boog en haar verzorgde op zijn eigen vaderlijke manier?

Voelde ze die warmte al vanbinnen toen ze diepgaande gesprekken voerden over Marlies en alle zorgen om haar heen?

Toen al? Nee, het was toen te weinig om het liefde te noemen, maar de kiem daarvan moest er al geweest zijn.

En nu?

Ze draait zich om en om. Hij mag het niet merken. Want natuurlijk voelt hij niets voor haar. Dat huwelijksaanzoek was er een uit berekening geweest. Een oplossing voor heel veel dingen. Hij heeft zelf trouwens aangegeven dat ze elkaar graag mogen en dat dát dan de basis moest zijn om samen een nieuwe start te maken.

Nee, ze moest zich niets in gaan beelden. Harms hart is nog altijd betrokken bij Marlies.

Het is al diep in de nacht als Judith eindelijk na lang piekeren in slaap valt.

De dagen daarop hechten zich aaneen in het gewone ritme van het leven. Judith is blij dat ze in haar werk wat afleiding vindt, zodat ze niet steeds aan Harm hoeft te denken.

Voorlopig neemt ze even afstand van hem en zijn dochter. Het is voor haar gemoedsrust beter.

Eerst wil ze voor zichzelf weten hoe ze hiermee verder om zal gaan. Ze is nog te veel geschokt van haar ontdekking dat ze een confrontatie met hem voorlopig liever uit de weg gaat.

Op een avond onder het eten zegt Lieke opeens: 'Ik vind je de laatste tijd zo stil. Is er iets?'

Judith schudt haar hoofd en stopt snel de volgende hap in haar mond. Zo heeft ze even geen tijd om te antwoorden.

'Je hoeft mij niet voor de gek te houden, Juut. Er is wel degelijk wat. Ik kan je natuurlijk niet dwingen om het mij te vertellen. Maar het zou je wat kunnen verlichten. Twee weten meer dan een.'

Judith schudt haar hoofd. 'Ik kan het je niet vertellen.'

'Heeft het soms met Harm te maken?'

Judith kijkt haar vriendin verbaasd aan. 'Hoe weet jij dat nou?'

Lieke schiet in de lach. 'Ja dus. Ach meid, ik ken je langer dan vandaag. Heb je ruzie met hem?'

'Welnee. Hoe kom je daarbij?'

'Wanneer ben je voor het laatst bij hem geweest?'

'Met dat feestje van Annemieke.'

'Dat is drie weken geleden.'

'En wat zou dat?'

Lieke legt mes en vork neer. 'Dat ben ik van jou niet gewend. Op zijn minst kom je er wel één keer per week, als het niet vaker is. En anders haal je Annemieke wel op een middag. Heb je van hen ook niets gehoord?'

'Harm heeft al twee keer gebeld.'

'Zie je wel? Wat weerhoudt je dan om naar hem toe te gaan?'

Judith voelt zich in een hoek gedreven. Wat moet ze antwoorden? Harm heeft er ook niets van begrepen toen ze beide keren had gezegd dat ze verhinderd was. Dat heeft ze duidelijk aan hem gemerkt. En ook dat hij teleurgesteld was.

'Ik zal morgen wel naar hem toe gaan.'

'Dat zou ik zeker doen.'

Judith is opgelucht als de maaltijd beëindigd is. Ze heeft geen zin om Lieke alles te vertellen, ook al weet ze dat haar vriendin haar nooit zal verraden of beschamen.

Als ze de volgende avond Harm belt, is hij duidelijk verrast.

'Als je deze week weer niet was gekomen, had ik actie ondernomen,' zegt hij op een vastberaden toon. 'Annemieke vraagt steeds naar je. Ze mist je. Ik kom je nu halen.'

Nog voor ze kan protesteren heeft Harm de telefoon neergelegd. Judith zucht diep. Ze moet zich schrap zetten, want hij mag niets van haar gevoelens weten.

Binnen een kwartier staat hij voor haar deur.

'Netjes getimed, hè?' zegt hij. Hij kijkt haar onderzoekend aan. 'Je ziet bleek, Judith. Je gaat toch niet ziek worden? Of ben je het net geweest? Bleef je daarom weg?'

'Nee, ik was niet ziek, ik ben het niet en hoop het ook niet te worden.'

Ze trekt de deur achter zich dicht. Voor Lieke ligt een briefje op de tafel dat ze vanavond niet op haar hoeft te rekenen.

Harm heeft zijn auto keurig voor de deur geparkeerd zodat ze gelijk in kan stappen.

'Ik heb een verrassing voor je,' zegt hij, nadat hij de auto heeft gestart. 'Wij gaan vanavond samen uit eten.'

'En Annemieke?'

'Maak je over haar geen zorgen. Ze is bij mijn schoonouders. Jorien, de vriendin van Michiel, is er. Annemieke vindt het geweldig, want ze mag helpen het eten klaarmaken.'

Judith glimlacht.

'Is het nou goed?' vraagt Harm. 'Als dat kleine vriendinnetje van je het naar haar zin heeft, dan pas kun jij je ontspannen. Heb ik het mis?'

'Nee, je hebt helemaal gelijk.'

'Kijk, dat vind ik nou zo'n lieve eigenschap van je. Dat je de belangen van Annemieke nog voor die van jezelf schuift. Nu mag jij eens genieten. Dat heb je verdiend.'

Zie je wel? Hij ziet het meer als een beloning voor alles wat ze voor hen doet, dan dat het een gezellig uitje van hen samen is.

'Waar wil je heen?' Judith kijkt opzij naar zijn sterke handen die ontspannen om het stuur liggen. Ze voelt zich blij en gespannen tegelijk. Het is alsof ze op spelden zit. Hij mag van haar gevoelens voor hem niets merken. Hij zou het meteen aangrijpen om samen een start te maken. Maar dan alleen om alle problemen op te lossen. En op die basis kan het niet. Wil ze het ook niet.

'Annemieke was bang dat je nooit meer komen zou,' hoort ze hem zeggen. 'Hoe komt het dat je zo lang wegbleef, Judith?'

'Het waren maar twee of drie weken.' Judith hoort zelf hoe zwak dit klinkt.

'Dat was drie weken te lang,' zegt Harm rustig. 'We hebben je gemist, Judith. Je brengt gezelligheid bij ons in huis. Annemieke geniet van de aandacht die jij haar steeds geeft. Als het je te veel wordt, moet je het me eerlijk zeggen. Jij bent tenslotte aan ons niets verplicht. Zeg het me eerlijk, Judith. Wordt het je te veel?'

Judith kijkt opzij. Recht in zijn sterke, grijze ogen. De auto maakt een klein slingertje en Harm houdt snel zijn aandacht weer bij het verkeer.

'Ik had het druk. En ik had wat tijd voor mezelf nodig,' hoort Judith zichzelf dan zeggen.

'Zie je wel?' bromt Harm. 'Je hebt te veel van jezelf gevergd. Ik kan mezelf wel voor m'n hoofd slaan, weet je dat? Ik had zelf op de rem moeten trappen. Je doet veel te veel.'

'Beschuldig jezelf niet zo.' Judiths stem klinkt hoog. 'Als het me te veel wordt, kom ik er heus wel voor uit. Ik kom graag bij jullie. Maar ik... de laatste tijd... ik zat een beetje met mezelf in de knoop.'

'Problemen?' Ze voelt Harms blik opnieuw onderzoekend op zich gericht.

Ze haalt haar schouders op. 'Och... problemen... Dat is wat te zwaar gezegd. Ik... eigenlijk wil ik er liever niet over praten.'

'Dat is je goed recht. Maar als ik je ergens mee helpen kan, Judith, zeg het me dan. Ik zou zo graag iets voor je terug willen doen.'

'Het is niet nodig,' weert ze af.

Er valt een stilte tussen hen. Judith vraagt zich af wat er nu in hem omgaat. Hij kan er slechts naar gissen waar zij mee zit. Stel je voor dat ze het hem zomaar vertelde. Nee...

'We zijn er,' zegt Harm opeens.

Hij laat zijn auto een parkeerplaats op rijden van een gezellig restaurantje. Het heeft meer weg van een omgebouwde boerderij. Kleine vierkante raampjes, lantaarns aan weerszijden van de deur en een gezellig strodak daarboven.

'Hoe vind je het?' Harm kijkt haar vragend aan.

'Gezellig. Hoe krijg je het gevonden?'

Harm glimlacht. 'Ik ben hier wel vaker geweest. Binnen is het net zo gezellig.'

Hij heeft gelijk. Binnen kijkt Judith haar ogen uit. Een grote, brandende open haard. Sfeerlichtjes op de tafel. Mooie schilderijen aan de muur en voor het raam gordijntjes met een boerenbontmotief.

'Je stapt hier letterlijk en figuurlijk de warmte binnen,' stelt ze in één zin vast.

Harm lacht en pakt haar jas aan. Daarna leidt hij haar naar een van de tafeltjes dicht bij het raam.

Het is er niet overdreven druk. Judith is er blij om. Ze houdt er niet van om tussen veel mensen te zitten. Een meisje komt toegesneld, ze vraagt wat ze willen drinken en brengt de menukaart.

Ze overleggen wat ze eten zullen en al snel is de keus gemaakt. Judith kijkt genietend om zich heen. Als ze daarna naar Harm kijkt, ziet ze dat hij haar met een glimlach zit op te nemen.

'Wat is er?' vraagt ze verward.

'Ik vind het leuk dat je zichtbaar zit te genieten.'

'Ik houd wel van verrassingen zoals dit,' zegt ze.

'Misschien had ik dit al eens eerder met je moeten doen. Na het overlijden van Marlies ben ik te veel in mijn verdriet opgegaan om bepaalde zaken om me heen op te merken. De eerste tijd was het voor mij alleen maar overleven. En natuurlijk was ik blij met de hulp die ik aangeboden kreeg, maar ik vond het eigenlijk vanzelfsprekend. Het enige dat telde was dat ik zonder Marlies verder moest. De toekomst zag ik als een zwart gat.'

'Dat is toch begrijpelijk?' zegt Judith zacht. 'Zij was je vrouw. Een deel van jezelf. Het moet je een gevoel gegeven hebben alsof je geamputeerd was.'

Harm kijkt haar getroffen aan. 'Dat was het precies. Dat jij dat zo goed begrijpt.'

'Ik stel me dat zo voor. Niemand neemt het je kwalijk, Harm, dat je de eerste tijd zo in jezelf opging. Je had tijd nodig om dit te verwerken. Bovendien had je Annemieke ook nog. Haar moest je de aandacht van vader en moeder tegelijk geven, terwijl je het niet kon omdat je je handen vol had aan jezelf.'

Harm knikt. Dan gaat hij zacht verder: 'Wat jij voor Marlies hebt gedaan, zal ik ook nooit vergeten. Daar wil ik je nu alsnog voor bedanken, Judith. Toen zag ik alles niet zoals ik het nu zie. Ik had er grote moeite mee dat jij je Bijbeltje aan haar gaf. Ze was zo bang. En het werd erger naarmate ze er vaker in las. Ik wilde het van haar afnemen, maar toen raakte ze helemaal overstuur. Ik begreep er niets van en heb het Bijbeltje bij haar laten liggen. Ik kon niet anders. Pas later, op het moment dat ze stierf, kreeg ik er vrede mee. Omdat zij vrede had. Alle angst was van haar afgenomen en met een glimlach om haar mond is ze heengegaan…'

'Het moet je wonderlijk getroost hebben…'

'Ja, en tegelijk zat ik met zo veel vragen. Ik wilde niets met God en godsdienst te maken hebben. We wilden Annemieke opvoeden met de waarden en normen van het leven en haar een eigen keus laten maken als ze eenmaal volwassen zou zijn.'

'De keus of ze in God zou gaan geloven of niet?'

'Ja, dat leek ons een eerlijke zaak.'

'Maar hoe zou ze in God kunnen gaan geloven als ze er nooit bij opgevoed is?'

Het antwoord wordt Harm bespaard, want het meisje komt eraan met hun bestelling. Het ruikt heerlijk.

Als ze weer weg is, kijken Harm en Judith elkaar als bij afspraak aan. 'Zullen we eerst bidden?'

Ze zeggen het gelijktijdig en Judith voelt zich warm worden van binnen. Ze weet ondertussen al dat Harm gebroken heeft met zijn onkerkelijke verleden.

De eerste tijd zeggen ze niet veel. Ze genieten van een biefstukje met de daarbij behorende gerechten.

Dan begint Harm weer te praten. 'Ik ben ook in je Bijbeltje gaan lezen, Judith. En ik kon er niet meer van loskomen.'

Judith knikt. Harm heeft haar al eerder vragen gesteld over de Bijbel en het geloof. Moeilijke vragen soms, waar zij niet altijd een antwoord op wist. Het enige wat ze wist te doen was wijzen op God, Die alle vragen beantwoorden kon.

'Ik kon niet begrijpen, hoe blij ik er overigens ook om was, dat Marlies zo vredig kon sterven na al die angst. Eerst werd ze zo bang als ze in de Bijbel las of eruit werd voorgelezen. Daarna gaf het haar ongekende blijdschap. Dat vond ik zo wonderlijk. Ik wilde het antwoord weten.'

'En toen begon je uit nieuwsgierigheid te lezen,' concludeert Judith. 'Heb je het antwoord inmiddels gevonden?' Met spanning kijkt ze hem aan.

'Ik begreep er niets van. Echt helemaal niets. Er kwamen steeds meer vragen bij. Ik geloof dat ik jou er af en toe wanhopig mee heb gemaakt.'

'Dat valt wel mee.'

'Ik heb na veel aarzelingen de dominee opgebeld.'

Judith kijkt Harm verrast aan. 'De dominee die je schoonouders hebben ingeschakeld voor Marlies?'

'Precies. Een fijne man met wie ik lange gesprekken heb gehad. Ik ga nu ook bij hem naar de kerk. Annemieke gaat ook af en toe mee.'

Judith kijkt hem verrast aan. 'Begrijp je het nu beter?'

'Nu wel. Ook al blijven er nog steeds vragen komen. Stap voor stap kom ik er steeds een stukje in verder.'

'Je moet erin groeien,' knikt Judith. 'En dat zal tijd en inspanning kosten. Maar ik ben heel blij voor je, Harm.'

Harm kijkt peinzend voor zich uit. Dan zegt hij: 'Ik vind het moeilijk dat juist het sterven van Marlies gebruikt moest worden om mij op deze weg te krijgen.'

'Je had het liever op een andere manier gewild en Marlies bij je gehouden,' begrijpt Judith. 'We zullen dit in Gods handen moeten leggen, Harm. Wij moeten het niet beter weten dan Hij. Je moet dit zien als genade van God dat Hij je ogen heeft willen openen. Het had ook gekund dat je na het overlijden van Marlies harder was geworden.'

'Ja. En opstandig.'

'Ik moet je ook iets vertellen,' bekent Judith dan. 'Marlies heeft me gevraagd of ik Annemieke van God wil vertellen en jou daarbij wil helpen.'

Harm kijkt haar getroffen aan. 'Dat wist ik niet.'

'Je was erbij toen Marlies het aan me vroeg,' vertelt Judith zacht. 'Je was naar het raam gelopen en stond met je rug naar ons toe.'

Er komt een frons boven Harms ogen. Judith ziet hem denken.

'Ik kan het me niet meer herinneren. Misschien ben ik het vergeten of ik heb het niet gehoord. Het doet er ook niet toe. Was dat de reden dat je zo vaak bij ons kwam?'

'Dat heeft meegespeeld, ja, hoewel ik vind dat ik te veel ben tekortgeschoten. Maar het was dat niet alleen. Ik houd van Annemieke. Dat wist je ook al. En verder kom ik graag bij jullie.'

Harm schuift zijn handen over de tafel heen, grijpt die van Judith en knijpt er even heel stevig in. 'Marlies was trots op jou geweest,' zegt hij dan.

22

De donkere decembermaand doet zijn intrede. 's Nachts vriest het en overdag valt er veel regen. Judith probeert de natte somberheid buiten te sluiten door het binnen gezellig te maken met kaarsjes en waxine- lichtjes.

Na enkele weken stopt het met regenen en gaat het overdag ook vriezen.

'Het zou me niets verbazen als we binnenkort kunnen schaatsen,' zegt Lieke.

Judith lacht. 'Jij bent optimistisch. Het kan nog alle kanten op.'

Maar Lieke krijgt gelijk. Enkele dagen voor kerst is het ijs zo dik dat er geschaatst kan worden. Judith herinnert zich dat ze schaatsen heeft liggen bij haar ouders thuis. Ze gaat deze meteen halen.

Anke heeft ook schaatsen en gaat met Judith mee naar de brede vaart die langs hun woonplaats grenst. Lieke is daar met Aart-Jan inmiddels ook gearriveerd. Het is er al een gezellige drukte. Er zijn lampjes opge- hangen en er is een tentje waar warme chocolademelk en erwtensoep te verkrijgen is.

Het is even onwennig om op de schaatsen te staan. Anke grijpt zich snel aan haar zus vast, ze is nog erg onzeker.

'Kom op, An, het lukt je vast wel. Geef me maar een hand.'

Het duurt even voordat ze de slag te pakken hebben, maar het mag de pret niet drukken.

Aart-Jan en Lieke gaan hard vooruit en komen even later weer terug.

'Het ijs is heerlijk,' zegt Lieke, een beetje buiten adem. 'Er zijn bijna geen slechte plekken.'

Twee aan twee gaan ze achter elkaar aan. Judith kijkt genietend om zich heen. Het is heerlijk om zich op deze manier te kunnen ontspan- nen. Even alles achter je laten en nergens aan hoeven denken.

Aart-Jan en Lieke gaan net iets harder dan zij tweeën. De afstand tus- sen hen wordt steeds groter. Judith glimlacht. Lekker laten gaan, die twee. Zij hebben haar en Anke niet nodig.

Anke vertelt haar allerlei verhalen. Over school en haar vriendinnen. Judith zegt af en toe op goed geluk 'ja' en 'nee', maar hoort niet voor de helft wat haar zusje tegen haar zegt.

Af en toe kijkt ze zoekend om zich heen. Zou Harm zich ook met Annemieke op het ijs wagen? Ze heeft hen nog niet gezien. Ze weet niet eens of Harm wel van schaatsen houdt.

Ze betrapt zichzelf erop dat ze ernaar verlangt hem weer te zien. Het liefst zou ze iedere dag bij hem om een hoekje kijken. Maar ze voelt wel dat dat niet kan. Het zou te veel opvallen. Ze komt er toch al heel veel.

Ze denkt vaak aan hun etentje samen terug. Ze hebben zo fijn met elkaar zitten praten. De spanning die ze eerst voelde in het bijzijn van Harm was naderhand helemaal weggetrokken.

'Zullen we weer teruggaan?' hoort ze Anke naast zich zeggen. 'We zijn al zo'n eind weg en Lieke zie ik ook niet meer.'

Het is inmiddels gaan schemeren op de schaatsbaan. De lampjes knippen aan en het geeft meteen een gezellige sfeer.

Ze maken een halve cirkel en gaan dan weer terug.

'Vind je het niet moeilijk van Lieke en Aart-Jan, omdat het bij jou zo heel anders is gegaan?' vraagt Anke.

'Nee. Ik gun het Lieke van harte. En wat mijzelf betreft… ik heb er nu vrede mee dat het anders is gegaan dan ik me had voorgesteld.'

'Denk je nog weleens aan Leon?'

'Soms.'

'Doet het je nog pijn?'

'Nee.'

'Dat vind ik fijn voor je.'

Judith glimlacht warm naar Anke. Ze schelen wel wat jaren in leeftijd, maar dat is steeds minder te merken. Anke is allang het kleine zusje niet meer. Ze is bezig om ook volwassen te worden.

Zwijgend schaatsen ze verder en dan komen ze weer bij het beginpunt aan.

Onverwachts blijft Judith haken in een scheur in het ijs. Ze zwaait met haar handen en schiet dan naar voren. Recht in twee armen.

'Judith. Dit is een welkome begroeting…' klinkt dan een bekende stem plagend boven haar hoofd. Een moment ligt ze verdwaasd met tollend hoofd tegen een schouder aan. Haar hart bonst, want ze herkent de stem meteen en een wilde blijdschap borrelt in haar op. Harm!

Ze probeert het moment nog even te rekken, maar dan scheldt ze zichzelf uit voor grote dwaas. Hij mag niets aan haar merken. Zo snel mogelijk probeert ze zich te herstellen en maakt ze zich van hem los. Een beetje onvast staat ze weer op haar schaatsen en haar blik wordt gevangen door de zijne. Er schitteren plaaglichtjes in.

'Tante Judith, ik heb ook schaatsen.'

Annemieke eist nu haar aandacht op en laat vol trots haar nieuwe schaatsen zien.

Judith bewondert ze en zegt: 'Dat zijn prachtige schaatsen, Annemiek! Met twee ijzertjes onder iedere schaats zul je het vast heel snel leren.'

'Ik kan het al een beetje. Ik heb net al met papa geschaatst.'

Judith knikt en ziet dan hoe Harm naar Anke kijkt. 'Dat moet vast je zusje zijn,' stelt hij vast. 'Jullie lijken op elkaar.'

Annemieke schuift zich ertussen en zegt eigenwijs: 'Ik ben Annemieke. Hoe heet jij?' Ze kijkt met onverholen nieuwsgierigheid naar Anke. Die moet erom lachen.

'Ik heet Anke en jij moet Annemieke zijn. Judith heeft al zo veel over jou verteld. Ik vind het leuk dat ik jou nu eens echt zie. Zullen wij samen schaatsen?'

Daar is Annemieke wel voor te porren. Alsof ze nooit anders gedaan hebben, zo schaatsen ze samen weg. Harm en Judith hebben het nakijken.

'Nou, Harm, je dochter is in goede handen. Je hoeft niet meer naar haar om te kijken. Anke is gek op kleine kinderen.'

'Dat is te zien. Hoe oud is ze?'

'Veertien.'

'Een leuk kind. Zijn jullie hier al lang?'

'O, al een poosje. Ik was hier met Anke en Lieke. Toen kwam Aart-Jan. We zijn met z'n vieren gaan schaatsen, maar opeens waren we die twee in de drukte kwijt.'

Harm glimlacht. 'Tja, zo gaat dat met verliefde mensen.'

Judith valt stil en weet niets te zeggen.

Anke en Annemieke komen terug. 'Kijk, papa, ik kan het al,' roept Annemieke vanuit de verte triomfantelijk.

Ze loopt meer met haar schaatsen dan dat ze schaatst, maar Harm steekt zijn duim naar haar op. 'Goed zo.'

In enkele slagen is hij bij zijn dochter. Tussen Harm en Anke in probeert ze het schaatsen machtig te worden.

'Waar waren jullie opeens?'

Lieke staat ineens voor haar. Aart-Jan komt erachteraan.

'Dat kan ik ook aan jullie vragen,' lacht Judith. 'Wij waren jullie ineens kwijt.'

'Hé, zijn Harm en Annemieke er ook? Wat leuk,' zegt Lieke spontaan als ze vader en dochter ontdekt.

'Ik kan al schaatsen, tante Lieke. Kijk maar,' roept Annemieke spontaan als ze Lieke ziet. Ze laat meteen zien wat ze inmiddels al kan.

'Geweldig,' complimenteert Lieke haar.

Even later schaatsen ze twee aan twee over de schaatsbaan. Eerst Aart-Jan en Lieke, dan Anke en Annemieke en als laatste Harm en Judith. Ze spreken niet veel, maar Judith vindt het heerlijk om naast Harm te schaatsen. Het gaat niet snel omdat Annemieke het nog niet goed kan. Aart-Jan en Lieke, die er uiteraard een flinke snelheid in hadden, zijn opnieuw in de drukte opgelost. Annemieke schuifelt naast Anke vooruit. Judith en Harm blijven zo dicht mogelijk in de buurt. Nadat ze een poosje geschaatst hebben, wijst Annemieke naar het tentje met de warme dranken.

'Papa, ik heb dorst…'

Even later zitten ze alle vier op de rand van de vlonder en houden ze een plastic bekertje warme chocolademelk in hun handen.

Judith kijkt naar de mensen die voorbijkomen op hun schaatsen. Maar meer nog heeft ze erg in de man die naast haar zit. Harm. Nu hij erbij is, lijkt het schaatsen nóg prettiger. Hoe zal hij het voelen?

Ze kijkt opzij en hij vangt haar blik op. 'Lekker?'

'Heerlijk. Ik was wel aan iets warms toe.'

Annemieke heeft het geduld niet om lang te zitten. Ze komt alweer overeind en wil weer gaan schaatsen. Anke staat op en gaat gelijk Annemieke achterna.

'Je moet je zusje eens meenemen als je weer eens komt. Zo te zien kan ze het goed met Annemieke vinden,' zegt Harm.

'Ja. Ze vroeg er zelf ook al naar.'

Even later komt Anke weer terug. 'Als jullie samen willen schaatsen, blijf ik wel bij Annemieke, hoor.'

Judith krijgt het warm. Anke zegt het op een manier alsof Harm en zij samen iets hebben. Maar Harm reageert er heel gewoon op. 'Dat vind ik een geweldig idee. Top, Anke. Ga je mee, Judith?'

Judith gooit haar lege bekertje in de daarvoor bestemde prullenbak en haast zich op haar schaatsen achter Harm aan. Hij heeft zijn handschoenen uitgetrokken en steekt zijn hand uit.

Met schrik denkt ze eraan dat haar handschoenen nog op de vlonder liggen. Maar tijd om ze te pakken krijgt ze niet, want Harm heeft haar hand al in de zijne genomen en haar tussen de mensen door de baan op getrokken.

Het valt niet mee om hun tempo aan elkaar aan te passen, maar na veel inspanning gelukt het toch. Met de handen kruislings in elkaar schaatsen ze de baan verder af. Voor Judiths gevoel kunnen ze wel uren zo samen doorgaan.

'Het gaat heerlijk, hè?' zegt Harm.

'Ja, nou!'

Verder zwijgen ze. Er hoeft niets gezegd te worden, maar Judith voelt een saamhorigheid tussen hen die er niet eerder geweest is. Of toch wel? Misschien dat ze het zich nu bewust is omdat ze van hem houdt. Ja, dat zal het zijn. Zal hij haar nog steeds als een vriendin zien? Zal ze voor altijd een onbeantwoorde liefde voor hem koesteren?

Een poosje later keren ze terug naar het punt vanwaar ze vertrokken zijn. Halverwege worden ze ingehaald door Aart-Jan en Lieke. Judith ziet hoe hun blikken getrokken worden naar hun ineengestrengelde handen. Aart-Jan grijnst en Lieke glimlacht. Ze geeft Judith een dikke knipoog.

Judith heeft het gevoel alsof ze ergens op betrapt wordt. Wat denken die twee nou? Zou Harm hun reactie ook gezien hebben? Als dat zo was, dan liet hij haar toch niet los. Misschien is het toch beter als ze nu los van elkaar schaatsen. Anke zal er straks ook wat van gaan denken. En Annemieke... ach, die is er nog veel te klein voor om zich in grote-mensenzaken te verdiepen. Hoewel je toch niet weet wat er allemaal in zo'n kinderhoofdje omgaat.

Als ze in de buurt van de vlonder zijn, laat Harm haar los. Judith voelt haar wangen tintelen. Van de kou, maar ook van blijdschap. Zomaar. Om Harm.

Als ze de schaatsen uittrekken, vraagt Harm: 'Ik heb ervan genoten. En jij?'

'Ik ook.'

'Zo snel mogelijk weer?'

Judith knikt enthousiast. 'Graag.'

Ze kijkt naar hem. Hij lijkt iets jongensachtigs over zich gekregen te hebben. Zijn ogen glimmen en hij heeft een kleur in zijn gezicht. Ze kijkt snel de andere kant op, als ze Liekes onderzoekende blik op hen gericht ziet. Lieke zoekt er vast meer achter. En er is niets tussen hen. Echt helemaal niets!

De winterse kou blijft nog een week aanhouden. Nog eens binden ze de schaatsen onder: Aart-Jan, Lieke, Harm en Judith. Annemieke mag op de slee en om beurten trekken ze haar aan een touw achter zich aan.

Anke is er ook met een paar vriendinnen. Al snel nemen ze Annemieke onder hun hoede, zodat de anderen een eind kunnen gaan schaatsen.

Aart-Jan en Harm kunnen het goed met elkaar vinden. Ze schaatsen geruime tijd naast elkaar. Daarachter Lieke en Judith. Wat later wisselen ze elkaar af. Harm komt naast Judith rijden en pakt in een vanzelf-sprekend gebaar haar hand.

'Judith?'

'Ja?'

'Weet je dat ik sinds lange tijd weer onbekommerd genieten kan?'

Judith kijkt opzij, recht in zijn grijze ogen.

'Wat fijn,' zegt ze. 'Ik ben echt blij voor je.'

'Ik had gedacht dat ik nooit meer zou kunnen lachen. Dat voor altijd op alles een grijze schaduw zou liggen. Nu blijkt het tegendeel waar te zijn. Wonderlijk, hè?'

'Het leven biedt iedere keer weer nieuwe kansen,' zegt ze zacht. Ze schrikt zelf van die uitspraak. Is het niet alsof ze het met een bedoeling zegt?

Maar nee, hij schijnt het gelukkig niet zo op te vatten. Hij geeft haar een kneepje in haar hand.

'Ik denk dat alles wat je meemaakt in je leven, een doel heeft. Soms blijft die bedoeling verborgen, soms komt het openbaar. Het gaat er maar om wat je ermee doet.'

Judith denkt over zijn woorden na. Hij is veranderd, vindt ze, omdat hij nu alles in een ander licht is gaan zien. In Gods licht.

Hij is er haar des te liever om.

Na enkele dagen zet de dooi in en daarmee is ook de ijspret voorbij. Annemieke is teleurgesteld. Net nu ze de smaak van het schaatsen te pakken heeft, kan ze haar schaatsjes in de kast zetten.

'Misschien gaat het nog wel,' zegt ze. 'Het ijs is vast nog wel dik.'

'Je waagt het niet het ijs op te gaan,' valt Harm geschrokken uit. 'Je kunt er zo door zakken.'

Ze kijkt Judith smekend aan. 'Het kan toch nog wel, tante Judith?'

Judith schudt haar hoofd. 'Je vader heeft gelijk, Annemieke. Hoe jammer het is, je kunt echt niet meer op het ijs. Veel te gevaarlijk. Maar het is nu nog december. Het kan nog vaak gaan vriezen. De winter is voorlopig niet voorbij.'

De kerstvakantie breekt aan. Judith heeft van haar werk de week tussen kerst en oud en nieuw vrij genomen. De kerstdagen zal ze bij haar ouders en zusje doorbrengen. Harm en Annemieke gaan naar zijn broer en schoonzus, waar ook zijn vader zal zijn. Met oud en nieuw is hij thuis.

'Dan verwacht ik jou, Judith. Of je moet andere afspraken hebben?'

Judith schudt haar hoofd. 'Ik zal er zijn. En ik neem oliebollen mee.

Ik ga ze namelijk met Lieke bakken. Zeg... zal ik Annemieke die dag halen? Dan kan ze op haar manier helpen.'

Harms ogen lichten op. 'Ze zal het geweldig vinden. Je mag het ook hier komen doen.'

'Ha, jij wilt van de gezelligheid meeprofiteren. Maar je bent bij ons op de flat ook welkom, hoor. Aart-Jan zal er ook zijn.'

De afspraak is meteen gemaakt. Judith kijkt er nu al naar uit. De kerstdagen zonder Harm vindt ze maar niets. Maar oudejaarsdag maakt het weer helemaal goed.

'Kijk uit, meisje, het spettert.'

Judith trekt Annemieke een stukje bij de hete pan vandaan. Het kind vindt het geweldig dat ze bij het oliebollen bakken mag zijn. Ze heeft het nooit eerder gezien dat er blanke bolletjes de hete olie in glijden en er als knapperige, bruine bollen weer uit komen. Ze heeft er al eentje geproefd. Ze is er druk en uitgelaten van. Af en toe komen de mannen kijken en zij genieten net zoveel van het gezellige sfeertje als Annemieke.

'Ze kapen steeds oliebollen weg,' zegt Lieke met een frons. 'Let op. Als ze zo meteen weer komen, verdwijnen er gelijk een paar.'

Judith schiet in de lach. 'Laat ze, joh. Een goed teken immers. Ze zullen best smaken. Ik lust er ook wel een. En jij?'

Wat later staat er een grote schaal oliebollen te dampen op het aanrecht. De hoeveelheid wordt zorgvuldig verdeeld zodat ze thuis ook wat hebben.

Wat later op de middag gaan Aart-Jan en Lieke naar zijn ouders om daar de oudejaarsavond door te brengen. Judith zal naar haar ouders en zusje gaan. Harm en Annemieke gaan naar opa en oma Koppelaar.

Annemieke is op de bank gekropen en geeuwt. Ze heeft rode blosjes op haar wangen. Harm kijkt bezorgd naar zijn dochter.

'Ze is oververmoeid,' concludeert hij. 'Gisteren klaagde ze over buikpijn en at bijna niets. Ik hoop niet dat ze griep krijgt.'

'Het zal vast meevallen,' meent Judith. 'Ze at vanmiddag met smaak van de oliebollen. Misschien is ze, nu het vakantie is, wat te vaak laat naar bed gegaan.'

'Dat zou best kunnen,' zegt Harm.

Annemieke heeft haar duim in haar mond gestopt en haar ogen vallen dicht. Vertederd kijkt Judith naar het meisje. Harm kijkt op zijn horloge.

'Het is nu vijf uur. Hoog tijd om naar huis te gaan. Ze heeft haar slaaptijd slecht getimed.'

Judith schiet in de lach. 'Laat ze een uurtje slapen. Ik maak straks wat soep warm. Je kunt gelijk mee-eten. Dan ben je verder klaar.'

Harm kijkt haar verrast aan. 'Dat is een goed idee. Graag.'

Judith zou de tijd wel willen rekken. Waarom lijkt het sneller te gaan als ze in gezelschap is van Harm? Ze maakt de soep warm en even later zitten ze tegenover elkaar te eten. Het valt Judith op dat Harm stiller is geworden. Zou hij zich bezorgd maken over Annemieke?

Na het eten brengt ze de lege borden naar de keuken. Harm komt haar achterna.

'Judith?'

'Ja?'

'Ik heb iets voor je.'

Judith draait zich om en kijkt naar Harm. Haar hart bonst en ze voelt opnieuw een spanning in zich opkomen.

'Ik weet dat je van geen dank wilt horen,' gaat hij verder. 'En dat je ook niets uitbetaald wilt hebben voor alles wat je doet. Daar ben ik het niet mee eens. Het is nu de laatste dag van het jaar. Ik vond het een mooie gelegenheid om je daarom nu iets te geven. Zodat je weet hoezeer ik het waardeer wat je allemaal voor mij en Annemieke doet.'

'Dat weet ik toch immers wel?' zegt Judith zacht.

Hij reikt haar een pakje aan. Er zit een klein strikje op en Judith voelt het bloed naar haar wangen stromen. Het is iets van de juwelier.

Met bonzend hart maakt ze het open, ze haalt het dekseltje van het doosje af. Dan een dot watten. Ze houdt haar adem in. Op zachte watten ligt een steentje gevat in een gouden randje.

'Nééé... Harm! Dit is veel te gek. Ik mag dit niet aan...'

Hij legt meteen een hand op haar mond. 'Het is niet te gek. Kom hier. Ik zal het je omdoen.'

Judith staat doodstil als hij het kettinkje uit het doosje pakt. Ze voelt zijn warme handen in haar nek. Het is alsof het schroeit aan haar huid.

Dan doet hij een stap terug en kijkt naar haar. Ze schrikt van zijn ogen. Er ligt een gloed in die ze zo snel niet kan thuisbrengen. De spanning die hier in de kleine ruimte van de keuken hangt is om te snijden.

'Ik weet niet... hoe ik je moet bedanken,' stottert ze.

In één stap is hij weer bij haar. 'Ik wel,' zegt hij. 'Ik wel. Judith...' Zijn stem klinkt schor en meteen zijn zijn armen om haar heen. Zijn lippen zijn op haar wang, glijden vanzelf naar haar mond en nemen er hongerig bezit van.

Het overvalt Judith zo, dat ze zich als een willoze pop overgeeft aan zijn omhelzing. Langzaam dringt het tot haar door. Het is niet om haar. Hij is te lang alleen geweest dat het enkel hartstocht van hem is. Verder niet. En zo wil ze het niet. Nee, zo niet.

Ze draait haar hoofd weg. 'Harm…! Niet doen!'

Meteen is ze los en ze zoekt met haar handen houvast aan het aanrecht achter haar. Ze trilt van top tot teen. Het is stil in de keuken. Ze ziet dat Harm zich probeert te herstellen van de emotie die hem aangreep. Hij kijkt naar haar en schudt zijn hoofd. 'Het spijt me, Judith. Dit had niet mogen gebeuren. Ik weet niet wat me bezielde. Ik…'

'Papa…'

Annemieke is wakker geworden en roept vanuit de kamer naar haar vader. Voor beiden is het een opluchting dat het meisje er onverwachts tussen komt.

Zwijgend loopt Harm de keuken uit, hij pakt in het voorbijgaan Annemiekes jas van de kapstok om daarna gelijk door te lopen naar de kamer.

'Hier is papa.' Hij doet het nog slaapdronken meisje haar jasje aan en haar sjaal om.

'Bedank tante Judith maar voor de lekkere oliebollen, Annemieke.'

Zijn stem klinkt nog steeds vreemd, ook al probeert hij gewoon te doen.

'Het is wel goed.' Judith hoort haar eigen stem ook hoog opklinken. Het is alsof ze beiden toneelspelen.

Over het hoofd van Annemieke heen zoekt hij opnieuw de ogen van Judith. Hij geneert zich voor haar en voelt zich schuldig. Maar ze voelt zich nog te veel verward om erop te kunnen reageren.

'Ik heb buikpijn,' klaagt Annemieke.

Judith ziet dat haar rode blos zich verdiept heeft. En ze deelt de zorg van Harm eerder die avond. Het is te hopen dat ze niet ziek wordt.

Als Harm en Annemieke weg zijn, laat Judith zich op de bank vallen. Dan komen er tranen.

23

'Ik vind je de laatste tijd zo stil. En je ziet zo bleek. Is er iets?'
Lieke kijkt onderzoekend naar Judith.

'Beetje moe,' probeert Judith zich ervan af te maken. Lieke merkt veel te veel. Ze is altijd een open boek voor Lieke geweest. Maar wat haar nu dwarszit, voert te ver om dat met Lieke te delen.

Januari is alweer enkele dagen oud. Ze heeft van Harm niets meer gehoord. En zelf heeft ze ook geen contact meer gezocht.

'Het zal wel,' geeft Lieke reactie op haar antwoord. 'Het zou me niets verbazen als het met Harm te maken zou hebben.'

'Waarom Harm?'

'Omdat je van hem houdt. En hij doet dat waarschijnlijk ook van jou. Alleen durven jullie het geen van beiden tegen elkaar uit te spreken. Hij zit er waarschijnlijk net zo miserabel bij als jij.'

'Je bent stapel.'

'Niks stapel. Ik heb mijn ogen niet op mijn rug zitten. Hé Judith... Wat heb jij daar een prachtig kettinkje om. Dat heb ik nog niet eerder gezien.'

Judith weet dat het geen zin heeft om het kettinkje onder haar kleren te verstoppen. Waarom zou ze ook? Ze heeft het eerlijk gekregen.

Lieke komt dichterbij en bewondert het steentje.

'Zo zo. Dat steentje komt niet bij een drogist vandaan. En ik neem aan dat het geen nepgoud is wat eromheen zit.' Ze kijkt Judith recht aan. 'De man die je dat gegeven heeft moet wel heel veel van je houden.'

'Lieke.' Pijnlijk getroffen kijkt ze haar vriendin aan.

'Ik heb gelijk, hè?'

'Nee.'

'Jawel. Het is Harm die je dat kettinkje heeft gegeven. Het bewijst wel hoe blij hij met je is.'

'Precies. Dankbaar voor alles wat ik voor hem doe. Meer niet.'

'En dat geloof jij nog steeds?' Lieke kijkt haar ongelovig aan.

'Ja.'

Lieke schudt in verbijstering haar hoofd. 'Je bent echt stapel, Juut. Hij geeft om je, echt waar. Maar jij wilt dat niet zien.'

De telefoon gaat. Lieke neemt op. Even luistert ze, dan kijkt ze

Judith triomfantelijk aan.

'Het is Harm. Voor jou.'

Judith voelt haar hart in versneld tempo kloppen. Ze neemt de telefoon aan en negeert de veelbetekenende blik van haar vriendin.

'Ha Judith, met Harm,' klinkt dan zijn warme stem in haar oor. 'Ik zal meteen met de deur in huis vallen: Annemieke is ziek. Ze ligt met hoge koorts op bed en ze vraagt alsmaar om jou.'

'Ze wil dat ik bij haar kom,' concludeert ze.

'Ja. Kan het, Judith? Wil je het wel?'

Ze hoort de aarzeling in zijn stem. Ze weet dat ze beiden nu denken aan dat ogenblik in de keuken.

'Ja. Ik kom.'

'Daar ben ik blij om.' Judith hoort de opluchting in zijn stem. 'Je hoeft niet bang te zijn dat ik opnieuw mijn boekje te buiten ga.'

'Daar praten we niet meer over,' zegt Judith. 'Tot straks.'

Ze zet de telefoon weer terug en negeert de vragende ogen van Lieke.

'Annemieke is ziek,' vertelt ze. 'Ze vraagt steeds naar me.'

'En nu vroeg Harm of je wilde komen.'

'Ja.' Judith staat op. 'Ik weet niet hoe laat ik weer terug ben. Je ziet het wel.'

'Haast je niet. Ik vermaak me vanavond wel,' zegt Lieke. 'Doe Harm de groeten en beterschap voor Annemieke.'

'Ik zal het doorgeven.'

Even later valt de deur achter Judith dicht.

Als Judith met haar auto de Weteringstraat in rijdt, ziet ze beneden en boven licht in de woning van Harm. Ze voelt zich onrustig.

Hoe ziek moet Annemieke zijn dat Harm haar vraagt te komen? Heeft Annemieke bewust naar haar gevraagd of heeft ze geijld in koortsdromen? Ze zal het antwoord snel genoeg weten.

Er is een parkeerplaats voor het huis vrij, daar kan zij mooi haar karretje neerzetten.

Huiverig in haar korte jasje doet ze het portier op slot. De temperaturen dalen opnieuw naar het vriespunt. Dat is duidelijk te voelen.

Zoals gewoonlijk gaat ze langs het huis naar de achterkant en stapt daarna via de keukendeur naar binnen. Het is heel stil in huis. Ze trekt haar jas uit, hangt deze aan de kapstok, mikt haar sjaal erachteraan en gaat vervolgens de woonkamer binnen. Niemand te zien.

Dan moet Harm vast boven zijn bij Annemieke. Ze aarzelt geen moment, loopt gehaast de trap op en gaat direct door naar Annemiekes kamertje.

Ze opent de deur en blijft een moment stil op de drempel staan. Het tafereeltje voor haar neemt ze intens in zich op. Harm die over Annemieke gebogen staat. Zijn gezicht straalt een zachtheid uit die alleen een vader voor zijn kind uit kan stralen. Zachtheid, maar ook bezorgdheid. Ze ziet het meisje liggen: vuurrode wangetjes, hijgend en transpirerend. Ze schrikt er toch nog van.

Die twee… ze zijn een deel van haar leven geworden. Ze kan hen niet meer wegdenken. Ze horen allebei bij haar. En toch knaagt er iets vanbinnen. Wat zij voor Harm voelt is niet wederzijds. Ze kan en mag geen hoop koesteren. Haar gevoelens voor hem zal ze geheim moeten houden zolang ze leeft.

Nu pas merkt Harm haar op. Hij komt onmiddellijk overeind. 'Je bent er al,' zegt hij verrast.

Ze doet een stap het kamertje in en komt naast hem staan. Ze voelt zijn dichte nabijheid als raakte hij haar aan. Haar blik gaat naar het kind dat daar onder het roze dekbed ligt.

'Ze is erg ziek, hè?' constateert ze bezorgd.

Harm knikt. 'Enkele dagen geleden klaagde ze al over buikpijn en misselijkheid. Ze heeft een flinke griep te pakken.'

'Heb je de koorts al opgemeten?'

'Ja, een halfuurtje geleden nog. Ze had 40,1.'

'Oei!' schrikt Judith. 'Dat is heel hoog. Heb je de dokter al gebeld?'

'Ja. Maar hij komt pas als de koorts nog verder zal stijgen. Hij heeft aangeraden haar niet te warm in te stoppen en af en toe met een koele, vochtige washand over haar gezichtje te gaan. En verder steeds de temperatuur goed in de gaten houden.' Hij kijkt somber voor zich uit. 'Zo'n dokter heeft gemakkelijk praten. Het is zijn dochter niet. Ik maak me zorgen, Judith.'

'Begrijpelijk,' knikt Judith. 'Toch kan bij kinderen de temperatuur vaak heel hoog stijgen. Ik heb weleens gehoord dat ze het ene uur heel ziek kunnen zijn, om het volgende uur weer te kunnen spelen alsof er niets aan de hand is.'

'Dat kan wel kloppen, ja. Maar dat neemt mijn bezorgdheid niet weg.'

Judith heeft met hem te doen. Ze doet een stap naar voren en legt een koele hand op het gloeiend hete gezichtje. Annemieke woelt onrustig onder die aanraking.

'Tante Judith… waar bent u nou?' ijlt ze met een hoog stemmetje.

Judith gaat op de rand van het bed zitten en buigt zich naar het kind over. 'Hier is tante Judith, meisje. Ik blijf bij je.'

'Tante Judith?' Het klinkt nog steeds vragend, maar ze slaapt weer gewoon verder.

Het blijft stil in het kleine kamertje. Alleen de snelle ademhaling van Annemieke is te horen. Ze woelt nog even onrustig. Maar als Judith zich opnieuw naar haar overbuigt en haar zacht toefluistert, lijkt een onzichtbare hand de onrust weg te vegen.

'Tante Judith…' klinkt het nog eens, maar nu met een blijde, rustige klank in haar stem.

Judith ziet het vochtige washandje liggen dat Harm al eerder gebruikt moet hebben en haalt het over Annemiekes voorhoofd en de rode wangetjes. Het dekbed legt ze nog iets verder terug, zodat Annemieke het wat koeler krijgt.

'Ik ben zo blij dat je gelijk gekomen bent,' hoort ze Harm achter zich zacht zeggen.

Ze draait zich half om en kijkt dan een moment in zijn grijze ogen. Wat zal er allemaal achter dat hoge voorhoofd omgaan? Ze kan er slechts naar raden.

'Natuurlijk,' zegt ze. 'Dat is toch vanzelfsprekend?'

'Nee,' meent Harm. 'Dat vind ik niet. Niemand verwacht van jou dat je meteen komt als je gebeld wordt. Je hebt ook je eigen leven. En toch kom je.'

'Ik ben net zo bezorgd om Annemieke als jij,' legt ze haar snelle komst uit. 'Al ben ik haar eigen moeder niet…'

De woorden blijven in de kamer hangen. Ze hoort Harm achter zich zijn adem inhouden en ze vraagt zich af of ze dit wel had kunnen zeggen. Het blijft gevoelig. Harm zegt echter verder niets en Judith is er blij om.

Als ze Annemieke even later temperatuurt, blijkt dat de koorts toch iets is gaan zakken. Ze is er net zo opgelucht over als Harm.

Nog even blijven ze op het meisje neerzien. Dan draait Harm zich om en zegt: 'Ik denk dat ze nu wel rustig verder zal slapen. Zullen we naar beneden gaan? We laten de deur open zodat we het gelijk horen als er iets met haar is.'

Judith knikt. Het heeft geen zin om de rest van de avond bij het kind te blijven zitten. Harm heeft gelijk: ze slaapt nu heel rustig.

Achter Harm aan gaat ze de trap af naar beneden. Ze kijkt neer op zijn donkere hoofd. Ze hoeft haar arm maar uit te strekken om zijn haar te strelen. Meteen scheldt ze zich uit voor grote dwaas. Hij moest eens weten!

Harm loopt door naar de keuken om koffie te zetten. 'Je lust toch wel een bakje?' vraagt hij, terwijl hij al bezig is.

Judith knikt en glimlacht. Ze loopt door naar de woonkamer en blijft staan voor het portret van Marlies. Haar glimlach straalt Judith tegen. Secondenlang kijkt ze naar dat frisse, jonge gezicht. Het is alsof het goedkeurend naar haar kijkt. Wat zou Marlies zeggen als ze wist…?

Weer zo'n dwaze gedachte. Judith schudt haar hoofd alsof ze al die gedachten van zich af wil schudden. Marlies is er niet meer. Haar plaats is leeg.

Harm komt binnen met koffie. Judith voelt zich een beetje betrapt en draait zich snel van de foto weg.

'Kom zitten,' zegt Harm. 'Ik heb koffie voor je.'

Zijn stem klinkt heel gewoon, maar Judith voelt opnieuw een soort verlegenheid in zich opkomen. Iets wat ze nog niet eerder in zijn nabijheid heeft gevoeld. Of is het meer het gevoel van onbevangenheid dat ze in zijn nabijheid al een poos kwijt is?

Ze gaat zitten en kijkt toe hoe hij zorgzaam de melk in haar koffie doet. Hij weet al precies hoeveel ze erin wil hebben.

Hij biedt haar een plakje cake aan en gaat dan tegenover haar zitten. Ze zoekt naar woorden, maar weet niet zo snel iets te zeggen. De stilte hangt zwaar in de kamer. Harm roert zwijgend in zijn koffie. Het lijkt erop of hij een moment haar aanwezigheid is vergeten. Het tegendeel blijkt echter waar. Hij kijkt op, recht in haar ogen. Dan laat hij zijn blik iets zakken en deze blijft hangen op het kettinkje dat ze draagt.

'Je draagt het kettinkje tóch nog…' constateert hij plotseling met een mengeling van verbazing en verrassing tegelijk.

Judith knikt. 'Waarom zou ik niet? Ik heb het toch van je gekregen? Ik ben er heel blij mee.'

Hij kijkt naar het donkere steentje, gevat in goud, dat als een druppel in haar blanke hals ligt. Het ontroert hem op een wonderlijke manier. En tegelijk is het een waarschuwing.

'Ik wil je nogmaals mijn excuses aanbieden, Judith, voor wat er op oudejaarsavond gebeurd is. Het zal niet meer voorkomen.'

'Och man, houd er toch over op. Het is je al lang vergeven, hoor.'

'Je denkt er veel te makkelijk over,' houdt Harm aan. 'Het is niet verkeerd, hoor, om mij in het beklaagdenbankje te zetten.'

Judith zet haar halflege mok met zo'n harde klap terug op de tafel dat er druppels omhoogspatten. Dan gaat ze op het puntje van haar stoel zitten. Ze kan het niet helpen dat er vanbinnen boosheid opborrelt. Waarom blijft hij er toch over doorzeuren?

'Harm!' Ze steekt kordaat een vastberaden kinnetje in de lucht. 'Ik wil er niets meer over horen. Ik zei toch al dat het je vergeven was? Waarom aanvaard je het niet gewoon? Hoelang ben je nu al alleen? Anderhalf jaar toch zeker al? Ik begrijp best dat je je heel eenzaam kunt voelen en naar wat warmte hunkert.'

Ze schrikt zelf van de openheid van haar woorden. En toch heeft ze er geen spijt van. Want die woorden zijn de waarheid.

Harm komt in een snelle beweging overeind en gaat met zijn rug naar haar toe voor het raam staan. Zijn handen heeft hij gebald tot vuisten en gesmoord hoort ze hem zeggen: 'Begrijp jij het echt, Judith? Begrijp jij echt wat het is om vijf jaar gelukkig getrouwd te zijn geweest om daarna zo alleen te zijn. Zo verschrikkelijk, ellendig alleen…'

Judith schrikt van zijn emotionele uitval. Wat heeft ze aangehaald door iets te zeggen over zijn alleen-zijn? Straks krijgt ze toch nog spijt…

Hij gaat alweer verder, nog steeds met zijn rug naar haar toe. 'Je kunt het niet weten, Judith. Je kunt niet weten hoe leeg je armen zijn. Hoe leeg de stoel naast je aan tafel is. Hoe leeg het plekje naast je in bed. Hoe leeg de kledingkast. De keuken. Alles… alles is leeg. Léég…'

Hij draait zich om en ze schrikt niet eens van de gloed in zijn ogen. 'Weet je hoe intens ik ernaar kan verlangen om opnieuw van een vrouw te kunnen gaan houden? Haar te omhelzen en haar warmte te voelen?'

Judith kan het niet helpen dat er opeens tranen in haar ogen branden. Tranen om Harm. Ze zou het hem toe willen schreeuwen: 'Hier staat een vrouw die niets liever zou willen dan jouw armen om zich heen te voelen. Maar dan uit liefde. Uit zuivere liefde. Niet als opvulling om de schrijnende leegte voor even te doen vergeten. Maar in stille verbondenheid.'

Ze heeft er geen erg in dat er tranen over haar wangen glijden. Harm ziet het en meteen lijkt hij te zijn uitgeraasd. Verbaasd zegt hij: 'Je huilt.'

'Ja, mag ik?' snauwt Judith, die alle controle over zichzelf lijkt te verliezen. 'Ik huil, ja, om jou. Omdat ik het voor jou zo ellendig en beroerd vind dat je zo eenzaam en verdrietig bent.'

Nu zijn alle sluizen los. De tranen blijven stromen, ze kan ze niet meer tegenhouden.

Harm staat daar nog steeds op diezelfde plek als was hij daar vastgeklonken.

'Meisje toch,' zegt hij dan. 'Ik had dit alles niet moeten zeggen. Je trekt het je te veel aan.'

In twee stappen is hij bij haar en hij duwt haar terug in haar stoel. 'Hier, een zakdoek. Huil niet om mij, Judith. Niet om mij.'

'Ik huil om wie ik zelf wil.' Ze hoort zelf hoe kattig haar stem klinkt. Ze kan het niet helpen. Judith stopt haar hele gezicht in de zakdoek. Haar schouders schokken.

Heeft ze zich verraden? Of is Harm te veel met zichzelf bezig dat hij het niet doorheeft? Ze hoopt van harte op het laatste.

Er komt geluid van boven. Annemieke begint te huilen en er klinken braakgeluiden.

Harm bedenkt zich geen moment en gaat meteen naar boven. Judith loopt naar de keuken en probeert met de punt van een natte handdoek haar gezicht een beetje te fatsoeneren. Dan weet ze niet beter te doen dan ook naar boven te gaan. Ze moet zichzelf opnieuw volkomen weg- cijferen. Annemieke komt nu op de eerste plaats. Ze doet echter niets liever. Ze wordt gedreven door een diepe liefde, voor de vader zowel als voor de dochter. Een verschillend soort liefde. Maar net zo diep en intens.

Als ze halverwege de trap is, dringt een zure lucht haar neus binnen. Boven vindt ze Annemieke rechtop in bed. Haar kussen en dekbed zijn ondergespuugd en Harm staat een moment met zijn handen in zijn haar ernaar te kijken.

'Ze zit zelf ook helemaal onder,' zegt hij wanhopig.

Judith ziet het nu ook. Annemiekes gezichtje en haren zijn vies, en ook haar pyjama en zelfs haar blote voetjes.

Judith moet even helemaal omschakelen.

'Annemieke moet in bad,' regelt ze meteen. 'Harm, wil jij het bad aanzetten? Dan zal ik Annemieke uitkleden en het bed afhalen.'

Ze gaan meteen allebei aan de slag alsof er in het uur daarvoor niets is voorgevallen. Annemieke huilt als Judith haar uitkleedt.

'Je moet gewassen worden, meisje,' probeert ze het kind op zachte toon te troosten. 'Je bent helemaal vies. Papa en ik zorgen ervoor dat je straks weer heerlijk ruikt. En je krijgt ook een schoon bed.'

Een halfuur later is het karwei geklaard. Annemieke lijkt zich na het braken weer een stuk beter te voelen. Ze wil naar beneden en geeft aan honger en dorst te hebben.

'Drinken mag je wel,' zegt Harm. 'Maar met eten zullen we even wachten. Als je meteen weer een volle buik hebt, word je weer misse- lijk.'

Beneden schenkt Harm drinken voor haar in en de beker wordt door het kind gulzig leeggedronken. Daarna temperatuurt Harm haar nog eens en tot hun opluchting is de koorts een eind gezakt.

Annemieke is nu klaarwakker en wil van naar bed gaan niets meer weten. Harm laat het maar zo. Tenslotte heeft ze voor het grootste gedeelte van de dag al op bed gelegen.

Judith heeft ondertussen de vuile was uitgespoeld en daarna in de wasmachine gestopt, die nu staat te draaien.

Inmiddels is het al laat geworden. Judith ziet met schrik dat het hoog tijd wordt om weer naar huis te gaan.

Harm zet Annemieke, die al een hele poos op zijn schoot heeft gezeten, in een hoekje van de bank. Hij loopt met Judith mee naar de deur. Ze heeft haar jas aangetrokken en een sjaal om haar hals gewikkeld.

Harm legt zijn hand op haar schouder en met zachte dwang draait hij haar om zodat ze hem aan moet kijken.

'Ik denk dat het hoog tijd wordt dat wij eens open kaart naar elkaar spelen, Judith. Maar dan wel op een moment dat we rustig samen kunnen zijn.'

Judiths ogen knipperen. 'Wat bedoel je?'

Er komt een klein lachje in zijn mondhoeken. 'Dat weet jij heel goed. Ga maar gauw. Ik hoop je snel weer te zien. Dag lieveling.'

Judith stapt naar buiten en loopt op onvaste benen naar haar auto. Haar hart bonst. Heeft ze dat laatste goed gehoord? Nee, ze moet het zich ingebeeld hebben. Het bestaat niet.

Ze steekt een paar keer mis met haar sleutel. Dan heeft ze eindelijk het portier open. Ze start de auto en rijdt weg. Harm zwaait haar na.

En wanneer ze haar auto voor haar flat parkeert, weet ze het zeker: hij heeft haar gevoelens voor hem geraden.

'De hartelijke groeten van Harm. En of je vanavond thuis bent. Ik denk dat hij je komt halen.'

Lieke schuift een volle boodschappentas de keuken in. Ze wacht het antwoord van Judith niet eens af, maar gaat alweer verder: 'Het was druk in de winkel. En een lange rij achter iedere kassa... Ik heb er een halfuur langer over gedaan dan de bedoeling was.'

Judith kijkt naar Lieke, die haar jas losknoopt en haar sjaal van haar hals loswikkelt.

'Volgens mij overdrijf je,' meent Judith, die in de soep staat te roeren. 'Wat heb jij je trouwens ingepakt.'

'Weet je wel hoe koud het is?' zegt Lieke. 'Hier. Moet je voelen.'

Er worden twee ijskoude handen in haar warme nek gelegd en Judith kan nog maar net een verschrikte kreet binnenhouden.

'Ga weg jij. Je had handschoenen aan moeten trekken.'

Lieke haalt achteloos haar schouders op. 'Was ik vergeten. Wat ruikt het hier lekker.' Ze snuift behaaglijk de heerlijke lucht op die er in de keuken hangt. 'Erwtensoep. Heerlijk. Het is er echt weer voor.'

Lieke gaat de boodschappen opruimen en Judith snijdt de rookworst door de soep. Ze heeft ondertussen echt trek gekregen. Heerlijk dat Lieke de boodschappen al heeft gehaald, dan hoeft zij morgen niet te gaan.

Tien minuten later staan de boodschappen allemaal netjes in de kast en is de soep helemaal klaar. Als ze eenmaal zitten te eten, vraagt Judith nieuwsgierig: 'Je hebt Harm dus gezien. Was Annemieke er ook bij?'

Lieke knikt. 'Ze zag nog erg wit, maar ze was weer helemaal opgeknapt. Ze heeft drie dagen koorts gehad.'

Judith lepelt bedachtzaam van de soep. Dat Annemieke weer helemaal beter was, wist ze al. Ze heeft Harm gisteren even aan de telefoon gehad. Ze moesten allebei nog weg, dus het gesprek duurde niet lang. Misschien maar goed ook. Haar gedachten gaan naar twee dagen geleden. Een avond die ze niet snel vergeten zal. Harm, die zijn frustratie over het alleen-zijn onverwachts over haar heeft uitgestort. Ze kan het niet helpen dat er geen uur van de dag voorbijgaat dat ze er niet aan denkt. En dan zijn laatste groet: 'Dag lieveling.'

Ze weet nu wel zeker dat ze het zich niet ingebeeld heeft. Maar waarom zei hij dat tegen haar? Zijn hart was immers nog altijd bij Marlies?

Of is daar de laatste tijd verandering in gekomen? Ze hebben samen veel over haar gepraat. En nog valt regelmatig haar naam in de gesprekken. Toch heeft Judith er een langzame verandering in gezien. De pijn die er eerst in doorgeklonken had, is al een poosje weg. De angel lijkt eruit te zijn. Marlies moet een lieve herinnering voor hem zijn geworden. Dat wil uiteraard nog niet zeggen dat hij daarom meteen van haar, Judith, is gaan houden. Dat mag ze zich vooral niet inbeelden.

'Gezellig ben je niet vanavond,' doorbreekt Liekes stem haar gedachten. 'Waar denk je aan?'

'Als je dat toch eens wist…'

Lieke lacht. 'Ik zal er niet naar raden, maar ik denk het te weten.'

'Ik wist niet dat jij gedachten kon lezen.'

'Kan ik ook niet. Maar jij bent een uitzondering. Je weet wel: waar het hart vol van is, loopt niet de mond, maar je gedachten van over.'

'Zo zo, heb je psychologie gestudeerd of zo?'

'Dat heeft met psychologie niets te maken,' vindt Lieke. 'Waar gaan jullie vanavond trouwens naartoe?'

'Ik weet niet waar je het over hebt.'

'Harm komt je halen.'

'Daar weet ik niets van.'

Lieke lacht. 'Dan zul je het vanavond vanzelf wel zien. Ik ga naar Aart-Jan. We moeten naar een verjaardag. Ik heb er helemaal geen zin in.'

'Dat is leuk voor de jarige.'

'Die hoeft het niet te weten. En ach, als we er eenmaal zijn is het vast wel gezellig.'

'Dat dacht ik ook.' Judith staat op om yoghurt uit de koelkast te pakken.

Soms weet Lieke net iets te veel. Waarom moest ze nu precies Harm in de winkel tegenkomen? Ze trekt er meteen zelf conclusies uit. Harm zal Lieke heus niet aan haar neus gaan hangen dat hij haar zal komen halen.

Ze zucht in stilte. Lieke is een schat van een meid, maar op dit moment kan ze haar echt wel een poosje wegkijken. Ze moet zich niet te veel met haar dingen bemoeien.

Lieke gaan al snel na het eten weg. 'Een hele prettige avond,' zegt ze nadrukkelijk. Haar ogen lachen.

Judith stompt haar bijna de deur uit. 'Voor jou hetzelfde,' bromt ze.

Het is vreemd stil als Lieke eenmaal weg is. Judith staat midden in de kamer besluiteloos om zich heen te kijken. Ze zou naar haar ouders kunnen gaan. Of gezellig winkelen. Alleen. Of een boek lezen. Ze heeft een mooi boek liggen van de bieb. Een avond thuis trekt haar wel. Als ze weggaat, bestaat er een grote kans dat Harm voor niets aan de deur komt. Maar ze heeft niets met hem afgesproken. Lieke kan wel zoveel zeggen.

Toch kan ze er niet toe komen om weg te gaan. Dan maar lezen. Ze zet een cd aan en probeert zich daarna te concentreren op het boek. Na een poosje blijkt dat het verhaal haar niet pakt. Ze is te veel bezig met Harm. Dat kan ze niet ontkennen. Wat moet ze er toch mee?

Ze schrikt als plotseling de bel gaat. Zou Lieke dan toch gelijk hebben?

Haar hart bonst onstuimig als ze opendoet. Het is Harm. Zijn donkere haren zijn wat verwaaid. Hij heeft een jongensachtige kleur op zijn gezicht. Zijn mond lacht en zijn ogen kijken haar met een warme blik aan.

'Goedenavond Judith. Ik kom je halen.'

'Hoi,' groet ze luchtig terug en gekscherend gaat ze verder: 'Dat commandeert maar. Je weet niet eens of ik wel kan en wil.'

Harm stapt over de drempel en laat de deur achter zich dichtvallen.

'Kun je vanavond?' Hij kijkt haar met een vaste blik aan.

'Ja.'

'En wil je ook?'

Even voelt ze zich in een hoek gedreven door zijn rechtstreekse vragen. Als ze nu eens nee zei? Maar dat kan ze niet eens. Ze dacht hem een beetje te kunnen stangen, maar in plaats daarvan heeft hij met zijn eerlijke vragen haar schaakmat gezet.

'Ik wil wel,' zegt ze dan ook.

'Zie je wel?' bromt Harm voldaan. 'Wat zeur je dan?'

Judith loopt naar de kamer, zet de cd uit, laat enkele lampjes branden, zoekt haar tas en schiet daarna snel in haar jas. Harm wacht geduldig.

Even later loopt ze naast hem de trap af.

'Waar is Annemieke?'

'Thuis. Jorien past op.'

'Heb je speciaal oppas gevraagd voor vanavond?' vraagt ze verbaasd.

'Ja. Ik wil vanavond heel graag met jou samenzijn.'

Judith zegt niets en loopt naar de auto. Als ze naast hem schuift, vraagt ze: 'Waar wil je naartoe?'

'Jij mag kiezen,' zegt hij, terwijl hij het sleuteltje in het contact steekt. 'In de grote kerk is er vanavond een concert. Zang en muziek. Orgel, piano en panfluit. We kunnen ook naar het winkelcentrum gaan en daar ergens koffiedrinken. Of we kunnen een stuk gaan wandelen.'

Judith schiet in de lach. 'Keuzes genoeg dus. Ik voel wel wat voor dat concert.'

'Dan gaan we daarheen.'

Judith denkt terug aan wat hij deze week nog tegen haar had gezegd. Hij wil graag met haar praten. Open kaart spelen naar elkaar. Hoe wil hij dat vanavond invullen als ze in de kerk zitten te luisteren naar een concert?

Ze glimlacht. Ze laat het aan hem over. En in dat concert heeft ze heel veel zin.

Het is druk bij de grote kerk en even voelt Judith zich ongemakkelijk. Er bestaat natuurlijk grote kans dat er bekenden tussen de belangstellenden zijn. Wat zouden ze denken als zij haar samen met Harm zien?

Niets van aantrekken maar. Tenslotte heeft ze niets te verbergen.

Het is zo druk dat ze met moeite een plaatsje achterin kunnen vinden. De plaatsen zijn krap en ze moeten noodgedwongen dicht tegen elkaar zitten. Judith vindt het niet erg. Integendeel zelfs. Ze waagt het op te kijken naar Harm. Hij vangt meteen haar blik op en geeft haar een dikke knipoog.

Het wordt een prachtige avond. Judith geniet van de muziek die verzorgd wordt door getalenteerde musici.

'Mooi hè?' fluistert ze tussendoor tegen Harm. Hij knikt en ze ziet aan hem dat hij er net zo van geniet als zij. Of speelt het ook mee dat ze hier zo samen zitten?

Ze probeert zich te concentreren op de pianist die een prachtig stuk speelt. Zijn gevoelige vingers lijken over de toetsen te dansen, het gaat zo onvoorstelbaar vlug. Wat een talent heeft die man.

Ineens voelt ze hoe Harm haar arm pakt en die door de zijne trekt. Daarna houdt hij haar hand gevangen tussen de zijne. Heel stil zit ze. Haar ogen houdt ze onafgebroken op het koor midden in de kerk gericht. Ze is zich van zijn warme aanraking intens bewust.

Zou hij dan toch, toch iets voor haar voelen? Was die liefkozende groet enkele dagen geleden heel bewust met een bedoeling gezegd?

Een stille hoop zet zich bij haar vanbinnen vast. De rest van de avond blijven ze zo zitten. En als het concert afgelopen is, verbaast Judith zich erover dat het alweer tijd is om de kerk te verlaten.

Harm laat haar hand niet los als ze naar buiten gaan. Ze kijkt omhoog naar de grote verlichte klok hoog in de toren. Tien uur.

Harm trekt haar mee naar de auto die aan de zijkant van de kerk geparkeerd staat. Ze zwijgen beiden. Judith weet niet wat ze zeggen moet. Ze voelt haar huid prikken van spanning. Een prettige spanning.

Het is heel druk op de weg. Harm moet al zijn aandacht houden bij het drukke verkeer en bij voetgangers die in grote groepen over willen steken.

'Het concert heeft heel veel mensen getrokken.' Judith is de eerste die iets zegt.

'Ja,' antwoordt Harm. 'Voor deze concerten komen belangstellenden vanuit het hele land. Je hebt genoten, hè?'

'Ja, het was prachtig.'

Eindelijk kunnen ze de drukte achter zich laten. Harm rijdt met een kalm gangetje verder. Even buiten de bebouwde kom houdt hij stil voor een klein restaurant waar in sierlijke letters op de gevel geschreven staat: *De koffie is klaar*.

'Wat denk je ervan?' hoort ze Harm naast zich vragen.

'Dat staat er heel uitnodigend,' reageert Judith. 'Ik heb er wel trek in.'

Even later zitten ze in een hoekje tegenover elkaar. Het is er niet druk en er klinkt zacht muziek.

'Dat mogen ze van mij uitzetten,' zegt Judith. 'Deze muziek is surrogaat vergeleken met wat we zojuist in de grote kerk gehoord hebben.'

Harm lacht.

'Twee koffie,' bestelt hij bij het meisje dat bij hun tafeltje is komen staan. 'Of wil jij iets anders?'

Judith schudt haar hoofd. 'Nee hoor, ik vind koffie lekker.'

'Met appelgebak,' gaat Harm verder.

'Harm, we hebben toch niets te vieren,' protesteert Judith zacht als het meisje weer weg is. 'Een gewoon koekje was ook goed geweest.'

Harm is het daar echter niet mee eens. Als het meisje even later terugkomt met twee koffie en appeltaart, schrikt Judith van de enorme punten. Een grote dot slagroom ligt erbovenop.

'Daar heb ik een complete maaltijd aan,' zegt ze. 'Ik krijg dit nooit allemaal op.'

Harm grinnikt. 'Je zult toch als een grote meid je bord leeg moeten eten.'

'Poeh… Gaan we vaderen? Ik ben Annemieke niet.'

'Nee, gelukkig niet.'

Judith kijkt Harm onderzoekend aan. Hij zegt het op een speciale toon. Wat bedoelt hij nu precies?

Het blijft een poos stil tussen hen. Judith voelt regelmatig zijn ogen op haar gericht. Wat kijkt hij toch naar haar? Alles lijkt vanavond zo anders. Zo... ze kan het geen naam geven.

Ze probeert haar aandacht bij het gebak te houden. En ze kan niet anders zeggen dan dat het van goede kwaliteit is. Het smaakt heerlijk. Toch kan ze het laatste beetje niet meer op.

Ze kijkt op. 'Harm...' Ze stokt, want hij kijkt haar opnieuw aan met zo'n speciale blik in zijn ogen dat ze de hare er haastig voor neerslaat. Haar hart bonst.

'Judith...' Zijn stem klinkt zacht en hij legt zijn hand onder haar kin zodat ze gedwongen wordt hem aan te kijken. 'Judith... hoelang houd je al van me?'

Ze slikt. Hij heeft het dus geraden. Maar nu vindt ze het niet erg meer. Het moet nu maar komen zoals het komen moet.

'Hoelang?' herhaalt ze buiten adem. 'Ik weet het niet. Het is vanzelf zo gegroeid, denk ik. Het ging onbewust.'

'Het verging mij net zo,' vertelt Harm. 'Ik ben zo veel van je gaan houden, Judith. Zo veel...' Hij neemt haar gezicht tussen zijn beide handen en kijkt haar intens aan. Dan buigt hij zijn hoofd naar het hare en kust haar, maar op een heel andere manier dan op oudejaarsavond bij haar in de keuken. Een warm geluksgevoel doorstroomt Judith.

Ze worden zich pas bewust van de omgeving als er een groepje mensen luidruchtig langs hun tafeltje loopt. Harm laat Judith onmiddellijk los en zegt: 'Dit is geen omgeving voor twee verliefde mensen. Ik ga afrekenen en dan gaan we hier weg.'

Judith vindt alles best. Ze kan het nog niet goed bevatten. Harm houdt ook van haar...

Even later lopen ze met de armen om elkaar heen naar buiten.

'Laten we een stukje lopen,' stelt Harm voor. 'We hebben de hele avond al binnen gezeten.'

Ze kiezen een rustige weg die door de weilanden heen gaat. Hier en daar brandt een lichtje van een boerderij of een vrijstaand huis. Er is hier bijna geen verkeer.

Harm stopt en trekt Judith dicht tegen zich aan.

'Ik wist niet dat ik opnieuw weer zo veel van een vrouw houden kon,' zegt hij dicht bij haar oor.

'Houd je echt veel van mij, Harm?'

'Twijfel daar nooit aan, meisje. Ik heb van Marlies intens veel gehouden, maar ze is een lieve, dierbare herinnering voor me geworden. De moeder van mijn dochter. En ik ben heel blij dat jij haar ook gekend hebt. Wees nooit bang, Judith, dat ik van jou minder zal houden dan ik van Marlies heb gedaan. Anders misschien. Maar zeker niet minder.'

Zijn stem klinkt ernstig en Judith stopt haar gezicht in zijn hals. Ze kan het amper geloven dat ze hier staat met Harm.

'Ik had nooit gedacht dat ik opnieuw van een man zou kunnen houden, na wat ik met Leon heb meegemaakt,' zegt ze. 'En nu kom ik erachter dat de liefde sterker is dan je wil en je verstand.'

Ze hoort Harm zachtjes lachen. 'Gelukkig maar. Beloof me dat je altijd alles eerlijk en open tegen me zegt. Op die manier kunnen we nog meer voor elkaar betekenen.'

'Ja, dat zal ik doen, Harm.'

'En wil je me beloven om over een niet al te lange tijd mijn vrouw te worden?'

'Graag, Harm.'

Harm begraaft zijn gezicht in haar haren. Gesmoord zegt hij: 'Waar heb ik dit geluk allemaal aan verdiend?'

Minutenlang staan ze zo in een zwijgende omhelzing. Dan vervolgen ze hun weg.

'Wanneer wist jij dat je van me hield?' vraagt Harm.

Judith denkt diep na. Dan zegt ze: 'Ik durf het niet eens goed te zeggen. Na Leon wilde ik niet opnieuw iets met een man beginnen. Mijn vertrouwen leek voorgoed geknakt. Die houding heb ik heel lang vol weten te houden. Toen jij me die avond voor Annemiekes verjaardag ten huwelijk vroeg, gingen mijn ogen langzaam maar zeker open. Ik wilde niet met je trouwen op basis van een wederzijdse vriendschap. Ik zei je toen al dat ik die basis veel te smal vond. Daarna moest ik er steeds aan terugdenken. En toen wist ik het opeens.'

'Mij verging het net zo,' vertelt Harm. 'Ik mocht je graag en wist niet dat dat gevoel dieper was gegaan. Toen ik jou ten huwelijk vroeg, wist ik het al.'

'Toen al?' vraagt Judith verbaasd. 'Dus van jouw kant was het geen zakelijke aangelegenheid?'

'Nee. Ik had algauw spijt van mijn vraag. Ik had geduld moeten hebben en jou wat meer tijd moeten gunnen. En toen op oudejaarsavond… Ik kon me niet meer beheersen. Ik kon me later wel voor mijn hoofd slaan. Het was ook niet zomaar een kus. Ik vermorzelde je bijna.'

Judith lacht. 'Het scheelde inderdaad niet zo veel. Ik was echt van je geschrokken. Ik concludeerde daaruit dat jij je eenzaam voelde en hunkerde naar een vrouw.'

'Ja, naar jou.'

'Ik wist niet… Als ik dat geweten had…'

'Je wist het niet en ik had me moeten beheersen. Juist doordat je begrip ervoor toonde, was je me er nog liever om geworden.'

'Ik had het kunnen weten. Dat kettinkje was een heel duur cadeautje. Je had het bij de juwelier gekocht. Lieke had gelijk. Ze zei tegen me: de man die dat aan je gegeven heeft, moet wel veel van je houden.'

'Dan zag Lieke meer dan jijzelf. Ik heb het je gegeven als blijk van dankbaarheid voor alles wat je voor Annemieke en mij gedaan hebt. Maar tegelijk was het uit liefde gegeven.'

Judith blijft staan en in het licht van de lantaarn kijkt ze hem aan.

'Ik zal het altijd blijven dragen. Ik ben er heel blij mee, Harm.'

Harm trekt haar opnieuw dicht tegen zich aan.

Het licht van de lantaarn omhult hen in een gouden gloed.

Voor Lieke is het geen verrassing als ze het nieuws van Judith hoort.

'Ik wist het eerder dan jij,' plaagt ze.

Ma Bakker had het wel aan zien komen. Pa niet. Die was altijd een beetje verstrooid en keek er dus van op. Anke had het gehoopt. 'Je kwam er zo vaak,' zei ze. 'En ik vind Harm erg aardig.' En later: 'Als je met Harm trouwt, Juut, dan heb je gelijk al een dochter van vijf. Als je oppas nodig hebt, mag je mij daarvoor vragen. Ik vind het leuk.'

'Geweldig,' lachte Judith. 'Dat is dan alvast geregeld. Ik zal het tegen Harm zeggen.'

Annemieke is door het dolle heen als ze te horen krijgt dat papa met tante Judith gaat trouwen. Eerst kijkt ze Harm en Judith ongelovig aan.

'Echt waar?'

Harm slaat zijn ene arm om Judith heen en zijn andere om Annemieke.

'Echt waar,' bevestigt hij. 'Voortaan horen wij drieën bij elkaar.'

Annemiekes gezichtje bloeit open in een brede lach.

'Mag ik dan mama tegen u zeggen?' Vragend kijkt ze Judith aan.

'Je mag tegen mij zeggen wat je zelf het prettigst vindt,' antwoordt Judith.

Wat later wordt ze stil. Judith betrapt haar op een moment dat ze voor de foto van Marlies staat. Judith zegt niets, maar laat het kind stil begaan.

Als Annemieke Judith ziet, komt ze snel naar haar toe. 'Zal mama het erg vinden dat u mijn nieuwe mama wordt?'

'Ik denk dat ze heel blij geweest zou zijn,' zegt Judith zacht. 'Ze zou niets liever gewild hebben dan dat jij een nieuwe moeder zou krijgen.'

Met dat antwoord is Annemieke tevreden. 'Nu ben ik helemaal blij,' zegt ze.

En daarmee is voor haar alles goed.

Hun trouwdag zal in de zomer vallen.

'Dat hadden we nooit gedacht,' zegt Lieke als ze hiervan hoort. 'Dat jij veel eerder zou trouwen dan ik. Maar jullie hebben groot gelijk.'

'De omstandigheden werken er nu eenmaal aan mee,' zegt Judith. 'Een lange verkeringstijd heeft geen enkele zin. En ik wil er graag zijn voor Harm en Annemieke. Ik kijk er zo naar uit.'

Ze kijkt dromerig voor zich uit en Lieke glimlacht.

'Ik ben heel blij voor je, Juut. Harm houdt veel van je. Dat kan een kind zien.'

Het verrast Judith niet als Harm haar vertelt dat hij belijdeniscatechisatie wil gaan volgen.

'Na de zomervakantie zal het van start gaan,' vertelt hij haar. 'En daarna wil ik ook heel graag Annemieke laten dopen.'

Judith wordt er stil van. Natuurlijk heeft ze hier al vaker haar gedachten over laten gaan. Maar uiteindelijk is het Harm zelf die zijn beslissingen hierin moet nemen.

'Ik ben er blij om,' zegt ze. 'Wat zou Marlies hier ook blij mee geweest zijn.'

Harm kijkt haar aan en glimlacht weemoedig. 'Jij zult nu ook haar wens gaan vervullen.'

Judith kijkt hem vragend aan. 'Haar wens?'

Zacht herhaalt hij de woorden van Marlies. 'Vertel Annemieke over Jezus, Judith. Help Harm daarbij.'

In stille verwondering kijkt Judith Harm aan.

'Denk jij ook niet, Harm, dat het Christus Zelf is Die onze wegen zo wonderlijk heeft geleid?'

'Dat denk ik niet,' antwoordt Harm. 'Dat geloof ik.'

En die woorden klinken als een belijdenis in de stille beslotenheid van de kamer.